EL JUEGO DE LOS CAZADORES

CHRISTINE FEEHAN

EL JUEGO

DE LOS CAZADORES

TITANIA

ARGENTINA — CHILE — COLOMBIA — ESPAÑA
ESTADOS UNIDOS — MÉXICO — PERÚ — URUGUAY — VENEZUELA

Título original: *Predatory Game*
Editor original: The Berkley Publishing Group, published by the Penguin
    Group New York
Traducción: Rosa Arruti

1.ª edición Octubre 2014

ISBN: 978-84-92916-74-0
E-ISBN: 978-84-9944-771-1
Depósito legal: B-18.120-2014

Fotocomposición: Montserrat Gómez Lao
Impreso por: Romanyà-Valls – Verdaguer, 1 – 08786 Capellades (Barcelona)

Impreso en España – *Printed in Spain*

Para Adam Schuette, con cariño

Agradecimientos

Quiero dar las gracias a Domini Stottsberry por su ayuda con la enorme cantidad de documentación que ha requerido hacer este libro posible. Brian Feehan y Morey Sparks merecen todo mi agradecimiento por las charlas sobre rescates y acción y por contestar a interminables preguntas. Como siempre, Cheryl, ¡eres increíble! Gracias al doctor Chris Tong por su paciencia al intentar enseñarme todo tipo de cosas, desde física a biología, y a Tyler Grinberg y a Cecilia Feehan por su ayuda a la hora de descifrar teorías imposibles. Y, por supuesto, ¡nunca llegaría a ninguna parte sin Manda!

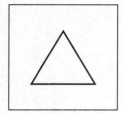

SIGNIFICA
sombra

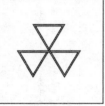

SIGNIFICA
protección contra
las fuerzas malignas

SIGNIFICA
la letra griega *psi*, que los investigadores
parapsicológicos utilizan para referirse
a la percepción extrasensorial
u otras habilidades psíquicas

SIGNIFICA
cualidades de un caballero:
lealtad, generosidad,
valor y honor

SIGNIFICA
caballeros en la sombra que protegen
de las fuerzas malignas
mediante los poderes psíquicos,
el valor y el honor

Nox noctis est nostri
La noche es nuestra

El credo de los Soldados Fantasma

Somos Soldados Fantasma, vivimos entre las sombras.
El mar, la tierra y el aire son nuestro entorno.
No dejaremos atrás a ningún compañero caído.
Nos regimos por la lealtad y el honor.
Somos invisibles para nuestros enemigos
y los destruimos allá donde los encontramos.
Creemos en la justicia y protegemos a nuestro país
y a aquellos que no pueden hacerlo.
Lo que nadie ve, oye ni sabe
son los Soldados Fantasma.
Entre las sombras existe el honor, nosotros.
Nos movemos en absoluto silencio,
ya sea por la jungla o por el desierto.
Caminamos sin ser vistos ni oídos entre nuestro enemigo.
Atacamos en silencio y desaparecemos
antes de que descubran nuestra existencia.
Recopilamos información y esperamos con paciencia infinita
el momento idóneo para impartir justicia rápida.
Somos compasivos y despiadados.
Somos crueles e implacables en nuestra ejecución.
Somos los Soldados Fantasma y la noche es nuestra.

Prólogo

*L*as luces de los coches circulando en dirección contraria le estaban mortificando los ojos, como si atravesaran su cráneo y le acribillaran el cerebro. Quiso gritar de dolor y se apresuró a sintonizar la emisora de radio para que la suave voz sexy de la Sirena Nocturna inundara el coche. Era una grabación, pero servía. Centró la visión en un punto y al instante todo adquirió un carácter onírico. Los edificios se sucedían como destellos, los coches parecían haces de luz en vez de materia sólida.

—¿A dónde vamos?

Dio un brinco. Por un momento había olvidado que no estaba solo. Dirigió una mirada impaciente a la fulana sentada a su lado y sintió de nuevo en su cabeza el terrible martilleo que había empezado a remitir. En la oscuridad la prostituta se parecía un poco a la mujer que necesitaba. Si mantuviera la boca cerrada, hasta podría fingir que así era. Estuvo tentado de decirle que pronto iba a irse al infierno, pero consiguió forzar al final una leve sonrisa:

—Vas a cobrar, ¿verdad? ¿Qué cambia entonces que antes demos una vuelta por ahí?

La prostituta se inclinó hacia delante para toquetear la radio.

Recibió un manotazo:

—No toques nada.

Tenía sintonizada la emisora que quería, la que necesitaba. La voz de la Sirena Nocturna se difundía con las ondas, despejaba su mente y excitaba su cuerpo. La mujer no iba a durar ni una hora si volvía a tocar el dial.

Mantuvo la mirada fija en el coche al que estaba siguiendo. Sabía qué debía hacer. Tenía un trabajo, y se le daba bien de verdad lo que hacía. La fulana era una tapadera perfecta, y además le permitía esperar con expectación el placer que llegaría más tarde. Nunca le había atrapado aún. Maldito Whitney, tenía que haber interferido: el doctor había amenazado de nuevo con mandar a otra persona. Al muy estúpido no le gustaban sus informes. Bien, pues iba a joderse. El doctor se creía tan superior, tan inteligente, que le preocupaba, eso decía, que la situación fuera a deteriorarse. Vaya carca, siempre con sus chorradas. No había situación alguna. Nada iba a deteriorarse. Él siempre podía encargarse de la vigilancia de un Soldado Fantasma.

Whitney pensaba que sus preciados Soldados Fantasma eran superguerreros a quienes reverenciar. Se iba a enterar. Los Soldados Fantasma eran mutaciones genéticas, aberraciones, abominaciones, no unos puñeteros milagros como Whitney afirmaba. Habría que eliminarlos a todos de la faz de la Tierra, y él iba a encargarse de eso. Eran experimentos gubernamentales que deberían haberse descartado antes de dejarlos sueltos por el mundo.

Se veía a sí mismo como el guardián, el hombre solitario que se encontraba entre los mutantes y los humanos. Era a él a quien deberían venerar. Whitney debería postrarse de rodillas y besarle los pies, agradecerle sus informes y su atención al detalle...

—No me has dicho tu nombre. ¿Cómo quieres que te llame?

La voz le sacó de golpe del ensueño. Quiso abofetear a aquella fulanita. Machacarle la cara a puñetazos hasta dejar sólo una papilla sanguinolenta. Coger su cabeza entre las manos y oír el crujido gratificante, sólo para que se callara, pero iba a dejarlo para luego. Si aguantaba callada un rato al menos podría seguir con la fantasía de que era la Sirena Nocturna.

La Sirena Nocturna le pertenecía, muy pronto la tendría. Sólo debía librarse de los Soldados Fantasma de una vez por todas. Entonces ella haría todo lo que él dijera.

—Puedes llamarme Papi.

La fulana tuvo la audacia de entornar los ojos, pero él contuvo la necesidad imperiosa de castigarla. Tenía otros planes para ella.

—Soy una chica mala —dijo, y se inclinó para frotarle la entrepierna—. Y es obvio que a ti te gusta que lo sea.

—No hables —soltó, y suspiró cuando ella le abrió los vaqueros.

Mejor dejarla trabajar mientras él se ocupaba de sus asuntos, así mantendría la boca cerrada y las manos ocupadas. Él podría mirar su piel y cabello y todo iría bien. Iba a ser una larga noche, al menos podía esperar con ganas lo que vendría después.

Por delante, el coche al que seguía se detuvo junto al bordillo, qué extraño, pero no podía dejarse atrapar... y no podía perderles. Se hizo a un lado también y esperó mientras la fulana seguía haciendo su trabajo, y la sangre se precipitaba por sus venas como una droga.

Capítulo 1

*S*aber Wynter se recostó en el lujoso asiento del coche deportivo de baja suspensión y observó con incredulidad a su cita:

—¿He oído bien? —Dio unos golpecitos sobre el reposabrazos con su larga uña perfectamente pulida—. Estás diciendo que es la tercera vez que sales conmigo y afirmas que has gastado cien dólares...

—Ciento cincuenta —corrigió Larry Edwards.

Saber alzó una ceja oscura con suspicacia.

—Ya veo. Ciento cincuenta dólares, pero no tengo ni idea en qué los has gastado. Tu restaurante favorito es un bar de carretera.

—El San Sebastian no es un bar de carretera —negó con vehemencia, observando los ojos azul violeta de la chica, ojos inusuales, hermosos e inquietantes.

Le había llamado la atención su voz en la radio al instante: la Sirena Nocturna, la llamaba todo el mundo. Parecía un susurro ronco cargado de pura promesa sensual. Noche tras noche la escuchaba y soñaba con ella. Y luego al conocerla... Tenía una piel fantástica y una boca que pedía sexo a gritos. Y esos ojos. Nunca había visto unos ojos iguales. Parecía de lo más inocente, y esa combinación sexy e inocente era demasiado como para resistirse.

Pero estaba demostrando ser una chica difícil, maldición, ¿y de qué podía enorgullecerse ella? Era flacucha, parecía una niña abandonada, nada como para mostrarse altiva y estirada. De hecho, debería sentirse agradecida por sus atenciones. En lo que a él concernía, era sólo una coqueta.

Ella se encogió de hombros con un gesto de lo más femenino.

—¿De modo que piensas que haber gastado ese dinero en tres citas te da derecho a acostarte conmigo?

—Desde luego que sí, encanto —soltó—. Me lo debes.

Detestaba esa mirada distante y fría suya. Necesitaba que un hombre de verdad la pusiera en su sitio: él era ese hombre.

Saber forzó una sonrisa.

—Y si no... qué término tan delicado has usado... si no «me presto», ¿piensas dejarme tirada aquí mismo en medio de la calle a las dos de la madrugada?

Confiaba en que el muy majadero pasara a la acción o impusiera su criterio, pues iba a recibir una lección de modales que nunca olvidaría. Ella no tenía nada que perder. Bueno, casi nada. Esta vez llevaba demasiado tiempo en la misma ciudad, se había amoldado demasiado bien —teniendo en cuenta sus esquemas—, por lo que si antes de desaparecer limpiaba el suelo con el insoportable Larry el Canalla estaría haciendo un favor a las mujeres de Sheridan.

—Así es, querida. —Le dedicó una sonrisita de complacencia—. Creo que reconocerás que hay que ser un poco razonable al respecto, ¿no?

Deslizó la mano por el respaldo del asiento, sin tocarla de momento. Quería hacerlo. Por lo general a esas alturas ya estaba toqueteando sin parar; le encantaba ver cómo se escurrían sus presas. Le encantaba el poder que tenía sobre ellas. No entendía por qué aún no le había dado un morreo, ni le había abierto la blusa de un tirón para tomar lo que quería. Pese a anhelarlo, algo en su interior le advertía que fuera más despacio, que tuviera un poco más de cautela con Saber. Estaba seguro de que no tardaría en quedarse calladita y él sería capaz de hacer lo que le viniera en gana con ella. Confiaba en verla gritando y suplicando que no la dejara ahí, pero en vez de eso sus dientecitos blancos relucían como perlas brillantes, algo que le retorcía las tripas.

Tanta petulancia provocaba en Saber ganas de abofetear aquellos rasgos aniñados de chico guapo y borrárselos de la cara.

—Tengo malas noticias para ti, Larry. La triste verdad es que prefiero defenderme con todas mis uñas y dientes antes que acostarme contigo. —Salió del coche de baja altura—. Te apesta el aliento, Lar, y seamos francos... eres repugnante.

Cerró la puerta con tal fuerza que él dio un claro respingo.

La furia le dominó.

—Este barrio tiene mala fama, Saber. Vaqueros borrachos, traficantes, gorrones. No es buena idea quedarse aquí.

—Serán mejor compañía, estoy segura —bromeó ella.

—Tu última oportunidad, Saber. —El ojo le temblaba de rabia—. Te estoy haciendo un favor. Tirarse a una esquelética como tú no es ningún festín. Básicamente eres un polvo penoso.

—Muy tentador, Lar, muy tentador. ¿Te dio resultado con alguna adolescente asustada? Porque conmigo, la verdad, no funciona.

—Vas a lamentarlo —soltó él, furioso porque nada de lo que decía parecía obtener la reacción deseada.

Le hablaba como una princesa a un campesino y hacía que se sintiera como lodo bajo su zapato.

—No pienses que esto va a quedar así, celebridad —advirtió ella aún con su sonrisa—. Será una gran historia para mi sesión de radio. Dedicaré todo un programa al tema: el peor gilipollas con quien has salido en la vida.

—No te atreverás.

—No estás tratando con una quinceañera, Larry —le informó con frialdad, demasiado enfadada ya como para reírse de la situación.

Él no tenía ni idea de con quién, o qué, estaba tratando. Vaya pedazo de idiota. ¿Creía que podía obligarla a acostarse con él con amenazas de dejarla en un barrio de mala fama? Se preguntó si en realidad ese plan le había funcionado antes. Sólo pensarlo hacía que se muriese de ganas de echarle las garras. Pero mantuvo su frialdad y le miró de arriba abajo.

Furioso, Larry aceleró el motor y se alejó dejando un rastro de neumáticos, y a Saber de pie en medio de la calle vacía.

La chica dio una patada en el suelo aún mirando con ira las luces traseras que desaparecían.

—Maldición, Saber —musitó pateando el bordillo con frustración—. Si insistes en salir con gilipollas, ¿qué esperas?

Estaba cansada de intentar parecer normal. Estaba agotada hasta la muerte de fingir. Nunca iba a encajar, ni en un millón de años.

Pasándose la mano por la masa azul oscuro de espesos rizos que caían con rebelde confusión alrededor de su cara, dio una lenta y prolongada mirada a su alrededor. Larry no bromeaba, era una parte espantosa de la ciudad.

Tomó aliento y dijo entre dientes:

—Qué maravilla. Lo más seguro es que haya ratas aquí. Ratas famélicas. Esto no pinta bien, Saber, en absoluto. Deberías haberle dado una paliza y robado su coche.

Con un profundo suspiro, se encaminó por la acera sucia y agrietada en dirección a la única farola que iluminaba una cabina de teléfono.

—Sería una suerte que esa cosa estúpida estuviera rota. En ese caso, Larry —juró en voz alta— sin duda pagarás por tus pecados.

Porque, por supuesto, podía tener un móvil como todo el mundo. Pero no dejaba rastros burocráticos que cualquiera pudiera seguir. La próxima vez, si en alguna ocasión había una próxima vez de ser lo bastante estúpida como para tener una cita, llevaría su propio coche y ella dejaría a alguien tirado.

Una espera de cuarenta y cinco minutos para un taxi. Para eso servían sus fanfarronadas. No iba a esperar cuarenta y cinco minutos en la oscuridad rodeada de ratas. Ni de coña. Qué incompetencia mostraba el servicio de taxis al no planear mejor sus recursos.

En un arrebato de mal genio colgó el auricular con un porrazo, pensando fugazmente en el oído del telefonista. Dio una patada a un lado de la cabina y casi se rompe la punta del pie. Con un aullido y dando brincos como una idiota, juró venganza eterna contra Larry.

Debería haberse quedado en el coche y plantarle cara en vez de dejar que se largara así. Era un gusano que se arrastraba por el suelo, pero no un monstruo. Había conocido monstruos de cerca. Le pisaban los talones y pronto —demasiado pronto si no se largaba— volverían a encontrarla. Un saco de mierda como Larry era un príncipe en comparación. Sin duda Lar no había reconocido el monstruo que había en ella. Si la hubiera tocado... desechó la idea y se obligó a pensar como alguien *normal*. Debería haberle dado un puñetazo, al menos uno, por todas las mujeres a las que había abandonado, porque a él le gustaba el poder. Estaba bastante segura de que casi todas ellas tendrían deseos de darle al menos un puñetazo al hijo de perra.

Saber suspiró bajito y sacudió la cabeza. Estaba posponiendo lo inevitable. No iba a volver a casa andando, y en realidad no podía quedarse donde estaba. Iba a pagar caro por esto, pero ¿qué era una reprimenda más después de tantas? Esforzándose por respirar hondo y controlarse, marcó con furia los números, usando inconscientemente un movimiento punzante y salvaje con el dedo sobre el teléfono que no tenía culpa alguna.

Jess Calhoun estaba despatarrado cuan largo era sobre el amplio futón de cuero hecho por encargo, mirando al techo en la oscuridad. Un silencio asfixiante le rodeaba, envolvente y opresivo. El tic tac del reloj sonaba únicamente en su mente. Interminables segundos y minutos. Una eternidad. ¿Dónde estaba ella? ¿Qué diablos estaba haciendo a las dos y media de la mañana? Era su noche libre, no estaba en la emisora trabajando más tarde de lo habitual, ya lo había comprobado. Seguro que no había tenido un accidente, alguien se lo habría notificado. Había llamado a todos los hospitales de la zona, al menos podía consolarse sabiendo que no estaba en ninguno de ellos.

Cerró los dedos despacio formando un puño y golpeó una, dos veces sobre el cuero. No le había dicho que salía, ni siquiera había llamado para decir que llegaría tarde. Uno de estos días la misteriosa y elusiva Saber iba a hacerle perder la paciencia, y acabaría estrangulándola.

El primer recuerdo que tenía de ella se coló sin previo aviso, advirtiéndole que era su propia estupidez lo que le había llevado a una posición tan incómoda. Diez meses antes había abierto la puerta y en la entrada había encontrado a la niña más hermosa que jamás había visto, con una gastada maleta en la mano. No pasaba del metro cincuenta y siete y tenía el pelo como el azabache, tan negro que a través del revuelo de rizos relucían unas lucecitas azules. Su cara pequeña y frágil tenía una delicada osamenta clásica y una nariz levemente altiva. Piel suave perfecta, boca carnosa y enormes ojos azul violeta. Había una inocencia en ella que despertó un deseo —no, necesidad— de protegerla. La manera en que temblaba con el aire frío era insoportable.

Ella le había tendido sin mediar palabra un pedazo de papel con su anuncio. Quería el trabajo en la emisora, el puesto que había quedado vacante después del accidente de coche en el que falleció su equipo del turno de noche. Tal accidente había dejado temblando a todo el mundo, y Jess había tardado un tiempo en pensar en volver a ofrecer el trabajo, pero hacía poco había puesto un anuncio para contratar a alguien.

Fueron sus ojos y boca lo que la delataron. No era una niña envuelta en una fina chaqueta vaquera varias tallas demasiado grande, sino una joven agotada, de belleza exótica e inquietante. Esos ojos habían visto cosas que no deberían haber presenciado. Él nunca dejaría tirada —no podría— a una joven con esos ojos.

Tardó un momento en cerrar la boca y volver a entrar en el vestíbulo para invitarla a entrar. Le estrechó la mano rodeándola por completo, pero no obstante pudo percibir la fuerza con que se agarraba. Bajo la engañosa piel de seda había músculos de acero. Se movía con gracia fluida, su porte era tan regio que la tomó por una bailarina de ballet o gimnasta. Cuando por fin la joven esbozó una sonrisa titubeante, dejó a Calhoun por completo sin aliento.

Jess se pasó una mano por el pelo maldiciéndose por haberla invitado. Desde aquel momento, estuvo perdido; sabía con certeza que siempre lo estaría. Durante los últimos diez meses ella le había hechizado y él ni siquiera quería escapar del embrujo. Nunca había reaccionado a una mujer de aquella manera. No podía dejar que se marchara, por ilógico que pareciera, así que había abierto su hogar y le había ofrecido el trabajo en la emisora y también algunas tareas ligeras de gobierno de la casa a cambio de un lugar donde vivir.

Por supuesto la había investigado; no había perdido la cabeza del todo. Les debía a sus compañeros Soldados Fantasma, miembros de su grupo militar de elite, saber con quién compartía su casa. Pero no existía ninguna Saber Wynter. No es que le sorprendiera demasiado, pues imaginaba que se ocultaba de alguien, pero era muy inusual que él no encontrara hasta el último dato sobre alguien, sobre todo teniendo en cuenta que disponía de sus huellas dactilares.

El estridente sonido del teléfono le provocó un vuelco del corazón contra el muro de su pecho. Sacó volando la mano, con la velocidad propia de una serpiente al ataque, y agarró el auricular.

—¿Saber?

Era un ruego, maldición, un ruego manifiesto. Respiró hondo deseando absorberla en sus pulmones y retenerla ahí.

—Hola, Jesse —saludó ella con jovialidad, como si aún fuera mediodía y él no llevara horas subiéndose por las paredes—. Digamos que tengo un problemilla de nada...

Él pasó por alto el alivio que recorría su cuerpo a toda velocidad, la tensión de los músculos nada más oír el sonido sensual de su voz, y la erección instantánea que nunca desaparecía cuando pensaba en ella..., algo que sucedía todo el tiempo.

—Maldición, Saber, no habrás acabado en el trullo otra vez.

De verdad iba a estrangularla. Un hombre no podía tolerar tanto.

El suspiro de la chica fue exagerado.

—Con franqueza, Jesse, ¿tienes que sacar ese tonto incidente cada vez que algo va mal? No es que intentara a posta que me arrestaran.

—Saber —dijo él con exasperación—, tender las manos juntando las muñecas es pedir que te arresten.

—Era por una buena causa —protestó.

—Encadenarse a la casa de unos ancianos para llamar la atención sobre las condiciones de la vivienda no es que sea exactamente la manera de cambiar las cosas. ¿Dónde demonios estás?

—Suenas como un viejo oso gruñón con dolor de muelas. —Saber repiqueteó un ritmo con su larga uña en la pared de la cabina, uno de los hábitos nerviosos que nunca superaba—. Estoy aquí colgada cerca de los viejos almacenes, digamos que mmm sola... sin coche.

—¡Maldita sea, Saber!

—Eso ya lo has dicho antes —indicó diplomáticamente.

—Ni se te ocurra moverte. —El frío acero apareció en el timbre profundo de su voz—. No salgas de la cabina. ¿Me oyes, Saber? Mejor que no te encuentre jugando a dados ahí con una panda de colgados.

—Muy gracioso, Jesse.

Se rió, de hecho la mocosa se rió. Jess colgó el teléfono de golpe, con ganas de sacudirla un poco. La idea de ella, tan frágil y desprotegida, cerca de los almacenes, una de las peores zonas de la ciudad, le mataba de miedo.

Saber colgó y se apoyó con debilidad en el muro de la cabina cerrando los ojos. Temblaba tanto que le costaba mantenerse en pie. Fue un esfuerzo soltar los dedos, uno a uno, del auricular. Detestaba la oscuridad, los demonios que acechaban en las sombras, la manera en que la negra noche podía convertir a la gente en animales salvajes. Su trabajo en la emisora de radio, algo que debía a Jess, no podía ser más indicado para ella, porque podía estar en pie toda la noche.

Y esta noche, la primera libre después de una eternidad, tenía que quedar con Larry el Canalla, que iba a dejar su trasero tirado en el peor sitio de la ciudad que pudiera encontrarse... no es que no supiera cuidar de sí misma, y ése era el problema, siempre sería el problema. Ella no era normal. Debería asustarle lo que acechaba en la noche en vez de asustarle hacer daño a alguien.

Suspiró. No tenía ni remota idea de por qué había salido con Larry. Ni siquiera le gustaba, ni él ni su aliento putrefacto. En realidad no le gustaba ninguno de los hombres con los que tenía citas, pero quería gustarles, sentirse atraída por ellos.

Se hundió en la pequeña cabina, acercando las rodillas al pecho. Jesse vendría a buscarla, lo sabía. Tan indudable como la tonta historia de Jess asegurando necesitar que alguien alquilara el apartamento superior, o que fuera tan barato porque necesitaba que le ayudaran con algunas sencillas tareas de la casa.

El sitio era un palacio para Saber. Grandes espacios abiertos siempre de un limpio inmaculado. El piso superior no era un apartamento, nunca lo había sido. El segundo baño de la planta fue añadido después de que ella se instalara. La enorme sala de pesas, tan bien equipada, y la piscina de tamaño real eran un incentivo añadido que podía usar cuando quisiera según le había dicho.

Por primera vez en su vida Saber se había tragado su orgullo y aceptado aquel regalo. La verdad era, por mucho que detestara admitirlo, que nunca había tenido ocasión de lamentarlo, no desde que se había instalado... a excepción de saber que no podría quedarse demasiado. Jess era el motivo real de que se quedara; no su casa, la piscina o el trabajo. Sólo Jesse.

Cerró los ojos un instante y se frotó la barbilla con las rodillas. Se estaba implicando demasiado con este hombre, más de la cuenta. Seis meses atrás no se le habría ocurrido llamar pidiendo ayuda, ahora no se le ocurría dejar de hacerlo. Aquella revelación la inquietó. Era hora de marcharse, ya hacía tiempo que debería haberse ido: se estaba acomodando demasiado. Saber Wynter tendría que arder en llamas y una nueva identidad surgiría de las cenizas, porque si se quedaba más tiempo, corría un peligro terrible, y esta vez sólo sería culpa suya.

La furgoneta apareció junto al bordillo con un estruendo y en tiempo récord. Jesse asomó su rostro apuesto por la ventana. Sus ojos oscurecidos por sombras la estudiaron con cierta ansiedad. El desplazamiento de esos ojos preciosos provocó un vuelco en su estómago, aunque ella sólo deseaba sentir alivio.

Saber se levantó despacio, un poco temblorosa, sacudiéndose la parte posterior de los vaqueros y dándose tiempo para recuperarse.

—Saber —gruñó él, con el frío acero todavía evidente.

Ella subió al vehículo de un brinco, inclinándose para darle un rápido beso en el mentón oscurecido.

—Gracias, Jesse, ¿qué haría sin ti?

La furgoneta no se movió, por lo que ella hizo una mueca y, bajo la mirada vigilante de Jess, se colocó el cinturón de seguridad.

—Mejor no lo averigüemos. —Terciopelo sobre acero. Pronunció las palabras con exasperación, recorriendo con sus ojos relucientes y posesivos la figura pequeña y delgada para asegurarse de que no había sufrido daño alguno—. ¿Qué ha sucedido esta vez, pequeña? ¿Alguien te convenció de que estos bonitos almacenes son trampas mortales y decidiste provocar algún incendio?

—Por supuesto que no —negó la chica, pero estudió los edificios con la mirada llena de prejuicios mientras el coche empezaba a circular—. Aunque ahora que lo mencionas, alguien debería investigar el problema.

Jess gruñó con exasperación.

—Entonces, ¿qué ha pasado, preciosidad?

Se encogió de hombros con desdén, despreocupado.

—Mi cita me dejó tirada después de una pequeña riña.

—Me lo puedo imaginar —dijo Jess, aunque algo oscuro y peligroso empezó a bullir en las profundidades de sus ojos—. ¿Qué hiciste? ¿Sugeriste robar las sillas del porche de alguien? ¿Un asalto al YMCA? ¿Qué ha sido esta vez?

—¿No consideras la posibilidad de que fuera sencillamente culpa de Larry? —preguntó indignada.

—Claro, durante un par de segundos, aunque tengo intención de buscar a ese amigo tuyo para dejarlo hecho un grumo sanguinolento de la paliza que se va a llevar.

—¿Me dejarás mirar?

Le sonrió invitándole a reírse con ella de todo el incidente. Eso era lo que le encantaba de Jesse, que fuera tan protector y peligroso. Aunque pareciera un osito de peluche, bajo la superficie..., debajo de todo ese músculo, había algo mortífero que la atraía como un imán.

—No tiene gracia, mocosa, podrían haberte agredido o algo peor. ¿Qué ha sucedido?

—Soy muy capaz de cuidar de mí misma —informó Saber con tono altivo—. Y tú lo sabes bien.

—Sé que crees que lo eres. Eso no es lo mismo. —Volvió sus ojos sagaces, como los de un halcón—. Deja ya de evitar la pregunta y cuéntame qué ha pasado.

Saber perdió la mirada por la ventana. Casi sintió rencor porque sabía que iba a contárselo. No quería, pero por algún motivo parecía explicarle todo lo que quería. Peor aún, nunca se sentía incómoda con él después. Sin duda estaban intimando demasiado, y eso significaba que tendría que dejarle.

¿Dejarle? ¿De dónde había salido eso? Su estómago se hundió y el corazón dio un extraño vuelco muy inquietante.

—Deja de poner esa expresión obstinada; ese gesto en tu barbilla siempre significa que vas a ponerte cabezota. No sé por qué te molestas si siempre acabas contándome todo lo que quiero saber.

—Tal vez crea que no es asunto tuyo —replicó con decisión, fingiendo no sentirse culpable.

—Es asunto mío si me llamas a las dos y media de la madrugada cuando uno de tus novios delincuentes te deja tirada en la calle.

Al instante los ánimos se caldearon.

—Eh, siento haberte molestado —dijo Saber con agresividad, pues la aterrorizaba aquella manera en que él le hacía sentirse—. Si quieres me bajo de tu preciosa furgoneta ahora mismo.

Él le lanzó una gélida mirada burlona.

—Puedes intentarlo, encanto, pero te garantizo que no lo lograrás. —Jess suavizó el tono de voz, convirtiéndolo en una caricia de terciopelo sobre su piel que provocó una corriente de electricidad serpenteante a través de su riego sanguíneo—. Deja de llevarme la contraria y dime por qué te dejó tirada.

—No quería acostarme con él —musitó en voz baja.

—Repite eso, cielo, esta vez mirándome a la cara —sugirió él suave como la seda.

Saber soltó un suspiro.

—No quería acostarme con él —dijo otra vez.

Se hizo un silencio mientras él marcaba un código en el sistema de control remoto para abrir la verja de seguridad y meter la furgoneta por la larga y sinuosa calzada de entrada y luego hasta el interior del gran garaje.

Jess, empleando sus brazos musculosos, se aupó hasta la silla que esperaba allí. La eléctrica, advirtió Saber.

—Vamos, tesoro. —Su voz amable fue tan inesperada que ella se encontró pestañeando para contener las lágrimas—. Puedes sentarte sobre mi regazo.

Saber consiguió esbozar una sonrisita, aunque su mirada eludió aquellos ojos suyos que todo lo veían mientras se acurrucaba como un ovillo contra su pecho, encontrando alivio en su presencia. Era duro como una roca. Deslizó el trasero sobre el enorme bulto del regazo, provocando el revuelo de miles de alas batiendo contra las paredes del estómago de Saber. Siempre se sentaba encima de él, y siempre tenía una erección. Siempre empalmado. En ocasiones ella necesitaba con desesperación hacer algo al respecto —como ahora—, pero no se atrevía a cambiar su situación. Y no estaba claro que todo fuera por ella. Deseaba que lo fuera, pero él nunca había dado ningún paso al respecto. Ni una sola vez.

Jess sentía el temblor de su delgado cuerpo. Rozó con la mano el pulso frenético en la base del cuello de Saber. Por un momento la rodeó con brazos protectores y apoyó la barbilla en lo alto de su cabeza sedosa. Sin duda ella tenía que notar aquella atroz erección, pero nunca decía palabra, sólo deslizaba el trasero sobre él y se acomodaba como si encajara ahí a la perfección. Si ella podía pasar por alto aquel maldito bulto, él también.

—¿Estás segura de que te encuentras bien, Saber? —preguntó con calma.

La muchacha asintió, con un sonidito afirmativo, musitado contra la amplia extensión de su pecho.

La silla de ruedas estaba bloqueada para no desplazarse mientras el ascensor les bajaba del coche. Por lo general, Jess prefería su silla ligera y rápida. La manejaba manualmente y podía moverla con facilidad; le gustaba el ejercicio, el control, la libertad de jugar. Pero en este momento estaba agradecido de contar con la silla eléctrica, más grande y pesada. Le dejaba los brazos libres para acariciar a Saber contra él. Parecía un poco perdida esta noche, muy vulnerable, una faceta suya que rara vez le enseñaba. Saber prefería el humor a ninguna otra cosa, lo empleaba a menudo como barrera entre ella y el resto del mundo.

Una vez dentro de la casa, llevó la silla directa a la sala de estar, sumida en penumbra. Enredó la mano en el cabello de Saber, masajeando con los dedos su cuero cabelludo para aliviar la tensión en ella.

—O sea ¿que enfrentarte a mí era preferible a dormir con ese golfo, mmm? —bromeó con dulzura.

La muchacha levantó la cara hacia él.

—Nunca dormiría con nadie de quien no esté enamorada.

Y lo decía en serio. Iba a llevar su vida lo mejor posible. Iba a hacer amigos, tener ideales, saber lo que era divertirse. Y maldición, por una vez, sólo una vez, iba a conocer el amor verdadero. Cuando llegara el momento entregaría a ese hombre su cuerpo, porque no tendría otra cosa que darle.

—Nunca me habías contado eso. ¿Quieres decir que todos esos idiotas con los que tienes citas...?

Ella se irguió con brusquedad. Se habría levantado de un salto de su regazo, pero los brazos formaban un círculo en torno a su forma delgada, reteniéndola con eficacia como su prisionera. Le dirigió una mirada iracunda.

—¿Eso pensabas de mí todo este tiempo? —preguntó—. ¿Crees que me iría a la cama con cualquiera?

De hecho las lágrimas brillaban en sus ojos, provocando un estremecimiento en el corazón de Jess.

—Por supuesto que no, preciosidad.

—Qué mentiroso eres, Jess. —Empujó la sólida pared de su pecho otra vez—. Suéltame. En serio, ahora mismo.

—Así no, Saber. Nunca antes hemos tenido una pelea y no quiero empezar ahora.

Por un momento ella permaneció rígida, apartándose de él, pero no podía enfadarse con Jess. Con un pequeño suspiro, Saber se recostó contra él y la tensión se evaporó. Sus brazos eran el único lugar donde se sentía a salvo. Había oscuridad por todas partes, expectante y vigilante. Casi podía oír su respiración, esperando a que subiera las escaleras y se fuera a su habitación solitaria.

No recordaba con claridad la primera vez que Jess la había puesto en su regazo, probablemente tras una de sus alocadas carreras en la silla, pero siempre había sido igual. En el momento en que la rodeaba con sus brazos, sentía que no quería irse de allí. Tal vez por eso permitía que su relación llegara tan lejos. Quizá fuera el motivo de que hubiera permanecido demasiado tiempo aquí, arriesgando demasiado. No podía soportar la idea de alejarse de él, y eso la volvía una completa estúpida.

—¿Así que vas a ocultarte de mí o vas a aceptar mi disculpa?

Frotó con la barbilla la parte superior de su cabello.

—Si ésa es tu manera de disculparte —suspiró ella con indignación— no estoy segura de que vaya a perdonarte. No me gusta lo que piensas de mí.

—Pienso lo mejor de ti, y lo sabes. —Tiró de un rizo especialmente intrigante—. ¿No sirve que diga «lo siento»?

—Espero que nunca tengamos una pelea seria de verdad.

Le dio un cachete en la mano, pero estaba más irritada consigo misma que con él. Podría permanecer así para siempre, sólo inhalando su fragancia, notando los músculos y el calor de su cuerpo extendiéndose por ella con un ardor deleitable que nunca antes había conocido.

Jess se rió en voz baja, y el sonido descendió como una pluma por la columna de Saber, como el contacto frío de unos dedos.

Al instante alzó la cabeza, horrorizada por las sensaciones perturbadoras de su cuerpo.

—Mejor que vaya arriba, Jesse, y te deje dormir.

Porque si no se apartaba de él, acabaría haciendo la boba y cedería a la necesidad de dejar un rastro de besos sobre su cuello y mentón, hasta encontrar esa boca que tanto la trastornaba... Se levantó de un brinco con el corazón acelerado.

A su pesar, él la dejó escapar.

—Te conozco mejor que todo eso, encanto; subirás y luego me tendrás desvelado toda la noche con tus ridículos paseos de un lado a otro del cuarto. Vete a ponerte el traje de baño, podemos ir a nadar.

El rostro de la joven se iluminó:

—¿Lo dices en serio?

—Vamos —ordenó él.

Cruzó el suelo de madera para llegar al pie de las escaleras y se detuvo para volverse a mirarle. En la penumbra, Jess podía ver su silueta perfecta, los pechos elevándose como una invitación contra el tejido de la blusa clara. Su cuerpo se tensó aún más, endurecido por ese familiar anhelo doloroso que no desaparecería de momento. Maldijo en voz baja, pues sabía que pasaría otra noche entera como tantas otras, ansiando el contacto de su suave piel y sus inquietantes ojos azules. Nunca había tenido una reacción así con una mujer. No podía sacársela de la cabeza, y si estaba cerca, su cuerpo se ponía a cien en segundos.

Demonios, ni siquiera tenía que estar cerca. El sonido de su voz por la radio, la fragancia que dejaba en el aire, su risa y, que Dios le ayudara, sólo pensar en ella hacía que su cuerpo le doliera sin pausa.

—Gracias, Jesse. Sabía que no me fallarías. No sé qué haría sin ti.

Él la observó subiendo por las escaleras y pensó en sus palabras. Era la segunda vez que afirmaba aquello esta noche. Y había un tono nuevo en su voz. ¿De asombro? ¿Advertía por fin que él era algo más que un hombre en una silla de ruedas? Eso no era justo; la mitad de las veces ella no parecía fijarse en la silla de ruedas, pero en el hombre tampoco.

Suspiraba por ella, tenía fantasías, soñaba con Saber. Más tarde o más temprano tendría que hacer algo. Diez meses era tiempo suficiente para saber que ella había atrapado su corazón en una intrincada maraña. Aunque se encontrara en una silla de ruedas y sus piernas estuvieran inútiles por debajo de las rodillas, por encima su cuerpo se encontraba a pleno rendimiento, y exigía una satisfacción, exigía a Saber Wynter.

Suspiró en voz alta. Ella no tenía ni idea de que había llamado a la puerta del diablo y que éste la había invitado a pasar. No tenía intención de renunciar a ella.

Saber encendió todas las lámparas que encontró en su recorrido a través de su salón hasta el dormitorio. Se quedó de pie junto a la ventana, mirando las estrellas. ¿Qué le estaba sucediendo? Jess la había acogido... pese a saber que era un error, de eso estaba segura. Se habían hecho amigos íntimos casi de inmediato. Les gustaban las mismas películas, la misma música, hablaban durante horas sobre todo, sobre cualquier cosa. Se reía con Jess. Podía ser la auténtica Saber Winter con él. Estrafalaria, triste, feliz, a él nunca parecía importarle qué decía o hacía... La aceptaba, así de sencillo.

En los últimos tiempos había estado demasiado inquieta, tumbada en la cama pensando en él, en su sonrisa, el sonido de su risa, la amplitud de sus hombros. Era un hombre guapo y atlético, con silla de ruedas o sin. Y vivir con tal proximidad a menudo le hacía olvidar por completo la silla. Él era del todo autosuficiente: cocinaba, se vestía, conducía por toda la ciudad. Jugaba a bolos, a ping-pong, y cada día sin falta levantaba pesas e iba a nadar. Había visto su cuerpo; era un atleta de primera. Los músculos de sus brazos estaban tan desarrollados que apenas podía tocarse los hombros con los dedos por el tamaño de sus bíceps. Jess le había contado que los nervios habían quedado gravemente dañados por debajo de la rodilla, algo irreparable.

Desaparecía durante horas en su despacho, la habitación en la que ella nunca entraba, cerrada a cal y canto. Saber había avistado el equipo informático de última generación, y sabía que le gustaban los artilugios tecnológicos, que había estado en la marina —un equipo de elite SEAL— que todavía recibía innumerables llamadas de sus amigos, aunque él mantenía esa parte de su vida apartada de ella, cosa que le parecía bien.

¿Pensaba en mujeres? Ellas con certeza pensaban en él. Había visto docenas de mujeres coqueteando con Jess. ¿Y por qué no? Guapo, rico, talentoso, el hombre más encantador de Wyoming. Jess era un buen partido para cualquier mujer. Era propietario de la emisora local donde ella trabajaba, y también hacía otras cosas, sobre las que no daba demasiadas explicaciones, pero a ella poco le importaban. Sólo quería estar con él.

Cerró la mano agarrando el encaje de la cortina, recogiendo el tejido en su puño. ¿Por qué tenía tantas ideas estúpidas sobre un hombre al que nunca podría tener? No se merecía estar con un hombre como Jess Calhoun. Nunca se quejaba, nunca le hacía callar. Era arrogante y estaba acostumbrado a que le obedecieran, eso era indudable, pero siempre le hacía sentirse especial. Era excepcional, extraordinario, y ella... iba a tener que marcharse pronto.

Sin darse cuenta, perdió la mirada por la carretera. Durante un momento se le detuvo el corazón. Había un coche aparcado entre los árboles justo detrás de las verjas de seguridad. Un pequeño punto rojo relumbró cuando el ocupante dio una calada. Todo en ella se paralizó, se quedó quieta por completo, con la respiración atascada en la garganta. Su corazón empezó a acelerarse y retorció los dedos sobre el tejido de las cortinas hasta que los nudillos se pusieron blancos.

Luego alcanzó a ver a la pareja besuqueándose. Casi toda la tensión se alivió en su cuerpo. Por supuesto, era el aparcamiento perfecto, una calle sin salida.

Diez meses atrás, Saber había tomado esa misma carretera, pensando en esquivar a la gente. De hecho había acampado en la propiedad de Jess unos pocos días hasta que hizo tanto frío que estuvo convencida de que moriría congelada. Eso fue antes de que él instalara las verjas de seguridad y la alta y elegante valla.

¿Lo había hecho por ella? Casi siempre estaba nerviosa durante esos dos primeros meses, antes de que Jess lograra hacerle sentir que él la mantendría a salvo del resto del mundo. ¿O había algún motivo por el que él sintiera esa necesidad de seguridad?

Saber suspiró mientras volvía a poner la cortina en su sitio. ¿Veía Jess mucho más de lo que era conveniente? ¿Era consciente de que pese a todas sus travesuras y fanfarronadas, estaba asustada a todas horas?

Pensativa, se quitó los vaqueros negros y la camisa verde lima claro, atuendo perfecto para uno de los restaurantes cutres que le gustaban a Larry.

—Ciento cincuenta dólares —dijo desdeñosa en voz alta, en tono indignado—. Vaya mentiroso. La cena no costó más que una lata de comida para perros. ¿A quién se cree que engaña?

Se puso el traje de baño gris carbón y salmón. Comprimía su pecho y resaltaba la estrecha caja torácica y la delgada cintura, y revelaba las delgadas caderas con el corte alto francés. Saber se pasó la mano por la espesa masa de rizos negrísimos, evitando con cuidado mirarse al espejo. Se apresuró a ponerse una camiseta, cogió la toalla y bajó a toda prisa las escaleras para reunirse con Jess.

Sujeto Wynter. Se ha encontrado en una situación que quedaría resuelta liquidando el origen del problema, pero el sujeto ha optado por pedir ayuda. En los pocos meses que lleva con el Sujeto Calhoun, ya no es tan inflexible. Me detectó, no obstante tragó porque quería tragar. Se vuelve débil con el tiempo, olvida su entrenamiento al creerse la falsa sensación de seguridad. Unas cuantas semanas más y deberíamos poder recuperarla sin gran problema o riesgo. Fui capaz de introducir el virus en su sistema y debería empezar a hacer efecto casi de inmediato. Quizás entonces logre acceso a las instalaciones del Sujeto Calhoun. Él es mucho más difícil; está alerta todo el tiempo.

—¿Qué refunfuñas?

La mujer sentada a su lado llevaba un rato pintándose los labios mirándose en el espejo retrovisor como él le había ordenado.

El hombre dirigió una mirada más a la habitación vacía antes de volverse hacia ella con una fría sonrisa.

—Todavía no has acabado. —Se abrió la bragueta y se bajó los pantalones, sujetándola por la nuca—. Veamos si puedes ganarte ese dinero que me cobras.

Subió el volumen de la música y se recostó en el asiento, cerrando los ojos mientras ella empezaba a trabajar. Exhaló un anillo de humo y aplastó el cigarrillo, permitiendo que la fogosidad le dominara. Le maravillaba la sensación poderosa de recostarse y disfrutar de ella, sabiendo que sería lo último que ella haría en su vida. Sabiendo que trabajaba para complacerle, pensando que sacaría una buena propina, pero en vez de eso...

Gimió y se impuso, introduciéndose más en su boca, reteniendo su cabeza aunque ella intentara forcejear, obligándola a aceptar su miembro en toda su medida, obligándola luego a limpiarle, antes de que cogiera su cabeza entre las manos y, con una sonrisa, le rompiera el cuello.

Capítulo 2

*L*a piscina interior resultaba apetecible, cálida y con luz tenue, con fascinantes sombras proyectadas sobre las paredes de baldosas. Un mosaico de árboles de resplandecientes hojas plateadas se extendía hasta el techo, intercalándose en el diseño de las refrescantes baldosas verde menta. Desde el umbral, Saber saludó a Jess y le observó deslizarse en silencio en el agua, con los músculos de los brazos abultados por la fuerza. Su piel relucía con un intenso bronceado, el vello oscuro enmarañado sobre los músculos fuertes del pecho formaba un ángulo cuando descendía sobre el abdomen marcado y desaparecía por el bañador azul.

Sin duda tenía un cuerpazo. Ella lo observaba a menudo, aunque intentara no hacerlo, y conocía cada músculo bien definido. Cuando él se movía, lo hacía con total gracilidad. Siempre estaba alerta y preparado, hasta cuando se encontraba relajado. No como ella; Saber no se estaba quieta, siempre se movía, siempre resistiéndose a quedarse en el mismo sitio.

Se le cortó la respiración al observarle metiéndose en el agua. Le recordó a un poderoso depredador de líneas elegantes, silencioso y mortífero, moviéndose con pereza engañosa mientras avanzaba por el agua.

Saber no podía apartar la mirada de él, hipnotizada por su poder. Calhoun nunca le había contado qué le había pasado en las piernas, pero las cicatrices aún estaban rojas y vivas, y los médicos le visitaban a menudo. Ella sabía que había sido sometido a muchas operaciones, pero no era algo de lo que él hablara. Hacía ejercicio y acudía a diario a un fisioterapeuta. Era un excelente nadador. En una ocasión permaneció tanto tiempo debajo del agua que ella se zambulló aterrorizada, temiendo que se hubiera ahogado, para asustarla a continuación cogiéndola por la cintura y empujándola hacia la superficie. No era de extrañar que hubiera sido un SEAL de la marina; estaba mejor dentro del agua que fuera.

Cuando Jess se detuvo, flotando vertical y empleando sus poderosos brazos, Saber dejó caer la toalla sobre la cubierta y se zambulló, pues no quería que la pillara mirándole así.

Jess se hundió tras ella y se encontraron debajo del agua. Extendió las manos sobre su cintura y la propulsó hacia la superficie. Ella surgió del agua riéndose, descendió de nuevo y, eludiendo sus manos abiertas, se sumergió por debajo de él. Se entregaron a un juego energético que era una mezcla de que-te-pillo y fútbol. Saber era la pelota. Hicieron carreras, probaron una extraña forma de ballet acuático y al final acabaron colgándose de las barras que bordeaban todo el largo de la piscina.

Sin aliento, los ojos de Saber danzaban. Se secó las gotas de agua de la cara.

—Ha sido una idea genial, Jess.

Calhoun enganchó con un brazo la barra de metal y flotó perezoso, sostenido por el agua.

—Siempre tengo ideas geniales. Deberías saberlo ya.

Sonaba de un arrogante imposible.

La joven arrojó un chorro de agua a aquella cara petulante y sonriente, y cuando él quiso vengarse chilló y se zambulló hasta el centro de la piscina. Una vez que salió a la superficie, él se encontraba sentado en el borde del agua intentando poner cara de inocente.

El corazón le dio un brinco al mirarle. Su sonrisa. Su risa. La manera en que sus ojos se iluminaban. ¿Cómo había tenido la enorme suerte de encontrarle? Lanzó otra columna de agua directa hacia él, luego se volvió y se alejó nadando. Pasó varios minutos avanzando con energía, con rápidas brazadas, propulsándose en un intento de forzar el cuerpo hasta agotarse.

Jess se acomodó en el baño caliente y abrió los grifos, permitiendo que el agua masajeara sus piernas dañadas. Se quedó sentado en silencio y observó el pequeño cuerpo de Saber avanzando por el agua con eficiencia. Era extraño, cuando ella nadaba el cuerpo de Jess siempre estaba alerta, todos sus sentidos pasaban a modo de autoconservación. Era una nadadora hermosa. Se movía con el ritmo de una bailarina, grácil y silenciosa. Sabía que tenía reflejos rápidos, incluso los había puesto a prueba en una o dos ocasiones, sólo por esto... por la forma en que nadaba.

Cuando Saber se permitía olvidar que él estaba cerca, nadaba rápido como en una carrera, pero el día que le preguntó si había competido alguna vez, le lanzó una mirada de desdén absoluto, y un segundo después se rió y dijo: «Por supuesto». Él sabía que le mentía.

Debería haber aprovechado eso, sumarlo a las cosas que sabía de ella y continuar investigando su verdadera identidad. Tenía un carné de conducir en vigor, pero sus huellas dactilares no se correspondían con las del sistema. Para nada. Se secó la cara con la toalla y continuó observando su forma perfecta. Era cautivador ver la manera en que se sumergía bajo el agua para hacer el giro, deslizándose la mitad de la distancia hacia el otro lado antes de surgir a la superficie para volver a dar brazadas. Ni un solo sonido delataba su presencia y eso era más que fascinante para él. Jess prácticamente vivía en el agua, pero ¿cómo conseguía ella ser tan silenciosa?

Saber. Jugaba con su nombre en su mente. Un sable... ¿para la justicia? Era obvio que ella había escogido el nombre. ¿Y cómo encajaba Wynter? Las cosas no cuadraban con su compañera de piso, así de sencillo, no obstante se sentía incapaz de poner a trabajar a su equipo en el caso. Suspiró mientras la observaba volver a la superficie una vez más, mirando primero las hojas resplandecientes de las baldosas y luego al techo.

Parecía exótica, pero inocente de todos modos. Era delgada, pero había músculo bajo la lisa piel. Saber volvió la cabeza, le descubrió... y sonrió. Dios. La sonrisa le alcanzó como un puñetazo en la entrepierna, llegando a pensar que podría estallar de necesidad. Llevaba la cautela arraigada en ella; esos ojos azul violeta tan inusuales, tan turbadores, siempre parecían inquietos, buscando al enemigo.

Sabía que el motivo de que se relajara con él era en parte el hecho de que fuera en silla de ruedas y no le percibiera como una amenaza. No porque no viera —o reconociera— su faceta depredadora; simplemente no creía que aún existiera una amenaza.

—¿Vas a nadar toda la noche?

—Aún me lo estoy pensando —admitió—. O esto o la bañera.

—Me veo obligado a indicar que la bañera caliente está mucho menos fría y que te estás poniendo azul. El color te sienta bien de todos modos, combina bien con tus ojos.

Ella se rió, como Jess sabía que haría. Le encantaba tener esa capacidad de hacerle reír; reírse de verdad. Sincera y feliz. Había requerido meses de paciencia, pero al final ella le había dejado entrar, un poquito. Confiaba en él. Pero tal vez no debiera. Saber tenía una falsa impresión de quién o qué era él, pero no estaba dispuesto a asustarla mostrándole al verdadero Jess Calhoun. Podía creerse esta vida, la emisora de radio, las canciones que componía. El hombre que la trataba con amabilidad.

Saber subió por la escalerilla y, tiritando, se apresuró a meterse en la bañera caliente, ocupando un lugar frente a él.

—No me he dado cuenta de que tenía frío.

Eso era otra cosa que había advertido en ella: pasaba por alto su nivel de bienestar, incluso el de dolor, como si pudiera bloquear las sensaciones durante largos periodos de tiempo.

—¿Dónde conociste a Larry? —Porque iba a tener unas palabritas con ese tipo—. ¿Cómo se apellida y dónde trabaja?

Ella hizo una mueca.

—Es camarero y, créeme, Jesse, no merece la pena molestarse, o sea, que para el carro y olvida todo el asunto. De todos modos fue culpa mía. —Echó la cabeza hacia atrás y cerró los ojos—. No sé por qué hago la mitad de las cosas que hago. Salir con Larry fue una mala idea; la culpa es mía por completo.

—¿Por qué saliste con él?

Saber parecía relajada, algo raro en ella. Estaba siempre en movimiento, como un colibrí, sus manos siempre intranquilas. Saltaba o danzaba por una habitación en vez de andar. A veces daba un brinco por encima de un mueble; en una ocasión por encima de su sofá, que era más largo y ancho que la mayoría. Era un enigma que no conseguía resolver del todo.

Saber abrió los ojos y le miró entre el vapor que se elevaba sobre el agua.

Por ti.

Salía con los canallas más repugnantes porque no se atrevía a enamorarse de él. Era una excusa pobre... y de lo más estúpida. No podía tener a alguien decente, por lo tanto se iba con impresentables a quienes era imposible hacer daño. Nunca haría daño a un inocente.

No le dio tiempo a reprimir sus pensamientos. Ni siquiera había admitido aún que ya no era capaz de seguir mirando a Jess sin desearle. Ansiaba seguir con los dedos el contorno de su rostro y memorizar la forma y textura de su boca, deslizarlos a través del denso y precioso cabello que caía sin orden en todas direcciones. No podía cerrar los ojos y dejar de tenerle en su mente. Le olía en todas las habitaciones, cuando inspiraba estaba ahí, y le absorbía tan profundamente en sus pulmones que se sentía poseída por él.

Temiendo que pudiera leer demasiadas cosas en su rostro, apartó la mirada para estudiar el mural de baldosas.

—Quién sabe por qué hago las cosas que hago, Jesse, cualquiera de ellas.

Calhoun no disponía de la habilidad de leer el pensamiento. Saber le había hablado telepáticamente. Todas las células de su cuerpo se pusieron en guardia. Sus palabras sonaron claras, absolutamente claras en la mente de Jess. *Por ti.* Ella era capaz de proyectar pensamientos en su cabeza. No sólo había sido clara, sino que lo había hecho con suma facilidad, sin malgastar energía y delatarse. Ni una vez en los diez meses que llevaba viviendo con él había tenido un desliz. Ni una vez. Y eso significaba una cosa: formación especializada. No sólo especializada; ser tan buena como para pasar desapercibida sin cometer errores requería una disciplina rígida. Jess no iba a tragarse que ella había encontrado por casualidad su casa, le había encontrado a él, y a la vez estaba entrenada en comunicación telepática. Dios. Jesús. No soportaría que estuviera jugando con él en secreto.

Continuó sentado en silencio, pasmado por la asombrosa revelación, furioso consigo mismo por no verlo venir. Tal vez había sospechado en todo momento, pero no quería reconocerlo. Era tan bella. Se entendían tan bien. ¿Quién la había enviado? ¿Quién era el causante de esas sombras en sus ojos? ¿De la cautela de su rostro? *Por ti.* ¿Qué significaba exactamente?

Calhoun mantuvo los rasgos inexpresivos mientras estudiaba la situación desde todos los ángulos. Si la hubieran enviado para matarle, ya lo habría hecho. Si le estaba espiando, habría intentado entrar en su despacho y él se habría enterado. No creía en las casualidades, por lo tanto, ¿qué peligro real corría? ¿Y cuánto podía contar a los demás? Había mantenido a todo el mundo al margen, por meros motivos egoístas, aunque tal vez él intuyera la verdad en todo momento.

—¿Qué? ¿Ningún comentario? Qué silencio tan espantoso, Jesse, en ti que siempre tienes algún sermoncito preparado en tu larga lista. Supongo que la verdad es que quería sentir algo por alguien. Parecía divertido en el bar. Parecía guapo. Inteligente de alguna manera.

Había resultado ser un puerco. Había salido a posta con un tipo indecente, como siempre hacía, porque no quería hacer daño a un hombre bueno de verdad. Sabía que nunca podría quedarse en el lugar que llamaba hogar en un momento dado. Quería hacer todas las cosas normales que una mujer hacía y fingía llevar una vida como todo el mundo, pero nunca quería que alguien sufriera por su culpa. Ya había infligido demasiado daño en su vida.

Suspiró y dio un puñetazo a las burbujas de la bañera.

—Fue una estupidez. No lo volveré a hacer.

—Fue una estupidez. —Él mostró su conformidad—. Y no, no vas a volver a hacerlo.

Saber alzó la mirada para mirar su rostro. Parecía cincelado en piedra. Así era Jess por fuera. Y por dentro era... pura sensiblería. Una sonrisa lenta se extendió por el rostro de la chica y la diversión iluminó poco a poco sus ojos.

—¡Serás mandón! ¿Alguien te soporta?

—Lo dudo, por eso he vivido solo hasta que llegaste. Hasta mis padres me evitan.

Le dedicó una sonrisa en respuesta y, aprovechando las barras, se aupó desde la bañera hasta la plataforma que empleaba para secarse.

Por un momento ella sólo fue capaz de contemplar con admiración el poder de sus brazos al levantar el cuerpo. Consciente de cómo se lo comía con los ojos, Saber se apresuró a salir, volviéndose hacia otro lado para dejar de verle.

—¿Y qué hay de esa camiseta, preciosidad?

Jess se secaba perezosamente el pelo con la toalla.

—Siempre llevo una camiseta para nadar. —Saber se estremeció con el aire frío que alcanzó su cuerpo. Se esforzó por buscar el tono ideal. Desenfadado. Simpático. Podía sonar simpática... había perfeccionado eso—. Eso ya lo sabes, no es nada nuevo.

—Claro que lo sé, pero no es que vayas a quemarte con el sol en una piscina interior —comentó mientras buscaba su albornoz de densa felpa—. Te lo he explicado otras veces, pero no haces mucho caso. —Hizo una pausa para ponerse el albornoz—. ¿Dónde está tu chándal?

—Lo he olvidado —dijo ella secándose lo más rápido posible.

—Ven aquí —ordenó Jess en voz baja, con exasperación.

—Estoy bien —le aseguró ella, con aire ansioso.

—Resulta mucho más fácil que te acerques tú aquí, que no que yo vaya hasta ahí, pero si insistes.

Jess desplazó su peso y buscó tras él la silla de carreras.

—De acuerdo, vale. —Saber se colocó tras él al instante—. ¿Siempre tienes que hacerlo todo a tu manera?

Él hizo una mueca burlona y, sin más preámbulos agarró la parte inferior de su camiseta y se la sacó por la cabeza.

—Ya sabes la respuesta a eso, encanto.

Con la facilidad de la práctica prolongada y la ayuda de los barrotes colocados estratégicamente, Jess se aupó sobre la silla.

Saber se ciñó el albornoz, estrechando el cinturón alrededor de su delgada cintura.

—Alguien te malcrió, Jess. ¿Fue Patsy?

Nombró a su hermana mayor.

—¡Patsy! —gruñó él—. Patsy estaba demasiado ocupada empeñándose en salvar mi alma. Ya deberías saberlo para ahora. ¿Cuántas veces has oído sus sermones regañándonos por vivir en pecado?

Giró la silla haciendo equilibrios sobre las dos ruedas traseras durante un largo instante antes de lanzarse por los amplios pasillos que llevaban al salón.

—¿Vas a dejar de hacer eso? —Saber salió corriendo tras él—. Un día de éstos, te vas a caer hacia atrás por querer lucirte. —Recogió el grueso edredón amontonado sobre el sofá y se lo arrojó—. Y tú tienes toda la culpa de que nos dé sermones. Tú empezaste todo esto.

—¿Yo? —Jess se tapó con la manta, alzando una ceja—. No fui yo quien salió de mi dormitorio con una de mis camisas puestas y sin nada más debajo mientras ella estaba de visita.

La sonrisa de Jess provocó algo en su corazón.

—No sucedió así, y lo sabes. Ni siquiera mencionaste tener una hermana, rey dragón. ¿Cómo iba a saber siquiera quién era? Y sabes muy bien por qué estaba en tu dormitorio con tu camisa puesta.

—Otro de tus accidentes desgraciados... un charco de barro, ¿fue eso?

—Tú ríete. —Saber se pasó una mano por el pelo y le fulminó con la mirada—. Me hiciste caer en el charco de barro a posta. Lo sé. Y no iba a subir chorreando las escaleras ni entrar así en mi habitación. Y tampoco iba a quedarme con esa ropa apestosa puesta.

—Tú solita decidiste vengarte con una visita a mi dormitorio para dejarlo hecho un asco —indicó él—. Y no fue idea mía que salieras con un aire rematadamente sexy justo cuando la entrometida de mi hermana acababa de aparecer. Fue cosa tuya.

Saber dio un pisotón con su pie descalzo, fingiendo rabia.

—Lo que hay que oír. No sabía que estuviera ahí, podrías haberme avisado. —Sólo Jesse había logrado que se sintiera así... júbilo, risa, la sensación de pertenecer a algún lugar. Diversión. Él creaba diversión—. No estaba dispuesta a quedarme hecha un asco. Sabías muy bien que me había dado una ducha y que me había puesto tu camisa. Estaba haciendo el tonto... era una broma. O sea, que no estaba sexy. Soy del todo incapaz de ponerme sexy.

La diversión suavizó el gesto duro en la boca de Jesse.

—¡Sí? ¿Quién lo dice? Créeme, estabas sexy. No culpo a Patsy por llegar a la conclusión errónea.

—Y tú no se lo desmentiste entonces —acusó Saber, abrigándose más con el albornoz, deseando que fueran sus brazos, deseando tener el atrevimiento de pegar sus labios a su boca.

—Ni tú tampoco. Por lo que recuerdo, me rodeaste el cuello con los brazos y te mostraste insinuante.

La provocó adrede, deseando que las sombras desaparecieran de sus ojos, deseando verla reír, la risa real, la que reservaba sólo para él.

—¿Insinuante?

Unas chispas violetas salieron disparadas de sus ojos azules.

Su aspecto era joven, alborotado y tentador, tan menuda con su enorme albornoz de felpa. Sólo con estirar el brazo, podría cogerla por las solapas y acercarla más, pegar su boca a sus labios y arder directamente en llamas.

—Insinuante —respondió con decisión.

—Pues eso no es verdad y lo sabes, Jesse. —Arrugó la nariz contrariada—. Insinuante. Qué disparate. Y fuiste tú quien me puso en tu regazo antes de colocar mis brazos en torno a tu cuello. Lo cual, por cierto, fue un tremendo error; deberían haber sido mis manos en torno a tu garganta. No tenía ni idea de que Patsy fuera tu hermana, pensaba que era alguna antigua novia de la que querías librarte y que sólo te estaba haciendo un favor.

—¡Ja! —refunfuñó con poca elegancia—. Más bien pensabas que era una nueva novia de la que te querías librar.

Saber dio un ligero pataleo de total frustración con sus pies descalzos sobre el suelo. Miró a su alrededor buscando algo que arrojarle a la cabeza y escogió la toalla húmeda.

—Ya te gustaría, cavernícola. No seas tan vanidoso. Eres tan arrogante, Jess, que me vuelves loca.

Calhoun estiró el brazo, atrapó su mano y se llevó los dedos al calor perturbador de su boca.

—Te encanta, pequeña. —Acarició con el pulgar los nudillos, disparando dardos de fuego por las terminaciones nerviosas—. Te encanta discutir.

Saber soltó la mano como si le quemara. Tal vez él tuviera razón, pero no iba a admitirlo.

—Uno de estos días alguien va a bajarte los humos.

Jess encogió sus poderosos hombros, con sonrisa burlona.

—No vas a ser tú, preciosidad.

—No estés tan seguro, rey dragón. Da la casualidad que falta poco para la semana en que me toca cocinar. Sé al menos siete recetas de tofu. O entras en razón o comerás soja.

Jess estalló en carcajadas, un sonido tan contagioso que Saber se encontró imitándole.

—Eres una mocosa vengativa, ¿eh?

—Ya lo sabes. —Saber no se molestó en negar la acusación—. Voy arriba a mi cuarto.

—¿Es eso una invitación?

—Deja tus miradas lascivas, ya veo que tienes mucha experiencia en eso —replicó—. Buenas noches.

Jesse dejó que llegara al pie de la escalera.

—No me tengas en vela toda la noche con esa tabarra lastimera a la que llamas música.

—¿Tabarra lastimera? —repitió Saber.

Corrió escaleras arriba, con la risa suave e incitante de Jess pisándole sus talones descalzos.

Así que no le gustaba la música country que oía habitualmente, ¿verdad? Rebuscó en su colección de CD.

—Justo lo que necesito —murmuró feliz, e hizo sonar a toda pastilla la canción de rap más ruidosa y detestable de su colección.

Jess apreciaría la buena música country después de una hora de rap ensordecedor de verdad. Una vez en la ducha, se tomó su tiempo, aplicándose champú en el pelo, permitiendo que el agua caliente cayera en cascada sobre su cuerpo frío y tembloroso. Incluso cantó, muy fuerte, se sentía en su derecho, complacida consigo misma.

Para cuando Saber acabó de secarse con la toalla y de pasarse el secador de mano, Jess estaba tirando cosas al techo.

Con sonrisa maliciosa, paró el equipo de música.

—¿Querías algo, Jesse? —gritó con su tono más dulce.

—Me rindo. Bandera blanca —contestó con voz apagada.

—Lo sabía —respondió ella con arrogancia.

Jess sacudió la cabeza cuando volvió el silencio. Ella tenía una faceta mezquina. Sabía que él escribía canciones a menudo y que el sonido de cualquiera de sus estruendos era cargante al cabo de dos minutos. De todos modos le hizo reír mientras impulsaba la silla de ruedas por el pasillo hasta su despacho privado. Marcó el código de seguridad y esperó a que se abrieran las puertas.

Una vez dentro, con las puertas de nuevo cerradas y el sistema de seguridad conectado, la sonrisa se desvaneció de su rostro. Iba a tener que escarbar un poco más si quería descubrir con exactitud quién era Saber Wynter. No podía permitir que sus sentimientos por ella se interpusieran en sus asuntos. Que Dios se compadeciera de ambos si ella había venido a hacer daño, porque no estaba del todo seguro de ser capaz de matarla. Con un suspiro, descartó esos pensamientos y se puso a trabajar.

Los ordenadores y las líneas telefónicas estaban limpios del todo. Marcó deprisa.

—Está despejado. Envía la información y nos ponemos con esto. Cuando entres, no hagas el menor ruido. No estará dormida.

—Aún conozco las pautas.

El chasquido abrupto indicó a Jess que tenía ganas de gresca. Logan Maxwell no estaba contento con él. No le hizo gracia enterarse que iba a invitar a Saber Wynter a vivir en su casa. Se lo dijo personalmente, pero no se tragó ni por un momento la historia de que él necesitara un poco de ayuda para llevar la casa, como tampoco se lo creyó Saber. Nadie le llevó la contraria de todos modos; ése era el poder de la silla de ruedas. Logan le habría atosigado de no encontrarse ahí ante él mirándole fijamente, mirando la silla. Pero si Logan se enteraba de que Saber era telépata, le pondría una pistola en la cabeza, y al cuerno sus objeciones.

Hizo girar las ruedas hacia delante y hacia atrás, balanceándose mientras pensaba en aquello. Todo tenía ciertas ventajas, y un Soldado Fantasma aprendía a aprovechar lo que había y a usarlo. Jess estaba convencido de que Logan continuaría teniendo en cuenta la silla y no el hombre, porque era como un hermano, pero Saber... bien, Saber había conquistado su corazón. No quedaría nada si ella se iba.

Justo cuando Logan se deslizó en el interior de la habitación de seguridad, dio una patada a la rueda de la silla y miró fijamente a Jess.

—¿Qué demonios te pasa últimamente? ¿Tienes idea de la hora que es? Y que... esa mujer nunca se va a dormir. Tienes suerte de que este cuarto esté insonorizado porque está volviendo a pasear de un lado a otro en su cuarto. ¿Qué es todo eso?

Estiró el brazo por encima de Jess para servirse una taza de café.

—Buenas noches también para ti. —Jess echó una ojeada a su compañero Soldado Fantasma. Tenía el ceño fruncido, los ojos azules inexpresivos y fríos—. Ya veo que estás de muy buen humor.

—Se supone que andamos tras un asesino, Jess, no ocupándonos de tu novia.

—Vete al infierno, Max —soltó Jess—. Estoy haciendo mi traba- jo. Si no quieres trabajar conmigo, la puerta está ahí. Que no te dé en el culo al salir.

—Hala, qué mal genio.

Logan meneó sus amplios hombros y esbozó una sonrisita.

—No te acuestas con ella todavía, ¿verdad? El gran Jess Calhoun, semental número uno del equipo SEAL, conquistado por su ama de llaves.

Jess respondió con un gesto obsceno y le empujó una silla.

—Harás el trabajo sucio esta noche por ese comentario.

Logan se dejó caer sobre la silla y se puso a trabajar, moviéndose con la facilidad de la práctica, repasando archivos e informes buscan- do un nombre. Un solo nombre específico. Ambos confiaban en re- conocerlo si se topaban con él.

Tras una hora, Logan echó la silla hacia atrás y sacudió la cabeza.

—Esto pinta mal para el almirante.

—De eso nada. No puede ser él. El traidor está oculto —dijo Jess con un pequeño suspiro—. No me voy a creer que el almirante Hen- derson está implicado en esto. No puede ser tan buen actor, y seguro que no tiene un pelo de estúpido. Ahora mismo es nuestro único sos- pechoso. ¿Crees que sería así si fuera de verdad culpable?

—Llevamos semanas en esto, Jess —dijo Logan—. ¿Has dado con un solo nombre que tenga la influencia y autorizaciones para orquestar este tipo de traición, una persona que esté implicada en todas las misiones?

—Es jefe del servicio NCIS,* y uno de los almirantes con más condecoraciones que tiene nuestra nación. Ha sido el único mando de nuestro equipo de Soldados Fantasma desde que se constituyó, y siempre ha salido en nuestra defensa —protestó Jess—. No es él.

—Entonces, ¿quién? Dame alguien más. —Logan alzó las manos al aire—. Nadie más. Porque, tal y como yo lo veo, él es el único que ha estado al corriente de cada ocasión en que nos han mandado en misión. Dio orden de mandar a Jack al Congo. Cuando Jack no pudo ir, mandó a Ken en su lugar. Torturaron a los gemelos Norton más de de lo que un hombre puede soportar. ¿Has visto a Ken? Tienen suerte de haber salido de ésa.

Jess se pasó la mano por el pelo y dio una palmada de pura frustración encima del escritorio.

—Lo sé. Le visité en el hospital nada más regresó.

Pocas personas sabían de la existencia de los Soldados Fantasma, ni siquiera en Washington. Algunos equipos de las Fuerzas Especiales, procedentes de todas las ramas del Ejército, se habían sometido a pruebas de capacidad psíquica, y todos los que obtuvieron puntuaciones altas tuvieron la oportunidad de continuar y apuntarse al programa de Soldados Fantasma. Recibían una instrucción especializada antes, durante y después de los experimentos, y los resultados eran increíbles. Por supuesto nadie sabía que también se había recurrido a la experimentación genética. El conocimiento sobre los Soldados Fantasma se basaba en protocolos de necesidad-de-saber, más allá de autorizaciones de seguridad. Eran armas de alto secreto enviadas sólo cuando las circunstancias eran peliagudas. Pero alguien en instancias muy elevadas de la cadena de mando ahora quería verlos muertos.

—Alguien lo sabía, alguien sabía que nos ofrecimos voluntarios para que nos mejoraran psíquicamente, y también tenía que saber que

* Servicio de Investigación Criminal de la Armada

Peter Whitney llevó el experimento aún más allá. Dios sabe cuántas mujeres tiene por ahí con las que también experimentó. —Jess sacudió la cabeza—. Alguien lo sabe, Max, y no es Henderson.

—Tal vez Louise Charter, la secretaria del almirante. Lleva con él veinte años, y cuando la investigamos otra vez quedó limpia, pero volvamos ahí y veamos si se nos ha escapado algo.

Logan sabía que sonaba reacio, pero era así como se sentía. Había investigado a Louise. Nada se le había escapado y ambos lo sabían.

—Mi olfato me dice que no es el almirante —insistió Jess.

Logan soltó un suspiro.

—De acuerdo. Entonces, ¿qué hacemos aquí? Estamos mirando cada informe que alguna vez ha tenido algo que ver con los Soldados Fantasma, teniendo en cuenta que ni una misión aparecía jamás en informe alguno. Este papeleo es una chorrada. Por lo tanto, dime qué estamos buscando, Jess.

—Todos los Soldados Fantasma nos ofrecimos voluntarios a someternos a una mejora física, al menos los hombres. Aunque es cierto que no estábamos enterados de la mejora genética, imagino que si lo hubiéramos sabido nos habríamos apuntado igualmente. Alguien nos quiere ver muertos a todos, y lo que estamos intentando es descubrir quién.

—Cierto.

Logan asintió, pues sabía que Jess estaba pensando en voz alta. Era un hombre brillante, a la altura de Kadan Montague, otro Soldado Fantasma considerado un genio. Si alguien podía desentrañar aquel lío era Jess o Kadan.

Como si leyera sus pensamientos, Jess le echó una ojeada.

—Kadan se ha propuesto intentar lo mismo con el equipo de Ryland; está investigando a su mando, el general Rainer. Y sus conclusiones son idénticas a las nuestras. La pelota se queda en el tejado del general, y él se lo cree tanto como yo me creo que el almirante Henderson nos traiciona. Por lo tanto, ¿qué sabemos con certeza, Max? Tenemos que volver al principio de todo esto si queremos desentrañar este lío y descubrir a nuestro traidor.

Logan le dedicó una leve sonrisa.

—Lo que sabemos con absoluta certeza es que todos fuimos unos burros rematados y que nos han jodido soberanamente. Bien, con la triste excepción de ti, que ni siquiera puedes conseguir que tu ama de llaves coopere y te haga un par de trabajitos extra. Pero eso podría cambiar si no fueras un hijo de perra tan agarrado.

—Puedo ponerte en la calle en cualquier momento.

La voz de Jess sonaba afable.

—De hecho es bastante maja —insistió Logan—. Y en la radio, tío, suena pecaminosa. Tal vez lo intente yo, a ver si soy su tipo.

—Tendría que pegarte un tiro —dijo Jess.

Las paredes se expandieron y contrajeron. Bajo la silla, el suelo se desplazó levemente y varios objetos se movieron sobre el escritorio. Calhoun respiró hondo y soltó una exhalación.

Logan estaba de broma, sólo le tomaba el pelo. Era la clase de bromas que siempre intercambiaban, pero por algún motivo, el mero pensamiento de Logan echando los tejos a Saber le retorcía las tripas.

Logan miró a su alrededor, se recostó en la silla y entrelazó los dedos detrás de la cabeza.

—Sabes que has elegido un mal momento, Jess.

Jess suspiró, sin molestarse en fingir que no sabía de qué hablaba. Diablos, sí, había escogido el momento erróneo y la mujer errónea.

—Sí, soy muy consciente de eso. No te preocupes, tengo claras mis prioridades.

—¿Sí? Porque las cosas podrían ponerse feas. Si se huele algo de todo esto quien no debiera, vendrán a por ti, amigo mío. Te matarán a ti y a ella. Y lo más probable es que os hagan el tipo de cosas que hicieron a Ken, sólo para ver qué sabes y a quién se lo cuentas.

Jess sabía que Logan tenía razón. Peor aún, sabía que se ponía en peligro, e incluso a su equipo, al no revelar que Saber era telépata. El doctor Peter Whitney había experimentado con niñas años atrás, la mente de Jess ya no albergaba dudas acerca de que Saber era una de estas mujeres. Y podía contar con otros dones extrasensoriales mucho más peligrosos, igual que la mayoría de los Soldados Fantasma. Pero no podía entregarla. Aquello no tenía sentido, pero era incapaz de hacerlo... aún no.

—Tienes que contarme qué sucede aquí, Jess —dijo Logan moviéndose en la silla e inclinándose hacia delante—. Hace demasiado tiempo que somos amigos como para no contarme esto.

Jess asintió.

—Dame unos días para aclararlo todo. Estamos aún lejos de descubrir quién es el traidor, por lo tanto no es posible que nadie se haya espantado aún. Sólo déjame discurrir un poco.

—No esperes demasiado —advirtió Logan—. En nuestro negocio, las cosas se desmontan muy rápido. —Se entretuvo cogiendo una carpeta situada junto a la lámpara del escritorio y le dio vueltas en las manos. Jess se inclinó hacia delante para cogerla y Logan la abrió de inmediato—. ¿Qué es eso?

Jess tendió la mano:

—Nada importante.

Logan inspiró con brusquedad.

—No me vengas con chorradas. Es tu expediente médico. ¿Biónica? —Permaneció un momento en silencio hojeando las gruesas páginas—. Lily te lo ha enviado, ¿cierto? Por el amor de Dios, Jess, es la hija de Whitney. Ya tenemos un hijo de perra intentando matarnos a todos, nos han abierto el cerebro y nos han alterado el ADN, ¿no es bastante para ti? Dime que no has accedido a esto.

Calhoun permaneció callado.

—Biónica. —Logan murmuró en voz alta—. ¿Otro experimento?

Jess se encogió de hombros intentando mostrarse despreocupado.

—La última tecnología. Eric Lambert fue el primero en hablarme de ello cuando estuvo aquí para un reconocimiento. Dijo que Lily Whitney ya lo había propuesto.

—¿Y te convenció para ser su conejillo de Indias? ¿No crees que ya fue bastante lo que nos hizo su padre? —Logan tomó aliento—. ¿De verdad confías en ella, Jess? Sé que está casada con Ryland y que es de los nuestros, pero...

—Vive en esa casa, consciente de que a cada minuto, cada día, Whitney tiene que estar viendo y oyendo todo lo que hace, y lo permite para poder seguirle a su vez la pista. Vive un infierno, Logan. Sí, confío en ella. Ha ayudado a cada uno de los Soldados Fantasma de algún modo, desde los ejercicios que nos enseña para proteger nuestros cerebros de los asedios externos hasta hacernos a todos independientes económicamente. Sin ella no tendríamos la mitad de los datos que hemos recogido sobre Whitney. Ella emplea los ordenadores para espiarle.

—¿Cómo sabes que no es una agente doble?

Jess negó con la cabeza.

—Nos estamos volviendo cada vez más paranoicos. Mira lo que estamos haciendo con el almirante. Hace años que conocemos al viejo, pero estamos estudiando cada aspecto de su vida. Y bien, ¿tú no crees que podemos confiar en Lily? Si hay una persona aquí que ha sufrido más que nadie, que lo ha dado todo, es ella. Sabe que Whitney puede encontrarla, tal vez llegar hasta ella, pero se mantiene ahí expuesta para que nosotros podamos seguirle la pista a él. Sin esos ordenadores estaríamos con el agua al cuello. Entraría en la clandestinidad y entonces sería imposible dar con él.

—Apuestas tu vida por ella —gruñó Logan—. Se parece demasiado a su padre.

—Eso no es justo. Tiene el talento de su padre, pero en otros aspectos no es como él en absoluto.

Pasó por alto la vocecita en su cabeza que le recordaba el ADN de iguana y lagarto, así como el fármaco de regeneración con células madre adultas que le había administrado. Ciertamente podía sonar demasiado próximo a los experimentos del padre.

Peter Whitney, un multimillonario con una mente extraordinaria, era quien había logrado convencerles para que se sometieran a sus experimentos psíquicos, sin informarles —ni a ellos ni a nadie más— de que no era la primera vez que los probaba con seres humanos. Primero había experimentado con niños pequeños huérfanos que había logrado dominar por completo, incluida Lily, la niña que había adoptado. Con el tiempo habían descubierto que también les había alterado genéticamente a todos ellos. Pero él había continuado con los experimentos, por lo tanto nadie sabía a cuántas mujeres u hombres afectaba la situación. Lily intentaba descubrirlo.

—Trabajé mucho con ella mientras me recuperaba en el hospital —admitió Jess—. Su compromiso es ayudar a los Soldados Fantasma, a todos ellos. Quiere encontrar a las otras mujeres e investigar a cada equipo con el que Whitney haya trabajado para que finalmente logren llevar vidas seminormales.

—Ninguno de nosotros logrará eso nunca —dijo Logan—. Lo sabes tan bien como yo. Y dejar que ella haga experimentos de biónica contigo...

—¿Qué tengo que perder?

—La vida.

—Acabas de decir que ninguno de nosotros logrará tener una vida propia jamás —señaló Jess—. En cualquier caso, es demasiado tarde. Me he comprometido con el programa.

Se hizo una largo silencio. Logan se levantó de un brinco de la silla y recorrió la habitación maldiciendo en voz baja.

—Es esa mujer de arriba, ¿verdad, Jess? Te está volviendo loco, tío. —Logan se volvió para mirar a Jess—. No voy a permitir que suceda, en serio. Somos amigos desde hace demasiado tiempo. Si no te corresponde porque vas en silla de ruedas...

—No es eso, y lo sabes. He querido probar esto. Una vez Eric mencionó el programa de biónica, lo estudié y, cuando se lo comenté a Lily, me pidió que le dejara ver si podía mejorar las cosas un poco. Dadas las mejoras previas, ella quería añadir algunas cosas que podrían funcionar mejor en mi caso.

Cosas que regenerarían las células para que las piernas de hecho funcionaran, cosas como el ADN de iguana y células de su médula ósea. ¿Quién sabía de verdad qué había en esa médula ósea, teniendo en cuenta que Peter Whitney ya había modificado el extraño ADN que ahora era el suyo?

—Sigue siendo un experimento.

—No me he lanzado a ciegas. Me conoces mejor que eso. No pararé hasta que descubra quién es el topo, y voy a caminar otra vez.

Logan sacudió la cabeza.

—No me dejas opción en esto, Jess.

—Soy consciente. Volvamos al trabajo. Nos quedan un par de horas para revisar esos informes. Tal vez algo llame nuestra atención.

Logan dio otra mirada al expediente sobre biónica y a continuación lo echó sobre el escritorio sin dejar de negar con la cabeza.

—Hijo de perra testarudo.

—Desconoces la mitad de esto.

Jess le dedicó una sonrisita y regresó al trabajo.

Sujeto Jess Calhoun. Ha invitado esta noche a otro Soldado Fantasma, Logan Maxwell. Calhoun sigue trabajando sin duda con el equipo SEAL de Soldados Fantasma. En este momento no tengo suficientes datos como para saber en qué anda metido. No he tenido oportunidad de instalar dispositivos, ya que el virus no ha reaccionado como esperábamos. El sistema de Wynter es bastante resistente. Haré un nuevo intento con otra dosis más alta. Necesito información y ayuda para encontrar brechas de seguridad. Hasta ahora no ha sido posible penetrar sin ser detectado. Por favor, recomendación. Ambos sujetos parecen tener la misma vulnerabilidad. Si el adversario no está reforzado, ninguno parece activar ninguna alarma o radar. Sus observaciones eran correctas, y creo que deberíamos dar pasos para corregir eso en modelos futuros.

El hombre apagó la pequeña grabadora y se apoyó en el lujoso asiento de cuero mientras conectaba la radio. De inmediato la voz de la Sirena Nocturna inundó el coche. Como sábanas de seda. Notó que el sonido le atravesaba de cabo a rabo, acariciándole la piel y endureciendo su entrepierna. Acomodó las piernas y cerró los ojos, escuchando consciente de que le hablaba. Percibía sus dedos, su lengua y su boca. Qué erótico. Tantas promesas.

No debería haber liquidado a aquella fulana tan pronto. No se parecía en nada a esa voz, pero tenía una buena boca. Se bajó la cremallera de los pantalones y empezó a acariciarse con el sonido de la voz sexy de Saber Wynter.

Capítulo 3

*P*ara todos los búhos nocturnos que estáis ahí, aquí tenéis una canción de amor especial de la Sirena Nocturna para vosotros.

Saber lanzó su suave voz susurrante a las ondas radiofónicas, metió la música y se quedó mirando el reloj por centésima vez.

Tenía un dolor atroz de cabeza, la garganta irritada y se había tenido que secar las gotas de sudor de la frente más de una vez. No daba con un diálogo decente para el programa de esta noche. La sexy Sirena Nocturna de las ondas estaba enferma a más no poder. Llevaba en el trabajo exactamente dos horas y se encontraba a punto de rendirse.

Saber se frotó las sienes en un intento de aliviar el espantoso martilleo. Se había quedado dormida a las seis de la mañana y, algo inusual en ella, había continuado así todo el día. La garganta irritada y el dolor de cabeza no habían cesado desde el momento en que abrió los ojos.

—Jesse ha pasado el día haciendo conjuros —musitó con resentimiento.

Parecía la viva imagen de la salud cuando ella salió para el trabajo, pero le había encontrado distante. Bien, eso no era del todo cierto. Él nunca se mostraba distante, pero le había notado más cerrado, y nunca era así. Suspiró y apoyó la cabeza en el escritorio, usando los brazos de almohada. Estaba demasiado enferma para pensar.

Brian Hutton, su técnico de sonido, le hizo una señal desde el otro lado del vidrio para indicar el teléfono. Cuando vocalizó el nombre de Larry, Saber arrugó la nariz con desagrado y negó con la cabeza. La idea de aquel puerco sólo incrementaba las espantosas punzadas en sus sienes. Tendría que marcharse a casa, meterse en la cama y confiar en quedarse dormida con la luz encendida.

Abrió la línea con un chasquido:

—Brian, no voy a acabar la noche —dijo con sincero pesar.

Nunca había perdido un día de trabajo, ni siquiera había llegado tarde. Para ella significaba mucho ser capaz de ir a trabajar, por breve que fuera su permanencia. Le gustaba tener un historial limpio, sabía que dejaría una buena impresión cuando se marchara.

—Tienes un aspecto horrible —le informó Brian.

—Oh, gracias. Necesitaba oír eso. ¿Harás el favor de sustituirme para que pueda irme a casa y dormir un poco?

—Claro, Saber —accedió él comprensivo—. Tanto da, esta noche llaman los majaras.

Ella rodeó el micrófono con los dedos, todo se detuvo en su interior.

—¿Qué majaras, Brian?

Había esperado demasiado, debería haberse ido semanas atrás.

—No te preocupes por eso —la tranquilizó—. Siempre llaman, por eso estoy yo aquí, para filtrarlos. Siempre me aseguro de señalarte las amenazas de muerte. El chalado de esta noche ha sido muy insistente, pero no es de los que va a apuntarte con una pistola o salvar tu alma. Es un chiflado más, seguramente buscando una cita con la dueña de esa voz tan sexy.

Saber forzó una risa, se obligó a relajar sus músculos tensos.

—Si pudieran verme ahora mismo...

Pero debería tener más cuidado de lo habitual. Había acabado por sentirse demasiado cómoda aquí. Demasiado cómoda con Jess.

Brian sacó una de las cintas de Saber y encontró el punto que quería. Hicieron una cuenta atrás en silencio y su voz entró en el estudio como la seda.

Saber dio un suave suspiro de alivio, dejando caer la cabeza sobre sus manos. Lo único que quería era meterse en un agujero y esconderse.

Brian entró en la cabina y rodeó sus hombros con un brazo consolador.

—Estás ardiendo. ¿Crees que puedes conducir? ¿O quieres que llame un taxi?

Ella le dio unas palmaditas en la mano y escapó de su abrazo con el pretexto de recoger sus cosas.

—Me las arreglaré, Brian, gracias. Descanso, zumo de naranja, caldo de pollo, y mañana por la noche estaré aquí en perfectas condiciones. —Sostuvo las llaves del coche—. No las he perdido esta vez.

Él hizo una mueca.

—Vaya sorpresa. Espera al vigilante de seguridad. Ya sabes cómo es Jess con lo de andar por el aparcamiento a solas a estas horas de la noche. Primero me dejaría sin trabajo y luego sin cabeza.

—Pobre Jesse. —Saber sonrió sólo con pensar en él, a pesar del hecho de que le dolían hasta la muelas—. De verdad piensa que sólo doy problemas, ¿verdad?

Brian le sonrió:

—Y lleva razón. Vamos, te acompaño.

—Gracias, estoy bien, de verdad —insistió ella—, pero la siguiente vez que quieras tomarte un día libre, hazlo en el turno de otra persona. El técnico de sonido de día, cómo se llama...

—Les.

Saber entornó los ojos.

—Pues es un gruñón y un muermo de tío. Anoche no fue nada divertido trabajar con él.

Brian le dedicó una sonrisa.

—Me aseguraré de planificar bien toda mi parrilla en función de tu horario.

Saber le dio una palmada en el hombro, pues reconocía el sarcasmo en cuanto lo oía.

—Los teléfonos no paran de sonar.

Él se encogió de hombros sin importarle.

—Lo más seguro es que sea ese chiflado. Ya ha llamado seis veces esta noche. No quiero hablar con él.

—Tal vez sea así —reconoció ella—. Pero por otro lado podría ser nuestro poderoso jefe. ¿Alguna vez lo has pensado?

La sonrisa de Brian se desvaneció al instante. Ya estaba a mitad del pasillo cuando Saber levantó una mano con pesadez para despedirse mientras acomodaba sus pasitos a las largas zancadas del guarda de seguridad.

El trayecto a casa pareció más largo de lo habitual. Saber estaba tan enferma que apenas conseguía aguantar la cabeza levantada. Ella nunca enfermaba, estaba tan acostumbrada a la inmunidad natural de su cuerpo a la enfermedad que era inquietante descubrir que tenía fiebre alta. Si no le diera tanto pavor llamar la atención —y atraerla hacia Jess— podría considerar ir a un médico.

Aparcó el pequeño escarabajo Volkswagen al lado de la gran furgoneta adaptada de Jess. Su coche parecía fuera de lugar al lado de aquella enorme mole. Lanzó una mirada desafiante al par de coches, pensando en las muchas veces que Jess le había tomado el pelo sobre su pequeño tamaño. Dio una patada al neumático en un arranque de resentimiento. Tan parecidos a ellos dos. Como los personajes Mutt y Jeff. No era su sitio. Nunca pertenecería a este lugar y tenía que sacar valor y largarse... y pronto.

La gran casa parecía más oscura y espeluznante de lo habitual cuando entró. Saber se resistió a la necesidad imperiosa de inundar de luz la habitación, pues no quería molestar a Jess. Ya le incordiaba bastante las noches en que no trabajaba, manteniéndole despierto con sus fobias.

Sin sonido alguno que la pusiera sobre aviso, de pronto Saber no pudo respirar y la adrenalina se disparó por su cuerpo paralizándola a medio camino por el recibidor. No hubo olor, ni aliento, ni se agitó el aire, pero supo, una eternidad demasiado tarde, que no estaba sola.

Algo le enganchó los tobillos y cayó despatarrada boca abajo sobre el suelo de madera noble soltando todo su aliento. Antes de poder rodar o contraatacar, notó el beso frío y mortal del cañón de una pistola contra su nuca.

Todo sucedió en cuestión de segundos, no obstante el tiempo se ralentizó de tal manera que todo quedó claro como el cristal para ella. El débil limón del lustre del suelo de madera, los latidos de su corazón, el dolor en sus pulmones, el contacto mortífero del metal contra su piel. Todo se paralizó como si hubiera estado esperando.

Estaban aquí. Le habían dado caza, habían estado acechando y ahora estaban aquí. Jesse. Oh, Dios, pensó enloquecida. Jess estaba solo, dormido, vulnerable... ¿y si le habían hecho daño? Concentró la visión en un punto, todo en ella se replegó, preparada para atacar. Tendría que matar al intruso para poder proteger a Jesse. Aunque su agresor la matara, tendría que llevárselo con ella.

En el momento en que bajó las palmas de las manos para levantarse del suelo, él la empujó más fuerte con el arma.

—No lo hagas.

Saber tenía que ponerle las manos encima al agresor, hacerle pensar que era una mujer aterrorizada. Necesitaba ese único momento para rodearle la muñeca, captar su pulso, los latidos... Entonces se puso como loca, retorciéndose e intentando volverse, sacudiendo los brazos para alcanzar el arma y empujarla a un lado.

—Adelante, ¡dispara! ¡Hazlo! Acaba ya, no voy a intentar escapar. —Capturó el cañón reluciente mientras se sentaba y lo atrajo contra su cabeza—. ¡Hazlo!

Calculó la distancia hasta la muñeca del hombre. Un momento, sólo un instante y le tendría.

Para su sorpresa, el asaltante de pronto maldijo y retiró hacia atrás el arma.

—¡Saber! —La voz de Jess sonaba ronca con una mezcla de miedo y rabia—. ¿Has perdido la cabeza o qué? ¿Cómo se te ocurre colarte así aquí? Podría haberte disparado.

La furia y el alivio se toparon con el miedo y la rabia en un choque frontal, mezclándose y fundiéndose en un torbellino violento de emoción que no pudo contener.

—¿Me has apuntado con un arma?

Se abalanzó sobre él, lanzándole un gancho con el puño cerrado. Podía haberle matado, por un pelo no había matado a Jesse. Oh, Dios, nunca —nunca— podría vivir con eso.

Jess la cogió por ambas muñecas, le hizo perder el equilibrio y la sujetó con fuerza pegada a sus piernas.

—Para, Saber. —La zarandeó un poco al ver que seguía forcejeando—. No tenía ni idea de que venías pronto a casa. Es mucho más temprano de lo habitual. Detestas la oscuridad y ni siquiera has encendido una sola luz.

Hizo que sus palabras sonaran como una acusación.

Ella temblaba sin control, a punto de echarse a llorar; tan poco le faltó que se sintió aterrorizada.

—Estaba siendo considerada contigo —dijo entre dientes—. Es más de lo que puedes decir tú. Suéltame, me haces daño.

Podría haberle matado. Le habría matado. ¿Por qué no había sabido que era él? Siempre reconocía su aroma, su calor. Ni siquiera había reconocido su voz. Tal vez a algún nivel, sí, pero más tarde, no al principio, no cuando la había abordado en la oscuridad. ¿Por qué? ¿Qué había cambiado? Su mente acelerada planteaba preguntas, pero la rabia, el dolor y el terror dominaban su razón.

—¿Te has calmado?

—No me trates con tanta condescendencia. Me pusiste una pistola en la cabeza. ¡Dios! Vivo aquí, Jesse, puedo entrar y salir cuando me plazca. ¿Y qué haces levantado a la una de la mañana, con las luces apagadas y una pistola en la mano? —quiso saber ella.

De pronto lo entendió. Notó la presencia de otra persona, un testigo de su ataque de histeria. Se enderezó y se volvió poco a poco. Alcanzó a ver una figura en las sombras, retrocediendo a toda prisa para no ser vista. Alta, curvas generosas. El corazón se le cayó a los pies. Una mujer. Jesse estaba con una mujer en medio de la noche. Una desconocida, con las luces apagadas. Peor todavía, Jess estaba tan ansioso por proteger a esa desconocida que de hecho había permanecido a la espera con una pistola. La traición sabía amarga en la boca de Saber. ¿Y por qué no había captado el aroma de la mujer?

Una pequeña llama empezó a arder en su interior. ¿Había estrechado a la mujer entre sus fuertes brazos? ¿Le había pasado las manos por el pelo? ¿La había besado como ella había anhelado tantas veces que la besara? Oh, Dios, lo más probable era que estuviesen haciendo el amor, justo ahí en el salón. El fuego se propagó a toda prisa. Y la mujer había presenciado su falta de control. Clavó la mirada en los rasgos duros de Jess. Fue una acusación silenciosa de traición, sin importarle un bledo que supiera cómo se sentía. Había pasado demasiado tiempo aquí, había arriesgado demasiado. *Vete al infierno por esto.*

Saber eludió el movimiento instintivo de Jess hacia ella, llevándose el dorso de la mano a la boca. Se sentía traicionada, por completo. Si fuera posible odiar a Jess, justo en aquel momento lo haría.

—Saber.

Había congoja en la voz de Calhoun.

La joven se giró en redondo y se fue corriendo escaleras arriba, sin importarle por primera vez en años que las luces estuviesen apagadas o sin tan siquiera percatarse de ello. Se fue directa a su dormitorio, con el pecho ardiendo, buscando aire con esfuerzo, y la cabeza a punto de explotar. Tiró un zapato y luego el otro contra la pared, y se arrojó cabeza abajo sobre la cama. Si esto era normal, era un asco. Ya no quería ser normal. Deseaba desaparecer, dejar que Saber Wynter muriera y que otra persona ocupara su sitio, alguien que no se sintiera así, que no pudiera sentirse así.

Jess cerró el puño deseando, necesitando romper algo. En diez meses Saber nunca había vuelto temprano a casa del trabajo. El vigilante de seguridad debería haberle llamado. ¡Maldición! ¿Por qué estaba en casa? ¿Y qué diantres le pasaba ahora? No se había enterado de que era él quien la apuntaba con el arma, pues había ocultado tras un escudo los aromas y sonidos en la habitación, no obstante ella había peleado como un gato montés, hasta el punto de pedirle a gritos que le disparase.

Al instante percibió la nota discordante. No era por él. Ella creía que era otra persona. Dio un respingo al oír los zapatos contra la pared. ¿Quién? ¿A quién esperaba? Se movió a oscuras en dirección al salón.

Un leve sonido apagado le detuvo en seco. Saber estaba llorando, era un sonido sordo, descorazonador, que le desgarró el corazón. Malditos Soldados Fantasma y todas sus precauciones tan indispensables de seguridad. Maldito el vigilante de la emisora y Brian por no mandar aviso.

—Mejor me voy ahora.

Su invitada salió de las sombras.

—Lamento las molestias —se obligó a decir Jess.

Bien podía decirle que se fuera al infierno. Louise Charter, la secretaria del almirante, había puesto su vida en peligro para entregarle en mano una pequeña grabadora digital, no obstante en aquel momento lo único que él podía oír, lo único en lo que podía concentrarse y que le preocupaba, eran los suaves sonidos de angustia que llegaban del dormitorio de arriba.

Saber nunca lloraba ante él. Ni siquiera cuando se hacía daño. Las lágrimas podían brillar un momento en sus ojos, pero en diez largos meses Saber Wynter no había llorado.

Jess sabía que estaba rozando la grosería al invitar a Louise a salir de su casa con prisas tan impropias. En el momento en que la puerta estuvo cerrada esperó con impaciencia el ascensor. Pareció tardar una eternidad. Notó un deseo enloquecido de intentar subir a saltos con la silla el tramo de escaleras, haciendo equilibrios sobre las dos ruedas.

¿Por qué había venido a casa? Recordó el contacto de su piel de satén quemándole. Por supuesto. Estaba enferma. No había otra razón para que la pequeña y concienzuda Saber dejara su puesto de trabajo. No se permitió recordar el frío acero en sus ojos cuando se dio por primera vez la vuelta, la facilidad con que su cuerpo se volvió levantando las manos en una defensa clásica. Sólo importaba el dolor, la traición en sus ojos, en su voz... Su voz se había colado en su mente con suma facilidad, con claridad y dolor.

El ascensor le llevó al segundo piso y su silla de carreras se deslizó en silencio por el salón al que daba el dormitorio de Saber. Se detuvo ante el amplio umbral, fijando su mirada afligida y oscurecida en la forma delgada de la joven. Se encontraba boca abajo, con el rostro surcado de lágrimas enterrado en el codo doblado.

Su corazón sufrió un vuelco. Con un impulso de sus brazos, se situó a su lado y enredó la mano en los rizos revueltos.

—Pequeña —gimió en voz baja con una especie de angustia—, no, no hagas esto.

—Lárgate.

Su voz sonaba amortiguada.

—Sabes que no voy a irme —contestó manteniendo la voz baja—. Estás enferma, Saber. No voy a dejarte aquí para que te las arregles sola. —Le acarició el pelo—. Vamos, cariño, tienes que dejar de llorar. Te dará dolor de cabeza.

—Ya tengo dolor de cabeza —respondió tratando de no llorar—. Vete, Jesse, no quiero que me veas así.

—¿Quién va a verte? Está oscuro aquí —bromeó él, pasándole las manos por los hombros con ritmo tranquilizador.

—¿Adónde irá tu amiguita?

Saber no pudo evitar decirlo; tendría que haberse mordido la lengua. Como si le importara. Jess podía tener cincuenta mujeres, todo un harén cada noche, mientras ella trabajaba en la emisora.

Calhoun se encontró sonriendo a pesar de todo, y tuvo que esforzarse para controlar la voz.

—Tienes fiebre, criatura, déjame que vaya a buscarte un paño frío. ¿Ya has tomado una aspirina?

—Qué perspicaz por tu parte. —Saber se sentó y se frotó los ojos con el puño, furiosa consigo misma por llorar. Se pasó la mano por la masa de rizos negro azabache en un esfuerzo vano de arreglar esa masa alborotada—. Y sé tomar sola una aspirina.

Jesse ya iba de camino al baño.

—Cierto, pero ¿lo harás? —preguntó mientras abría la puerta.

Jess había diseñado la reforma de la casa para asegurarse de que todas las puertas fueran lo bastante anchas y de que todo quedara a una altura baja, para su comodidad. Ahora se sentía especialmente agradecido por haberse preocupado de tener facilidad de movimiento en el piso superior igual que en el de abajo. Pasando por alto las piezas de ropa interior de encaje colgadas en el toallero para secarse, Jess cogió una toallita.

Saber hizo un esfuerzo para recuperar la compostura. Así que no se encontraba bien. Pues vaya. Así que su mejor amigo en el mundo le había dado un susto de muerte. Pues vaya. Y Jess se veía a hurtadillas con una mujer de la que no quería que supiera nada. Fantoche inútil, apestoso y ruin. A ella le consumía el resentimiento, la frustración y algo demasiado cercano a los celos.

¿Y qué hacía entonces con todas las luces apagadas? ¿Con qué frecuencia le visitaba la mala pécora ésa cuando ella no estaba? Y no sería porque ella no le contara nada de cada cita asquerosa que tenía. Mantenían discusiones interminables sobre sus planes. Ella no se escabullía a sus espaldas.

Jess reprimió una sonrisita. Hizo un esfuerzo tremendo para mantener el rostro inexpresivo. Los ojos azul violeta de Saber le escupían fuego. Los celos significaban que él le importaba, quisiera o no. Algo se agitó en lo más profundo de él, algo amable y tierno, olvidado hacía tiempo.

—Pequeña —dijo con dulzura— si sigues mirándome así acabaré muerto en el suelo.

Pasó el paño frío por su rostro ardiente y a continuación le acarició el cuello.

—Buena idea, una gran idea de hecho —soltó Saber, pero no esquivó sus cuidados.

—¿Debo llamar a Eric? —dijo y le apartó el pelo.

Eric Lambert era el cirujano que había salvado la vida a Jesse. Sabía que era alguien importante, por lo visto famoso en la profesión, que aún hacía visitas a domicilio... al menos a Jess. A veces venía con otro médico, una mujer, aunque Saber nunca había coincidido con ella. Pero sabía que Jess había vomitado muchísimo después de la última vez que vinieron; no quería tener que ver con eso.

—Tengo gripe, Jesse —le tranquilizó, pese a que él se merecía la pena de muerte—. Nada del otro mundo, así que no me hace falta un médico.

—Tienes que quitarte esa ropa.

Su voz descendió una octava; sonaba ronca.

—Mejor espera sentado.

Desde luego, teniendo un lío del que no soltaba prenda cuando él quería conocer cada detalle de sus citas, ¿cómo se atrevía?

—¿Quién pensabas que era yo?

Dejó ir la pregunta con la precisión de un cirujano.

Bajo sus cuidados ella se quedó quieta, desviando los ojos azules de él. Se enrolló con nerviosismo un mechón de pelo en el dedo.

—No tengo ni idea de qué hablas.

Jess levantó el paño, le cogió la barbilla con asimiento firme, y la obligó a encontrar su mirada fija y penetrante.

—Vas a resultar ser una mentirosa horrible.

Saber soltó la barbilla.

—Pensaba que estabas tranquilo en la cama, cavernícola. ¿Por qué crees que iba dando traspiés por la oscuridad? Para ser considerada. ¿Cómo iba a suponer que mantenías un encuentro clandestino con la ramera local? —Furiosa, Saber se sentó y encendió la luz tenue de la lámpara de su mesilla—. No puedo creer que de hecho me hayas puesto la zancadilla y me hayas apuntado con tu pistola.

—No puedo creer que tu comportamiento fuera tan estúpido. Si yo hubiera sido un asaltante, ahora mismo estarías muerta —respondió con furia a su vez, con oscuros ojos centelleantes.

—Bueno, tal vez supiera en todo momento que eras tú. ¿Se te ocurrió en algún momento?

Saber dio un brinco y se levantó para poner distancia entre ellos.

—Y un cuerno.

—No te atrevas a enfadarte conmigo. No era yo quien te apuntaba con la pistola a la cabeza. Ni siquiera sabía que tenías un arma en la casa. Detesto las armas —declaró.

Pero sabía usarlas. Podía desmontar una y volver a acoplarla en cuestión de segundos, menos de eso en caso necesario. Era rápida, eficiente, mortífera.

—Ya lo he notado —dijo Jess y sonrió a su pesar.

Ella recorrió la distancia de la habitación en cuestión de segundos, con esa gracia fluida familiar propia de una bailarina de ballet.

—Bien, entonces, ¿quién creías tú que era yo? ¿Alguna investigadora privada contratada por el marido de la mujer?

Jess ni siquiera pestañeó.

—No sé qué has imaginado ver —empezó a decir.

—He visto a una mujer. Se escabulló en las sombras.

Saber sonaba inflexible.

—Sucedió tan rápido, cielo, y estabas asustada.

—Estropéalo un poco más, Jesse —replicó ella con brusquedad.

—No estoy seguro del todo de lo que significa eso.

—No te rías. No te atrevas a reírte. Significa: vete al infierno. Y para tu información, no estaba asustada. Sé que vi a una mujer. —Cruzó los brazos sobre el pecho e inclinó la cabeza con cara de pocos amigos—. No es que te culpe por querer negar su existencia. Lo más probable es que su perro quiera negar su existencia, vaya cardo de tía. Pero sé lo que vi.

—De acuerdo, de acuerdo —dijo él con voz tranquilizadora—. Viste a una mujer escondiéndose en el salón, te creo. Ahora quítate esa ropa y ponte un pijama.

Saber le fulminó con la mirada.

—Me tratas con condescendencia, fingiendo que finges creerme.

Jess alzó una ceja.

—Esto es demasiado complicado para aclararlo, y contigo enferma. Ni siquiera yo puedo seguir la lógica de eso. Si te sientes mejor, cerraré los ojos.

Ella consideró la posibilidad de arrojarle alguna cosa, pero tenía un dolor de cabeza atroz y la fiebre era insoportable.

—Pues ciérralos —ordenó y se fue a zancadas al baño.

Era observadora, se dijo Jesse, al menos eso tenía que reconocérselo, aunque no debería sorprenderse. Pese a que tenía mucha fiebre, le aterrorizaba la oscuridad —y más aún con su asalto inesperado—, no obstante había advertido ese mínimo movimiento en la esquina más oscura de la habitación. Por otro lado, los movimientos de Saber habían sido bastante calmados y calculados como para funcionar con alguien menos preparado que él.

Salió enfundada en una larga camiseta que le llegaba a medio muslo. Estaba más guapa que nunca.

—¿Aún sigues aquí? —inquirió mientras cruzaba el suelo con aspavientos para tirarse en la cama.

—¿Has tomado una aspirina?

—Sí. —Le hizo una mueca para mostrarle que aún no estaba perdonado—. ¿Contento?

Jess soltó un pequeño suspiro.

—Sigues enfadada conmigo.

Saber formó un ovillo y le dio la espalda, de hecho encorvando el hombro.

—¿Tú crees?

Con un poderoso movimiento de sus brazos increíblemente fuertes, Jess se desplazó de la silla a su cama. El cuerpo delgado de Saber se puso tenso mientras él se estiraba a su lado, pero no protestó.

Jess la estrechó, acomodándola en su hombro, maravillado de lo suave que era su piel, lo frágil y pequeña que parecía junto a él. Estiró una mano perezosa para apagar la luz.

—No.

—Es hora de dormirte, pequeña —le recordó, sumiendo la habitación en oscuridad con un rápido movimiento de dedos.

Al instante notó el estremecimiento que recorrió su cuerpecito.

—Duermo con la luz encendida.

—Esta noche, no. Esta noche duermes en mis brazos, sabiendo que te mantengo a salvo.

Le acarició el pelo con ternura.

—Tengo pesadillas si las luces están apagadas —admitió la chica, demasiado enferma como para que aquello le importara.

Jesse frotó con la barbilla sus rizos sedosos.

—No si yo estoy aquí, Saber. Las espantaré.

—Rey dragón arrogante —murmuró adormilada, estirando la mano para enlazar sus dedos—. Los demonios no se atreven a contradecirte, ¿verdad?

—¿Quién pensabas que era, Saber? ¿De quién huyes?

Se hizo un silencio tan largo que Jess se convenció de que no iba a responder. Al final ella suspiró:

—Estás imaginando cosas, no huyo de nadie. Me diste un susto, eso es todo.

Había una leve nota de diversión en su voz sensual y sedosa.

Estar tendido junto a ella debería haber provocado el conocido anhelo incesante, pero en vez de eso notó una paz profunda, algo que nunca había experimentado, invadiendo todo su ser. Saber estaba ardiendo a pesar de que el aire estaba bastante fresco en la habitación y que él había echado sólo la sábana sobre los dos.

—Tal vez debería llamar al médico —murmuró—. Eric podría estar aquí en un par de horas.

Saber suspiró.

—Deja de inquietarte, Jesse —suplicó. Estrechó más sus dedos—. Me pondré bien.

Él la abrazó, notando que el cuerpo se relajaba con su protección, que la respiración se volvía lenta y rítmica. Jess enterró la barbilla en la masa sedosa de tirabuzones azabache, disfrutando de la sensación de estar tendido sencillamente junto a ella, de estar cerca de ella.

Algo después Jesse debió de quedarse dormido, con sueños levemente eróticos, no las fantasías tórridas que Saber provocaba por lo general en él. La primera señal de la aflicción de ella le despertó en forma de un leve gemido y su cuerpo agitándose con convulsiones.

De repente se dio la vuelta y levantó la mano hacia él, deslizando un puñal a toda velocidad contra su yugular con precisión mortífera. El movimiento fue fluido y practicado. Él le agarró el brazo, lo bajó de golpe contra el colchón, casi retorciéndolo hasta romperle la muñeca, mientras encontraba con el pulgar un punto de presión para obligarla a soltar el puñal. Ella no profirió ni un sonido. No lloró de dolor, ni siquiera cuando Jess clavó los dedos con fuerza suficiente para hacerle una magulladura.

Jess tenía una fuerza enorme; estaba mejorado genéticamente y trabajaba a diario para poder levantar el peso de su propio cuerpo a todas horas. Aun así le estaba costando someterla.

—Despierta, Saber —masculló mientras la sacudía un poco.

El puñal cayó de su mano y se escurrió desde la cama, pero ella se dio la vuelta lanzando el codo contra su mentón. Él encajó el golpe en su hombro y la agarró por la garganta, sujetándola de golpe sobre el colchón.

Saber forcejeó, con ojos enloquecidos y su nombre en los labios.

—¡Jesse! —llamó otra vez, un sonido tan cargado de dolor, tan descarnado por el terror, que de hecho él notó lágrimas reales escociéndole los ojos.

—Por el amor de Dios, Saber, despierta. Estoy aquí. —Le sujetó las muñecas, manteniéndola inmovilizada para que no continuara con su ataque—. Tienes una pesadilla, eso es todo, sólo un mal sueño.

Supo en qué momento exacto ella recuperó el conocimiento. Su cuerpo se detuvo y se puso tenso. Luego su mirada saltó hacia él, examinando cada centímetro de sus rasgos, estudiando su expresión para tranquilizarse. Él la soltó poco a poco y volvió a tumbarse a su lado, volviéndose para poder rodear con su cuerpo protector el de Saber.

—Hay alguien en la casa, Jesse, he oído un ruido.

Se estremeció y se apoyó contra el frescor de su frente.

—Era una pesadilla, pequeña, nada más.

—No, hay alguien en la casa. Abajo. —Se aferró a sus hombros—. Cierra con llave mi puerta. ¿Está echado el cerrojo?

Él le alisó el pelo con dedos cuidadosos.

—Nadie puede entrar, estás a salvo conmigo.

—Enciende la luz, tenemos que encenderla. Nadie entrará si la luz está encendida —insistió Saber con desesperación.

—Chit. —Él la tomó en brazos, enterrando su rostro pequeño y delicado contra su pecho. Estaba temblando, ardiendo contra su piel. La acunó con ternura, adelante y atrás—. No pasa nada, Saber. Nunca permitiría que te sucediera nada.

El corazón de la chica golpeaba contra su pecho, su pulso se aceleraba tan frenético que Jess tuvo que estrecharla más.

—No ha sido un sueño, sé que he oído un ruido, lo sé.

Formó un puño con una mano, golpeteando el hombro de él. Con la otra acarició la línea abultada de sus bíceps con gran agitación.

Pese a las circunstancias, había algo de intensa intimidad en el contacto de sus dedos siguiendo el contorno de sus músculos. El cuerpo de Jesse reaccionó como respuesta con una tensión dolorosa, de urgencia exigente. La pasó por alto, imponiendo la disciplina estricta que le había mantenido vivo durante años. Se limitó a abrazarla, a acunarla con delicadeza, acariciando su pelo para tranquilizarla, sin responder a sus imaginaciones alocadas.

Hizo falta un rato para que su cuerpo dejara de temblar y se sosegara en sus brazos.

Jess le dio un beso ligero como una pluma sobre los rizos sedosos.

—¿Te sientes mejor?

—Creo que estoy haciendo el ridículo —respondió bajito.

—Eso nunca, cielo —murmuró él con diversión amable—. Has tenido una pesadilla. Seguro que por culpa de esa música atroz que oyes.

Ella se acurrucó contra su pecho; le gustaba el ritmo constante de su corazón bajo su oído.

—La música country es buena.

—Después de la otra noche he decidido que acabará por gustarme. Y así, ¿qué demonios era lo que pusiste?

—¿No te gusta el rap? —Su risa sonó amortiguada—. ¿Por qué sabía que no iba a gustarte ese grupo en concreto?

Como castigo, él estiró un rizo con un poco más de fuerza, luego frotó el punto con suavidad al oír su grito.

—Porque compongo un número uno tras otro y ninguno ha sido jamás un rap.

—Maniaco ególatra —acusó—. No todo el mundo tiene que escuchar tu música.

—Eso es cierto, encanto, no me importa lo más mínimo que el mundo entero deje de escuchar. —Acarició otra vez su pelo, con los labios esta vez—. Excepto tú. No sólo te exijo que escuches, además tiene que gustarte.

Le dio la orden con aspereza.

Ella se rió en voz baja, relajándose contra él.

—Entonces cántame.

Se hizo un largo silencio. Jess se aclaró la garganta.

—¿Cómo has dicho?

—Canta. Ya sabes, *Ooooh, baby, baby, tararará...* Canta.

—Yo no canto, compongo. Música y letras. Compongo, Saber, y lo vendo a otros artistas. Trabajo para la marina, no tengo un grupo.

—¿Y por qué, Jess? Es obvio que te ganas muy bien la vida, has adquirido fama como compositor de canciones y aun así sigues con el ejército. Estás en una silla de ruedas.

—No me había dado cuenta.

—Sabes a qué me refiero. ¿Por qué sigues metido?

—¿Quién dice que lo esté?

—Llevo diez meses viviendo aquí. Sé que haces alguna clase de trabajo para ellos. ¿O se supone que no debo saberlo?

—Se supone que no.

Ella se apretujó más contra su pecho y alzó la vista, con humor.

—Pues bien, entonces no me enteraré de nada. Cántame, Jesse. Si no puedo encender la luz, ni podemos hablar de la absoluta estupidez de que continúes en el ejército, al menos canta un poco.

—¿Es esto lo que tengo que esperar el resto de mi vida? —preguntó él amontonando el pelo de ella en las manos.

—Un destino peor que la muerte —reconoció Saber amodorrada.

Al menos él no quiso saber a qué se refería. Jess sacudió la cabeza mentalmente; no podía permitirse más errores de ese tipo. Saber no permanecía mucho tiempo en ningún sitio y últimamente estaba más inquieta, mirando a su espalda. ¿Estaba preparando su partida? Había dicho que había dejado de huir. No podía arriesgarse a ponerla más nerviosa, porque no iba a dejarla marchar así como así, y él iba a aclarar cada uno de sus secretos le gustara o no.

—Jesse.

Saber sonaba enfurruñada.

Él se acomodó contra las almohadas, con la cabeza aún sobre su pecho y el limpio aroma femenino calando en él. Se tragó el nudo en la garganta y le cantó a Saber su canción. La que había escrito para ella, la que latía en su corazón, en su cabeza, cada vez que la miraba o pensaba en ella. Una balada lenta y onírica.

Se mueve como una artista, grácil y libre
Discurre como la pintura fluida sobre el lienzo
Oh, pero esos ojos inquietantes
Me hacen ser consciente
De la profundidad de las emociones que me desbordan
Es la mujer con la que sueño
Una niña jugando
Luchando a favor de otros, a su manera especial
Cuando pienso que se ha terminado, no ha hecho más que empezar

Cuando miro sus ojos...
Oh, pero esos ojos inquietantes
Me hacen ser consciente
De la profundidad de las emociones que me desbordan
Como el vuelo de la mariposa con una leve brisa
Sus rasgos delicados son tan evidentes
Es una mujer, una guerrera que nunca se rinde
Oh, pero mi mariposa esquiva
Me hace ser consciente
De la profundidad de las emociones que me desbordan

Jess notó las lágrimas de Saber en su pecho mientras su voz se desvanecía y apretó las manos con actitud posesiva, una en el pelo, la otra en torno a su delgada cintura. No le hacían falta palabras; aquellas lágrimas eran suficientes. ¿Percibía ella la profundidad de las emociones que le desbordaban? ¿Se percataba de que desnudaba su alma ante ella? Permitió no obstante que Saber se escondiera, pues no quería presionarla en su estado vulnerable.

Se quedó dormida, con un sueño irregular. Esperó hasta que la respiración fue lenta y constante, y entonces estiró el brazo hasta la mesilla y encontró el puñal. Sujetándolo por la punta, lo introdujo en el pequeño bolsillo de su silla de ruedas. Lo examinaría por la mañana, recogería cualquier huella, descubriría si aparte de Saber alguien más había manejado ese puñal militar reglamentario.

La abrazó casi toda la noche, a veces durmiendo, a menudo simplemente tendido despierto, disfrutando con la sensación de tenerla entre sus brazos. La fiebre remitió en algún momento próximo al amanecer, y se separó de ella a su pesar, pues sabía que no le gustaría despertarse y encontrarlo en la cama, recordándole las lágrimas y la emotiva noche compartida. No sabría cómo asumirlo y, con lo preparada que estaba para salir huyendo, él no iba a correr riesgo alguno.

Sujeto Wynter ha vuelto temprano. Doblé la dosis que habíamos acordado en un principio con intención de infectarla. Su sistema es mucho

73

más resistente de lo esperado. Encontraremos la manera de obtener más sangre de ella con la que trabajar. Sigue distanciándose de su formación con cada día que pasa. Le doy la razón en que hay que insistir en el aislamiento y en el entrenamiento diario. Cuanto más deja de ejercitar sus habilidades, más rápido su deterioro. El Sujeto Calhoun ha tenido visitas frecuentes. Lily Whitney y Eric Lambert le visitan de modo regular, pero casi nunca cuando Wynter está en casa. Lily trae un considerable dispositivo de protección para el rato que pasa con Calhoun, por lo que secuestrarla sería casi imposible. Veremos cómo rechaza Wynter la infección y si Calhoun pide cuidados médicos.

Desconectó la grabadora, deseando poder demorarse en el lugar, pero esta noche no se atrevía. Estaba apurando y arriesgándose demasiado, y no podía jugársela y que le atraparan. La muerte aprovechaba cualquier error. Quería el premio que sostenían ante él. Modificación genética y mejora psíquica. Podría obtener lo que quisiera. Sí, y además se estaba divirtiendo con esto. La próxima vez quizá volviera a traerse compañía. Le encantó la mirada en los ojos de la fulana cuando se percató de lo que pretendía hacer exactamente. Su semen le había manchado toda la cara, pringando los labios que protestaban justo cuando entendió que también iba a quitarle la vida.

—No, encanto, no me diste ni de lejos el placer que tú creías —susurró en voz alta y lanzó una mirada a la ventana, sonriendo con una promesa fría y siniestra.

Capítulo 4

*P*oco a poco, Saber abrió de mala gana los ojos. A su lado, la cama estaba vacía. Se sentía dolorida y delicada, pero la fiebre había desaparecido. ¿Qué demonios le había pasado para ponerse tan enferma? Nunca enfermaba —nunca— y había sido una conmoción. Y no lo había llevado demasiado bien, por otro lado.

Se dio media vuelta y agarró la almohada por los extremos para inspirar a fondo la fragancia varonil tan distintiva de Jess. Invadió sus pulmones y provocó un movimiento extraño en su estómago. Se había tendido a su lado para abrazarla y le había cantando para que se quedara dormida. La boca de Saber se curvó con el recuerdo. Aunque dijera que no sabía cantar, a ella le encantaba su voz. Sólo con pensar en la voz y la canción que le dedicó, un calor peculiar se expandió deprisa por todo su cuerpo.

Inspiró una vez más el olor de la almohada preguntándose si debería lavar de inmediato la funda para no acabar obsesionada con ella o dejarla así para siempre, meterla en su mochila de emergencia y de este modo, en caso de tener que salir corriendo, tenerla siempre a mano. No había nadie en el cuarto, así que, como nadie la veía, se enrolló como un gato sobre el lugar donde había dormido él.

Jess. Olía siempre tan bien... Olía a limpio y a seguridad, y muy masculino. Con un pequeño suspiro se obligó a levantarse. Se había despertado más temprano de lo habitual. Tenía tendencia a quedarse levantada toda la noche, por lo tanto dormía por las mañanas y a primera hora de la tarde. Sin tener ni idea de qué podía hacer, se obligó a poner el cuerpo en marcha, tomándose su tiempo en la ducha, saboreando la sensación del agua caliente sobre la piel.

No podía sacarse a Jess de la cabeza. La sensación de sus músculos duros, la fuerza enorme, la ternura de su voz. Por un momento cerró los ojos dejando que el agua caliente cayera en cascada sobre su cabeza y se limitó a soñar. Se permitió creer un momento que podría tener una vida. Un hogar. Un hombre. Quería pertenecer a Jess Calhoun. Abrió los ojos conmocionada. Oh, Dios. Tenía problemas serios. Debía largarse antes de que fuera demasiado tarde. ¿Cómo había dejado que sucediera esto?

Tras ponerse la ropa intentó calmar los latidos alocados de su corazón. Tenía la boca seca. Jess Calhoun no era para ella, por mucho que le deseara. ¿Cuándo había sucedido? Observándose en el espejo mientras se secaba el pelo, intentó obligar a su mente a concentrarse en qué iba a hacer a continuación. Es lo que haría una mujer sensata. Es lo que dictaría el instinto de autoconservación.

Al apagar el secador oyó el suave murmullo de la voz de Jess. Algo —cierto tono en la voz— le llamó la atención y disparó todas las alarmas. Sonaba tenso. No mucho, pero a esas alturas ya le conocía y ella prestaba atención a todos los detalles, y estaba enfadado.

El corazón le latía con fuerza en el pecho mientras dejaba el secador a un lado con sumo cuidado y luego metía la mano bajo el colchón en busca de su puñal. No estaba ahí. Maldijo en voz baja y cruzó el cuarto hasta donde tenía la mochila, pisando con cuidado para no hacer ruido alguno. Con un gesto duro en la boca, se ajustó el cinturón con manos firmes, deslizando la pistola en la funda con suavidad y los puñales sujetos en cada presilla. Si Jess tenía problemas, iba a estar preparada.

Se había prometido no volver a matar, pero... no podía permitirse pensar en eso. Sólo serviría para ofuscarla. Moviéndose sin hacer ruido, permaneció de espaldas a la pared mientras salía por la puerta de su dormitorio para acercarse al descansillo de la planta superior desde donde podría controlar mejor a su objetivo. Había dos lugares donde las maderas crujían. Evitó ambas, aunque le costaría más en las escaleras. Podría haberlas arreglado, pero pensó que era un buen sistema de aviso si alguien intentaba entrar a hurtadillas mientras dormía.

—Qué alegría verte, encanto —susurró una voz de mujer, seguida de un silencio revelador.

Saber se puso tensa, aún en el umbral de su pequeño salón, mientras se imaginaba a Jess recibiendo un buen beso. Rodeó con los dedos su arma.

—Chaleen. Tengo que admitir que me coges por sorpresa. Eras la última persona del mundo que esperaba oír cuando antes contesté al teléfono.

De nuevo esa nota de tensión. Fuera quien fuese Chaleen, Jess no se alegraba de verla.

Una risa cristalina tintineó con un sonido que crispó a Saber.

—Sabía que te complacería.

—¿Qué demonios estás haciendo en Sheridan?

Jess no sonaba en absoluto complacido. Chaleen tenía que ser una idiota si creía lo contrario. Ella salió al descansillo. La alarma seguía pulsando en su cuerpo, un aviso de que algo no iba bien.

—Vaya, he venido a verte, encanto. —Los tacones de Chaleen repiqueteaban por el suelo de madera noble—. Llevo días metida en un avión, qué barbaridad.

Saber avanzó descalza en silencio hasta la baranda que daba al salón. La mujer era alta y delgada, con unos pechos demasiado impresionantes como para ser auténticos, pelo brillante y sofisticado, y ropas elegantes. Saber la despreció nada más verla.

—¿Y cómo has descubierto dónde estaba? —preguntó Jess—. Pensaba que no dejaba rastro.

Saber se inclinó sobre la baranda, poniendo la oreja sin vergüenza alguna. ¿Chaleen? ¿Quién podía llamarse así? Arrugó la nariz asqueada. ¿Y ese encanto de mujer tenía que hablar a Jess en un arrullo? ¿Por qué no podía hablar la muy bruja como una mujer normal? Su perfume llegaba incluso al piso superior. Saber inspiró con desdén y se encogió buscando un buen sitio desde donde poder escucharlos, mientras permanecieran en el salón, junto con cada palabra repugnante arrullada por ella. O desde donde, en el caso de que la mujer no buscara sólo sexo como parecía, pudiera meterle una bala en la cabeza antes de que diera un paso en falso contra Jess.

—Me encontré con tus padres en París. —Chaleen se instaló en un elegante sofá, cruzando las piernas cubiertas de seda para lucirlas en todo su esplendor—. Aún me cuesta creerlo, qué tragedia. El pobre Jess con sus alas cortadas de forma tan brutal.

Una larga uña pintada de rojo siguió una línea delicada sobre la piel de su abrigo.

—Déjate de chorradas, Chaleen, te largaste nada más enterarte.

—Te quería demasiado como para presenciar tu dolor, Jess.

Saber entornó los ojos. Qué rastrera. Jesse. Jess y Chaleen. Sonaba infantil. Le crispaba los nervios la manera en que aquel encanto de Chaleen lo decía. Jess. Aquel arrullo. Saboreando el nombre. Saber apretó todavía más el arma, hasta que los nudillos se le quedaron blancos. Echando humo, no alcanzó a oír la respuesta de Jess, pero sí la risa cristalina de Chaleen. Su sonido le dio ganas de vomitar... o pegar un tiro a alguien. Poco sabía la monada de Chaleen que estaba a segundos de encontrar la muerte.

—¡Oh, encanto! ¡Qué gracioso eres! ¡Y qué valiente, llevando esta carga horrorosa con tanto heroísmo! Pero ¿por qué enterrarte en este pueblo atrasado? Nunca serás feliz aquí. Necesitas emoción, la acción. Marchitarás aquí.

Chaleen agitó las pestañas y se pasó una mano inquieta por la pierna sedosa.

—Por el momento he logrado no marchitar.

Jess sonaba aburrido.

—Jess, me duele mucho pensar que un hombre tan viril y sexy haya podido sufrir un golpe tan cruel.

Saber dio un respingo al oír eso, casi se abre un agujero en el labio inferior. ¿Cómo sabía eso aquel espantajo con un animal muerto encima? Sexy. Viril. Mejor que la buena de Chaleen no se atreviera a mover uno de sus dedos pintados de rojo.

—Siempre has necesitado una mujer de verdad a tu lado, capaz de satisfacer tus apetitos, y ahora... Oh, Jess. ¿Puedes... me refiero a... aún te es posible...?

La voz se apagó, mientras Chaleen se llevaba una mano al cuello.

Furiosa, Saber se levantó de un brinco y se fue a toda prisa al dormitorio. Esa... esa descarada, la muy asquerosa, se estaba arrojando a los brazos de Jess. Y estaba haciendo cuanto podía para avergonzarle, para que se sintiera menos que un hombre. Vaya víbora. Intentaba despojarlo de su orgullo. Bien, Saber no iba a quedarse ahí plantada dejando que sucediera.

Sacó prendas y las tiró en todas direcciones buscando algo sexy. No tenía nada sexy. ¿Y cómo iba a competir con una rubia de metro ochenta con más escote que buenos modales?

Se vislumbró un momento en el espejo situado sobre el tocador. Una sonrisa lenta y provocativa curvó su tierna boca. No habría competición. Sacó la camisa de Jess, la que siempre se ponía para acostarse, con la que se sentía tan cerca de él, la que estaba impregnada de su fragancia.

Saber dejó la pistola a un lado, luego los puñales, y mandó los vaqueros a un rincón del cuarto de una patada, deseando poder estar en dos lugares al mismo tiempo. Quería oír cada palabra que dijera a Jess esa bruja pintarrajeada.

Descalza, bajó sin hacer ruido por la escalera, vestida sólo con la ropa interior de encaje y la camisa de Jess.

La vampiresa estaba rodeando a Jess con su red, pasando sus uñas venenosas rojo intenso por su pelo, inclinándose para murmurarle al oído, claramente en peligro de desbordar con sus carnes el vestido.

—Jesse. —A Saber no le costó usar la voz susurrante de la Sirena Nocturna. Funcionaba en las ondas de radio, ¿por qué no en casa?—. No me has dicho que esperábamos visitas. —Sonrió con dulzura almibarada—. Supongo que es la vieja amiga de la que me hablaste.

Saber puso énfasis, con malicia, en la palabra «vieja», y por pura diversión soltó una risita, como si Jess ya le hubiera contado alguna historieta graciosa.

Jess le tendió la mano, sonriendo con complicidad.

—Chaleen Jarvos, Saber Wynter. Chaleen está de viaje, pasaba por Sheridan por casualidad y ha tenido el detalle de venir a vernos, preciosidad.

Chaleen se irguió de golpe, lanzando una mirada asesina a Saber, repasándola de arriba abajo con sus fríos ojos color avellana.

—¿Quién es esta golfilla, Jess? —quiso saber.

Jess acercó la mano de Saber al calor de su boca.

—¿Eso es lo que eres, cariño? ¿Mi golfilla?

Saber se rió y se frotó la mejilla contra sus nudillos.

—Permíteme que vaya corriendo a buscar tu albornoz. —Dirigió una mirada a Chaleen sin malicia—. ¿Te apetece un café?

Saber se obligó a adoptar un aspecto lo más inocente posible, pero sentía en lo más hondo su gélida frialdad. Tal vez esta mujer fuera la antigua novia de Jess, pero estaba claro que era mucho más, era una amenaza para él. Esos ojos inexpresivos y fríos estaban llenos de veneno. Chaleen Jarvos era algo más de lo que fingía ser.

—Dudo que Chaleen se quede tanto rato —dijo Jess.

—¡Jess! —Chaleen volvió a canturrear su nombre—. He viajado hasta aquí para verte, para hablar contigo. —Hizo un gesto que abarcaba toda la casa—. Esto no te pega, no eres un hombre familiar. Naciste para las emociones salvajes, no para cursis escenas familiares como ésta. Estás perdiendo el tiempo aquí.

Saber rodeó a Jess por el cuello con sus brazos, apretándose contra el respaldo de su silla. Jess podía sentir el calor de su cuerpo, el calor de su aliento. Olía limpia y fresca en contraste con el fuerte perfume empalagoso en el que se había empapado Chaleen. Una parte de él quería mandar a Saber lejos, donde Chaleen no pudiera clavarle las uñas, y otra la quería con desesperación ahí mismo.

Saber soltó una risa ronca e íntima.

—No te preocupes, mmm, ¿cómo es? Carlene. Jess no pierde el tiempo aquí, desde luego. Nos tenemos el uno al otro para proporcionarnos, ¿cómo has dicho?, emociones salvajes más que suficientes. —Intercambió una sonrisa íntima, de alcoba, con Jess, inclinando la cabeza un poco para rozar un lado de su mentón oscurecido con sus labios tiernos de satén—. Voy corriendo a por el albornoz.

—Es Chaleen. —La rubia fulminó con la mirada llena de furia a la mujer más joven, dando un taconazo en el suelo de madera. Molesta al ver salir a Saber airosa de la habitación sin reconocer siquiera la corrección, se puso a recorrer el salón—. No puedo creer que un hombre de tu calibre, de tu educación, Jess, acabe con una pequeña...

—Golfilla —se burló Jess.

—¡Exactamente! —Chaleen se agarró a eso—. Tenemos un pasado, nos conocemos el uno al otro. Hemos compartido peligros, emociones. —Colocó la mano en el muslo de Jess—. Nos hemos compartido el uno al otro.

—Eso fue hace una eternidad, Chaleen. En otro mundo.

—Un mundo al que perteneces. Perder las piernas no puede cambiar eso. —Chaleen se inclinó sobre la silla de ruedas—. Necesitas volver, formar parte de todo ello otra vez. Tal vez ya hayas regresado, no puedo imaginarte renunciando a tu trabajo por esa tonta chiquilla. Seguro que acaba de salir del instituto. Necesitas una mujer, no una niña. —Le dedicó una sonrisa—. Estás trabajando para la marina, ¿verdad, Jess?

Saber se ciñó el cinturón del albornoz de felpa en torno a su delgada cintura, deseando por un momento que el cordón rodeara el cuello escuálido de Chaleen.

Jess, inclinándose hacia delante, rodeó la muñeca de Chaleen con la mano. A Saber el corazón se le cayó a los pies. ¿Y si lo había imaginado mal? ¿Y si esta víbora vampiresa era la mujer misteriosa de la otra noche? ¿Y si estaba haciendo el ridículo saltando en defensa de Jess cuando en realidad él no lo necesitaba ni lo quería? Contuvo la respiración mientras Jess alzaba la mano de Chaleen.

Todo en ella se paralizó. El mundo se estrechó formando un túnel. De repente estaba concentrada, mantenía el control total. Porque si él le besaba los dedos, tendría la certeza de que Chaleen Jarvos era mujer muerta.

Jess soltó su mano como si le desagradara.

—Estoy exactamente donde quiero estar, Chaleen.

Saber se hundió contra la pared, llena de alivio, cerrando los ojos por un breve instante, dominada por el mal sabor que le provocaba su primera reacción, tan primaria, a una enemiga. No era una reacción normal. ¿Había esperado demasiado para largarse de aquella casa? ¿Ya se había convertido en lo que siempre había temido ser? Se apretó la frente con la base de la mano mientras se esforzaba por escuchar la conversación.

—Mi mundo es éste: Sheridan, Wyoming. Y Saber es todo lo que necesito. Regresa con tu jefe y dile que ya hice mi trabajo y que quiero que me dejen tranquilo.

—Pero es tanto lo que aún puedes hacer. Toda tu gente te siguen siendo leales, aún confían en ti. Tu nombre podría abrir muchas puertas.

—¿Con quién quieres contactar?

—Necesito algunas respuestas, Jess. Ya sabes para quién trabajo. Lo que haces, sea lo que sea, está desquiciando a cierta gente poderosa. —Chaleen clavó su mirada gélida en él—. Saben que estás involucrado en algo grande. Nadie se cree la pantomima del inválido. Intento apartarte de los problemas, y verte fingir que estás idiota por tu pequeña quinceañera me da ganas de vomitar.

—Lo lamento, no hago esa clase de trabajo. Y mis lesiones están muy bien documentadas. Lo que buscas, sea lo que sea, no se encuentra aquí.

—Maldición, Jess, seguro que no quieres enfrentarte a mí. —Dejando de súbito los arrullos, la mujer sonaba dura como una piedra, provocando una vena protectora en Saber que no sabía siquiera que tenía—. Intento salvar este escondite tuyo. Tienes cierta investigación en marcha y está atrayendo la atención hacia este sitio. El FBI. La CIA. Oigo tu nombre por todas partes. Por el amor de Dios, algo así puede acabar con tu vida.

Saber se quedó muy quieta. Había miedo real en la voz de Chaleen. Tal vez hubiera venido buscando información sobre lo que investigaba Jess, fuera lo que fuese, pero la preocupación por él era genuina. ¿Sería una asesina? Saber se colocó en mejor posición para apartarla de Jess si intentaba algo. Pero ¿qué estaba haciendo Jess de todos modos?

—No tengo ni idea de qué hablas.

—Maldición, Jess. Siempre has sido tan reservado. Esto no es un juego. Siempre te tomas las cosas como una partida de ajedrez y no como la vida real. Te estás creando enemigos y van a ir a por ti.

No cabía duda de que sonaba amenazadora. Saber se olvidó de intentar sacar información y entró en la habitación. Rodeó otra vez el cuello de Jess con los brazos.

—Siento haber tardado tanto, cariño —murmuró.

Chaleen miró su reloj con incrustaciones de diamantes.

—¿Has ido corriendo? —soltó con brusquedad.

Saber pasó los dedos por la densa cabellera de Jess.

—¿Cómo dices? —preguntó con una voz que destilaba dulzura.

Chaleen recogió su abrigo de pieles y el bolso de Gucci.

—Cometes un gran error, Jess.

El arrullo se había esfumado de su voz, ahora fría y desdeñosa.

Jess alzó las cejas de repente.

—No me amenaces, Chaleen. Lleva este mensaje a tu gente: no os conviene amenazarme.

Por un momento los ojos color avellana relumbraron amarillos, como la mirada de un gato peligroso, sin parpadear, pero a continuación la mujer volvió a mostrarse sonriente.

—Me has entendido mal; no se me ocurriría amenazarte. Ha sido un placer volver a verte.

No se molestó en mirar a Saber; aún se libraba alguna batalla entre los ojos avellana y marrón oscuro.

Saber, temerosa por Jess sin conocer el motivo, intentó convulsivamente agarrar sus bíceps. Sin apartar los ojos de Chaleen, Jess llevó el brazo a su mano para calmarla.

—De acuerdo —capituló Chaleen—. Estás fuera.

—Eso espero —respondió Calhoun en un tono que no presagiaba nada bueno—. Saber, prepara un poco de café para nosotros. Y tómate un zumo de naranja.

Aún reacia, permitió a Jess apartarse de ella y cruzar la habitación para escoltar a la rubia hacia la puerta de entrada. Jess nunca le daba órdenes en cosas como hacer café o tomar zumo. Lo del zumo, estaba segura, era por la fiebre. El café era un complot para sacársela de en medio. Vaciló, pues le preocupaba dejarlo vulnerable junto a Chaleen, aunque él parecía creer que el tema ya estaba zanjado.

Y ella se sentía hecha un asco. La cabeza aún le molestaba, tenía el cuerpo dolorido y sin duda necesitaba una aspirina. Musitando algo para sus adentros, molió unos granos de café y puso obedientemente la cafetera en el fuego.

Jess la encontró hundida sobre la silla, con los codos encima de la mesa y la cabeza acunada entre sus manos. Se deslizó hasta su lado sin hacer ruido.

—¿Estás segura que te conviene estar aún levantada, preciosidad? —preguntó con amabilidad.

—Por supuesto que no —replicó sin alzar la mirada—. Este lugar está siendo invadido por tus mujeres y alguien tenía que hacer algo.

La boca de Jess se tensó un poco, pero permaneció callado mientras le servía un vaso de zumo de naranja y lo dejaba junto a su codo.

—Bebe.

Alzó la cabeza.

—¿Chaleen? ¿Hay alguien que de verdad se llame así?

Su voz estaba cargada de desdén.

Jess tuvo el tacto de no comentar que también ella tenía un nombre poco habitual.

Saber bebió la mitad del vaso de un trago.

—¿Cuántas más debo esperar?

—Vamos, cielo —dijo él con voz tranquilizadora, alimentando el fuego a posta—. Con lo maja que es.

—Con toda probabilidad algunas personas pensarían que Jack el Destripador era majo también. Por el amor de Dios, Jesse, se viste con animales muertos. —Le fulminó con la mirada como si él mismo hubiera dado muerte a las pobres criaturas con sus propias manos ensangrentadas para hacer el abrigo al encanto de Chaleen—. Fuiste de hecho amante de una mujer que se viste con animales muertos. Eso es repugnante de verdad.

Jess le estiró uno de los rizos.

—No es tan horrible.

Los ojos azules lanzaron chispas violetas.

—Oh, sí que lo es. ¿A quién debo esperar a continuación? ¿A la esposa de Atila? Me debes una, chico codiciado. Es probable que te haya salvado de un destino peor que la muerte. Esa vampiresa tenía los ojos puestos en tu virtud.

—Tenía los ojos en algo más que eso, pero Saber iba a tener que tomarse un tiempo para adivinar en qué.

Calhoun le acercó un poco más el zumo, instándole en silencio a beber más.

—No sé, Saber, igual incluso hubiera sido divertido.

—No me vengas con ésas, Calhoun. —Saber se pasó una mano por el pelo con exasperación total—. Te espantaba que se arrojara en tus brazos y lo sabes. Lo vi en tus ojos.

Jess le sonrió.

—Alucinaciones de nuevo. Mejor que llame al matasanos de una vez.

Ella entornó los ojos.

—La última vez que vino el médico insistió en que me tomara algo para la gripe igual que tú, y mira lo que pasó. Nunca había estado enferma hasta hoy, y qué tengo: gripe.

—Bebe el zumo.

Esta vez le puso el vaso en la mano.

Ella le dedicó una mirada desafiante, pero Jess no cedió y Saber dio un trago.

—De hecho, no te culpo lo más mínimo por querer cambiar de tema. Si yo hubiera tenido tan mal gusto de joven, tampoco querría que me lo recordaran —dijo con desdén.

—¿Así que lo tuviste? Mal gusto, quiero decir. ¿De joven?

Al instante la persiana bajó ruidosamente, la risa se desvaneció de los ojos danzantes de la chica, dejándolos velados, ensombrecidos, incluso angustiados. Saber hizo caso omiso de la pregunta con despreocupación, demasiada despreocupación.

—Buen zumo, Jesse. ¿Lo has exprimido tú?

—Por supuesto. ¿Qué otra cosa haría contigo enferma? —Le pasó los nudillos por la mejilla con una caricia perezosa—. ¿Cómo te sientes esta mañana? Anoche me quedé preocupado.

—Estoy mejor. Esta noche iré a trabajar —le respondió.

—Saber, no seas ridícula. No estás bien. —Le puso una mano fría en la frente—. Todavía tienes fiebre.

—Estoy mejor —insistió.

—Ajá, ya lo veo. —No pudo reprimir una sonrisa. Acurrucada en la silla de roble, con el albornoz puesto, el pelo revuelto, las largas pestañas ensombreciendo la curva de su mejilla, Saber estaba irresistible. Jess necesitaba tocarla, quería abrazarla. Recorrió con los dedos el dorso de su mano, sólo por mantener el contacto—. Soy tu jefe, pequeña, y digo que no vas a trabajar esta noche.

Ella inclinó la barbilla.

—¿Cobraré mi sueldo de todos modos?

—Eres buena negociadora.

—Te pondré un café —se ofreció Saber.

—Siéntate. Yo serviré el café. Acaba ese zumo y vuelve a la cama.

Jess alcanzó con facilidad la cafetera ubicada sobre el mostrador de baja altura.

—Pues, bien, tengo que admitir que estoy confusa: ¿trabaja Chaleen para la CIA o es agente de otro gobierno?

Jess concentró toda su atención en servirse la taza de café.

Saber le revolvió el pelo.

—No te preocupes, rey dragón. No quiero obligarte a mentirme.

Jess estiró el brazo para cubrirle la mano, enlazando sus dedos sensualmente. Antes de que ella los soltara, atrapó su mano y se la llevó al pecho.

—Estoy dispuesto a negociar, pequeña.

Saber pudo sentir el pulso constante del corazón, pero no fue capaz de mirar a sus ojos penetrantes.

—No tengo nada que negociar.

Él alzó la ceja, pero antes de poder replicar, el estridente sonido del teléfono les interrumpió. Sonrió con un destello de su blanca dentadura.

—Tienes un ángel de la guarda.

Jess estiró una mano perezoso para descolgar el auricular.

—¿Sí?

Saber entornó los ojos al oír su saludo poco convencional. Un leve ceño marcó los rasgos de Jess y, por un breve momento, su mirada oscura descansó en el rostro pequeño de la chica.

—Está enferma, Les, no vendrá esta noche.

A posta, pasó por alto los gestos frenéticos de Saber, que intentaba alcanzar el teléfono, y la apartó rechazándola con una mano.

—Puedo ir si me necesitan —dijo entre dientes.

Observando de arriba abajo el aspecto atractivo de Jess, entrecerró los ojos con aire especulativo. ¿Era eso una mancha de carmín intenso junto a la sombra azulada del mentón? Cerró el puño. ¿Se había atrevido esa bruja a besarle?

—¿Qué clase de llamadas? ¿Amenazas? ¿Qué quiere decir «no exactamente»? —Jess sonaba impaciente—. Si hay un acosador llamando a la emisora, o a Saber en concreto, telefonea a la policía.

—No. —Saber hizo otra intentona de agarrar el teléfono con rostro empalidecido—. Jesse —gimió cuando él giró su silla de ruedas y se quedó de espaldas a ella para impedir que alcanzara el auricular.

—¿Qué está diciendo con exactitud? Sí, eso mismo. Llama a la empresa de seguridad y que doblen la vigilancia en torno a la emisora. ¿Esta noche está Brady? Que me haga una llamada. Claro, Les, gracias por llamar.

Colgó el auricular y volvió la silla para mirar a Saber.

—Era para mí, Jesse —protestó Saber con el corazón a cien por la alarma—, no tenías derecho a no pasármela.

Como era habitual, Calhoun no mostró la más mínima intimidación ni enfado por aquel arranque.

—Siéntate antes de caerte al suelo —sugirió con calma—. Estás temblando.

—De rabia —explotó ella, pero se sentó, temerosa de que sus piernas temblorosas cedieran.

—De miedo. Cuéntamelo, Saber. ¿Quién esperas que aparezca? ¿Y es muy peligroso?

Ella alzó la barbilla con obstinación.

—No es culpa mía que un chiflado llame a la emisora. Son cosas que pasan. No tiene nada que ver conmigo. Por mí ya puedes triplicar la vigilancia de la emisora.

—No te preocupes —dijo Jess— que lo haré. Les dice que el hombre ha llamado nueve veces, anoche y esta mañana. Brian ha grabado un par de llamadas durante su turno también. No te ha amenazado, pero quiere conocerte.

—Todo el mundo quiere conocerme. Soy una ricura.

—Tu voz es de lo más sexy y esos viciosos tienen toda clase de ideas.

—Por favor, ¿puedes limpiarte esa cosa asquerosa de la cara? Me cuesta mirarte.

Jess alzó una ceja.

—¿Qué cosa asquerosa?

—Lo sabes muy bien. Tenías que dejar que te besara ¿verdad?, y acabar todo pringado de su barra de labios.

Los ojos de Jess ardieron como terciopelo negro.

—Tendrás que limpiarlo tú, cielo. No puedo verlo.

Saber negó con la cabeza.

—Ni hablar. Tú le has permitido hacerlo, tú solito te lo limpias.

Jess se encogió de hombros.

—Supongo que tendrá que quedarse ahí.

Ella le fulminó con la mirada.

—Sabes bien dónde te besó.

—No me acuerdo.

Tuvo que esforzarse por contener una sonrisa.

Furiosa, Saber se levantó de un brinco, humedeció un trapo y se inclinó sobre él, restregando la señal ofensiva de carmín que manchaba su mentón.

—Podría darte un bofetón también.

Jesse hizo que se sentara sobre su regazo, justo donde planeaba tenerla desde el momento en que ella había aparecido por las escaleras.

—Gracias, pequeña, te lo agradezco. No me habría gustado ir por ahí todo el día con la marca de Chaleen.

—Pero lo habrías hecho. —Saber no estaba dispuesta a perdonarle—. Todo el día, lo justo para volverme loca.

—¿De verdad?

—Por supuesto.

—Bien, pues ya que estábamos hablando —sacó del bolsillo de la silla el puñal reglamentario del ejército y lo sostuvo ante ella—, creo que tengo que devolverte esto.

Ella se quedó absolutamente quieta.

—¿Dónde has encontrado eso?

No lo tocó.

—Tuviste una pesadilla e intentaste protegerte.

Saber se levantó de un brinco, con cuidado de evitar el puñal, y observó fijamente a Calhoun con una expresión de horror grabada en su pálido rostro.

—¿Que hice qué? ¿Te ataqué, Jesse?

Las lágrimas inundaron sus ojos y, cuando él se movió hacia ella, retrocedió poniéndole una mano en el brazo para mantenerle a distancia.

—No, no. Si hice eso, ya no estás seguro. Tengo que marcharme. No puedo creer que lo hiciera.

No era la reacción que Jess quería o esperaba. Si estaba actuando, era la mejor actriz que había visto. Percibió la angustia recorriéndola en oleadas, angustia y miedo. Proyectaba ambas emociones con tal fuerza que también se apoderaron de él. Todo el cuerpo de Jess reaccionó con señales de tensión, acelerándose a un nivel tan dramático que tuvo que llevarse la mano al pecho.

Saber abrió los ojos aún más y apartó la mano, frotándose con la palma el muslo, su rostro dominado de súbito por el miedo.

—¿Qué pasa? ¿Es el corazón? Jesse, contéstame ahora mismo.

Él sintió un alivio inmediato, la carga en su pecho se aligeró y el corazón volvió al ritmo normal.

—Estoy bien, pequeña, pero siéntate y deja de enfadarte por cualquier tontería.

—Amenazarte con un puñal no es ninguna «tontería», Jesse.

—Yo te apunté con una pistola. Somos una pareja violenta.

—No tiene gracia, nada de esto tiene gracia. Guardo un puñal en mi cuarto para protegerme, pero nunca había pensado que tendría una pesadilla e intentaría usarlo con alguien. No puedo quedarme aquí.

Saber respiró hondo para sosegarse y permitió que el aire atravesara sus pulmones mientras intentaba mantener la calma. Oh, Dios, ¿casi le había matado? ¿Primero con su contacto y luego con un puñal? Le gustaría salir corriendo y huir de sí misma.

El rostro de Jess perdió todo el frágil humor, quedándose inexpresivo y frío.

—No seas ridícula, Saber. Puedes tirar el puñal si estás asustada, pero marcharte no soluciona nada.

Ojalá fuera tan fácil como tirar el puñal.

—Si me marcho, tú estarás seguro.

—¿De verdad? ¿Tú crees?

Estaba muy enfadada. Nunca antes había estado enferma, ni una vez en toda su vida, y nunca había cometido errores de esta clase, pero ¿corría Jess peligro? ¿Representaba Chaleen un peligro para él? Y también estaba aquella inquietud que no se sacaba de encima, la sensación de estar vigilada. Había llegado incluso a salir de madrugada y patrullar el perímetro de la propiedad, sin encontrar a nadie. Tenía previsto hacer lo mismo aquella noche porque iba a asegurarse de que no traía sus propios líos a casa de Jess.

Se levantó de un brinco, pues necesitaba poner distancia entre los dos.

—No quiero hablar más ahora. Voy arriba.

Un músculo se tensó en el mentón de Jesse.

—Adelante, Saber, huye como un conejillo, mete la cabeza bajo las colchas.

Ella se escabulló sin mirar atrás, corriendo hacia el santuario de su habitación. Le había sacado un puñal a Jess. Él fue capaz de desarmarla, pero tuvo que ser porque aún estaba dormida. Calhoun no podía hacer servir sus piernas, estaba indefenso en realidad. Enterrando la cabeza en la almohada, intentó dejar la mente en blanco, bloquear la imagen en la que hacía daño a la única persona en el mundo que le importaba.

Él estaba indefenso de verdad, y tenía enemigos, tal vez tantos como ella. Alguien tenía que hacerse cargo. En realidad Jess no se percataba de lo vulnerable que estaba en esa silla. La necesitaba, necesitaba que ella le cuidara. Permaneció despierta mirando el techo, intentando discurrir qué era lo más conveniente, sin tener que renunciar a él.

Sujeto Wynter. Algo ha sucedido esta noche durante mi ausencia. El sujeto salió de la residencia, lo cual me hace pensar que el virus tuvo un efecto limitado en ella. Casi me descubre. Estaba a punto de salir a la carretera cuando ella detuvo su coche delante de mí. Para no delatarme continué alejándome de la residencia. Creo que empieza a sospechar que está vigilada. Creo que vamos a necesitar otro par de ojos y oídos para proseguir...

De repente dejó de dictar.

No quería que nadie más presenciara cuánto se divertía mientras hacía su trabajo y recogía información; al fin y al cabo era su negocio. Borró toda la grabación. Esta noche no le correspondía a él la vigilancia. Si ella había salido de la residencia sin que nadie se enterara, no era asunto suyo. Nadie iba a adivinar que en realidad él quería volver a ver la ventana de la chica, que a veces sólo permanecía sentado oyendo su voz en la cinta y mirando hacia la ventana con la esperanza de vislumbrarla un momento. Resultaba excitante simplemente estar sentado al otro lado de la carretera, tan bien ubicado, tramando planes para su sexy sirenita... y tenía un montón.

Capítulo 5

*D*espierta, Saber —llamó Jess, asomándose desde el pie de las escaleras—. Sé que puedes oírme. Baja aquí.

Tenía que verla. Era patético cuánto la necesitaba, la alegría con que llenaba su vida.

—Lárgate. —Su voz sonaba amortiguada, confirmando sus sospechas de que se tapaba con las colchas la cabeza para bloquear la luz del sol—. Acabo de acostarme.

Saber no estaba segura de ser capaz de hacerle frente. La idea de que había intentado matarle la había tenido obsesionada toda la noche. ¿Y si no hubiera intentado usar el puñal? Él nunca lo habría sabido, nunca habría sido capaz de defenderse.

—Es culpa tuya que no te acostaras anoche. Y olvídate de suplicarme que sea compasivo contigo, no después de la manera en que me despertaste a las cinco de la mañana con esa basura que llamas música.

Saber le respondió con un silencio total. Estaba avergonzada por haber perdido el control. Se tapó el rostro con las manos, podría llorar de desesperación.

Abajo, Jess soltó un suspiro.

—Hablo en serio, preciosidad. Si no bajas en cinco minutos, subiré a por ti. Y si me das tantos problemas, no te gustarán las consecuencias —amenazó.

Oyó cómo se agitaba ella hablando entre dientes. Algo golpeó la pared y Jess sonrió. Saber bajó descalza hasta el vestíbulo sin hacer ruido, frotándose adormilada los ojos con los puños cerrados. Apoyó la cabeza sobre la baranda con su pelo brillante formando una intrigante masa de rizos revueltos. Llevaba lo que parecía una de sus viejas camisas, una que estaba convencido de haber tirado hacía bien poco. La idea le hizo sonreír.

—¿Qué quieres exactamente, rey dragón? Porque esto es un comportamiento de lo más incivilizado —le acusó ella—. Incluso para ti.

Parecía increíblemente pequeña y femenina con aquellos enormes ojos adormilados que eran una invitación directa a la tentación. Era la imagen del pecado y el sexo para él, todo junto, y su cuerpo respondió de una manera que ya le resultaba familiar, con aquella tensión dolorosa y aquella exigencia que temía no satisfacer nunca.

—Mi voluntad se está acabando —masculló.

—¿Qué? —Saber parecía más confundida que nunca—. Esto no tiene el menor sentido, no es que piense que seas demasiado razonable por lo general, pero sólo es mediodía. Mediodía para mí es lo mismo que las tres de la madrugada para los demás. Estoy en modo de sueño profundo. No me importa que pienses que eres una ricura; déjalo ya y para de molestarme.

—Y tú deja de quejarte y ven aquí. Patsy está en camino.

¿Ricura? ¿Le encontraba una ricura? Como un oso de peluche. Eso era peor que llamarle dulzura. Tendría que enseñarle un par de cosas si seguía mirándole así.

—¿Patsy? —Saber gimió y sacudió la cabeza—. Oh, Jess, no, no puedo enfrentarme a tu hermana sin haber dormido. Se cree que tengo diez años y que tú eres un pervertido deseoso de quitarme la virginidad.

—Bien, no te ofendas. Por lo general piensa que es la mujer la vampiresa que busca mi virtud, de modo que esta vez eres afortunada.

Saber se sentó en lo alto de las escaleras, alisándose el faldón de la camisa sobre las rodillas, con el pelo enmarañado y las pestañas caídas.

—Pobre Patsy, siempre intenta cuidar de alguien. Me cae bien, en serio, pero es...

Se detuvo buscando la palabra exacta para describir a su hermana mayor.

Jesse se encontró sonriendo. Ella siempre conseguía hacerle sonreír.

—¿Un cartucho de dinamita? Vamos, pequeña, date una ducha y come algo. Para cuando llegue ella, estarás en plena forma.

—Nunca estoy en plena forma con Patsy —respondió entre dientes—. ¿No podríamos fingir que no estoy aquí? Podría quedarme aquí arriba durmiendo.

Patsy era maravillosa, muy cariñosa, pero quería cuidar de ella. Nadie había intentado nunca cuidarla, y ella era una persona muy solitaria y la gente a su alrededor siempre evitaba tocarla, y con motivo. Patsy, no obstante, no tenía noción del espacio personal. La abrazaba y besuqueaba, y por lo general intentaba organizarle la vida; por supuesto de la manera más agradable, y tal vez ése era el principal problema. Saber también le estaba cogiendo demasiado cariño.

—¿Y dejarme a mí solo frente al peligro? —se mofó Jess—. Ni hablar. Por encima de mi cadáver. Vístete y baja aquí ese precioso trasero. —Se frotó pensativo el mentón oscurecido—. Mejor me afeito.

—Jesse —gimió ella, intentando no dejarse halagar por su comentario sobre su «precioso trasero».

Él aportaba una gran luz a su vida y le hacía sentirse especial, como si no pudiera seguir viviendo sin ella. Saber le deseaba. Le deseaba. Se moría por él.

—Eres mi ama de llaves. Ayudar con los huéspedes es parte de tu trabajo. Así que deja de quejarte y baja aquí.

Saber se obligó a parecer indignada pese a querer reírse, sólo porque él era increíblemente guapo y además no le guardaba rencor por haber intentado apuñalarle.

—Me debes una buena por esto, Jesse.

Calhoun le dio la espalda, de mala gana, aunque su visión perduró en su mente. No podía estar más guapa ni aunque hubiera pasado todo el día en un salón de belleza con un equipo de expertos en maquillaje. La visión de sus piernas delgadas y desnudas, y la piel suave y descansada añadían pensamientos eróticos a su cabeza.

Saber se estaba enamorando de él aunque no lo supiera. Se frotó el mentón, confiando en no equivocarse. Era feliz en su compañía. Le encantaban sus extrañas conversaciones y sus convicciones, y le gustaba observar las expresiones que alteraban su rostro. Tenía que estar enamorándose de él. Corría en todas las direcciones menos en la que debía. Su lugar estaba al lado de él, y tanto si era el momento idóneo para ellos como si no, iba a asegurarse de que ella se quedara en el sitio al que pertenecía.

Patsy Calhoun era una mujer alta, de figura curvilínea, boca generosa y pelo oscuro formando sobre su rostro una delicada onda femenina que resaltaba sus pómulos. Normalmente sonreía con aire sofisticado, totalmente bajo control, pero cuando Saber abrió la puerta, estaba apoyada en la pared con lágrimas en los ojos.

Saber volvió la mirada brevemente al interior de la casa, buscando con desesperación la aparición de Jess, pero estaba en la cocina preparando té para su hermana.

—¿Qué ha pasado?

Sonaba remisa más que compasiva, pues le asustaba ver a Patsy llorando. Apoyó una mano reconfortante en el brazo de la mujer, consciente de que era insuficiente pero con ganas de ayudar. En el momento en que entraron en contacto, un hormigueo de advertencia le recorrió la columna.

—Lo lamento. —Patsy la miró con lágrimas surcando su rostro—. Supongo que estoy más afectada de lo que pensaba.

Saber le rodeó el brazo instándola a entrar en casa. La hermana de Jess estaba temblando, y el hormigueo palpitante que antes había detectado, ahora era un ataque en toda regla a su radar. Cerró la puerta de una patada mientras hacía pasar a Patsy a la cocina.

Jess alzó la vista y la sonrisa se desvaneció de su rostro.

—¿Qué ha sucedido, Patsy? —Su voz sonaba calmada, pero la mirada era penetrante, de pura concentración. Rodeó las sillas y cogió a su hermana por las manos—. Cuéntame.

Patsy se hundió en una silla.

—Lo lamento. Estoy siendo una boba. Sólo es que...

Su voz volvió a apagarse y empezó a llorar en silencio.

Saber se apresuró a darle un vaso de agua. Al inclinarse sobre el hombro de Patsy para pasarle el agua, percibió la anomalía de una vibración de baja frecuencia emanando de la mujer. Con rostro inexpresivo, apoyó una mano en su hombro y dejó que todo en ella se concentrara en detectar el ritmo corporal de Patsy. Temía saber ya la naturaleza de aquella vibración, y aquello le daba mala espina.

—¿Patsy? —Jess se inclinó hacia su hermana—. Cuéntame, corazón.

—He pasado esta mañana por la emisora. —Le temblaba la mano al llevarse el vaso de agua a los labios para dar un trago—. Es la primera vez que he estado allí desde que perdí a David.

Jess dirigió una rápida mirada a Saber.

—David era el novio de Patsy.

Patsy asintió.

—Soy dueña de la emisora al igual que Jess y pensaba que debería empezar a interesarme otra vez, de modo que he entrado para dar una vuelta. Me afecta, pero he pensado que de verdad ya era hora.

—Eso está muy bien, cielo —dijo Jess para animarla.

Ahora Saber estaba captando ambos ritmos, el de Jess y el de Patsy, porque Jess sostenía la mano de su hermana. Era interesante lo diferentes que eran. Ser hermanos por lo visto no asemejaba sus biorritmos individuales. El pulso de Jess marcaba fuerte y constante, la sangre se movía por su cuerpo con un flujo y reflujo que sugería poder. Patsy... Saber frunció el ceño, pues no le gustaba aquel ritmo. Algo no cuadraba. La sangre no parecía moverse de modo conveniente. Tomó aliento e intentó desligar el pulso de Jess así como las pequeñas vibraciones extrañas que captaba en la sangre de Patsy, los ecos de las cavidades cardiacas.

—Hablé con parte del personal y luego me fui. Conducía por la carretera serpenteante que lleva a la autovía y justo cuando me acercaba a la rampa del nudo de acceso...

La voz de Patsy se volvió aguda otra vez.

Jess le soltó la mano para buscar un paño de la fregadera. Eso permitió a Saber alinear su ritmo corporal con el de Patsy. Sí, sin duda había un rumor perceptible en la sangre que fluía por una cavidad del corazón que no debería estar ahí, casi como si no circulara convenientemente y se acumulara. Además de eso, Saber captaba esa extraña vibración, una energía grave sintonizada en la frecuencia...

Se enderezó, disimulando el jadeo de alarma. Eran los tonos exactos de Jess. El receptor de la señal, que Patsy llevaba encima en algún lugar del cuerpo, estaba sintonizado en el tono exacto de Jess. Inspiró y exhaló, soltando todo el aire de los pulmones. Las advertencias de Chaleen eran fundadas. Alguien quería enterarse de la investigación secreta que realizaba Jess, lo bastante como para utilizar a su hermana para introducir un receptor en la casa.

—Tómate tu tiempo, Patsy —recomendó Jess—. Cuéntame qué ha pasado.

—Me acercaba al giro. Lo tomé despacio. Ya sé que a esas alturas estaba alterada, siempre lo estoy, pero de repente un todoterreno ligero apareció de la nada, de un pequeño sendero de tierra que sale desde el otro lado en la curva, y me dio en el parachoques. Mi coche se fue dando vueltas sin control, directo hacia el precipicio. Casi lo rebaso, Jess. Me quedé parada al lado de la barrera de seguridad. El todoterreno no se paró.

Los rasgos pétreos de Jess permanecían tan inmóviles que parecían tallados en granito. Se hizo un silencio repentino y revelador. Las paredes de la habitación parecían expandirse y contraerse, y el corazón de Saber dio un brinco al notar que el suelo se desplazaba un poco bajo ella. Echó un vistazo a la mesita auxiliar y vio que las tazas levitaban, se movían y temblaban. El poder invadió la habitación. Energía. Percibió la mano derecha de Jess formando poco a poco un enorme puño.

Jess Calhoun no era un SEAL, al menos no era un SEAL normal. Por un momento fue incapaz de respirar, incluso su cerebro se paralizó. Era él quien movía las paredes, el suelo y los objetos de la habitación. Tenía que estar metido —muy metido— en el programa de los Soldados Fantasma. Y cualquiera incluido en ese programa, cualquiera que estuviera al tanto de ese proyecto, era su enemigo mortal. Nunca había sentido dolores en compañía de Jess, ni había tenido que preocuparse por dolores de cabeza y los problemas que acompañaban habitualmente a sus talentos psíquicos. Pensaba que era la casa o el hecho de encajar allí, pero sin duda él tenía que ser un anclaje, un Soldado Fantasma que mantenía bloqueada la energía de los demás.

Calhoun tenía que haber recibido entrenamiento. Y estar muy capacitado. Habían vivido en la misma casa durante meses y ella nunca había sospechado nada. Siempre sabía cuándo había un Soldado Fantasma cerca. Desprendían un campo energético diferente. Desplazó la mirada hacia la ventana, hacia la puerta, calculando la distancia. ¿Y dónde estaba su mochila de emergencia, donde tenía el dinero y cosas importantes? ¿Podría cogerla? ¿Se atrevería a tomarse ese tiempo? ¿Tenía tiempo para meter las cosas necesarias?

Si Patsy seguía mal, Jess concentraría la atención en ella y eso abriría una posibilidad de escapar. ¿Sospecharía Calhoun que ella lo sabía? Tenía que actuar con naturalidad, como si tan sólo le preocupara Patsy y su seguridad. ¿Y qué había sucedido en realidad? Saber sacudió la cabeza en un intento de aclarar la mente. Patsy llevaba un micrófono en el bolsillo, sintonizado para captar la voz de Jess, no la suya. ¿Qué significaba eso? Tenía que pensar.

—Regreso en seguida.

Saber hizo una pequeña señal a Jess, con la esperanza de que la dejara salir.

—¿A dónde vas?

Patsy le cogió la mano.

—Tengo que echar un rápido vistazo a tu coche, cariño —dijo Saber—. Será un minuto.

Porque si Patsy estaba explicando la verdad, habría evidencias.

Jess rodeó a su hermana con el brazo.

—No te ha pasado nada, Patsy.

—Lo sé, sólo es que fue de lo más extraño que pasara en el punto exacto donde David perdió la vida, casi como si fuera el destino.

Saber ya salía de la habitación, pero el suelo se bamboleó. Se volvió y vio el horror en el rostro de Jess. Parecía abatido, pálido, y no pudo soportarlo, pese al espanto que le provocaba el hecho de que él fuera su enemigo.

—Patsy, no digas eso —soltó Jess—. Hablo en serio. Tu destino no es morir porque David falleciera. Es una tontería y lo sabes.

Dirigió una mirada a Saber y le hizo un gesto para que inspeccionara el coche. Se percató de que su miedo no era teatro; le espantaba de verdad que Patsy se hubiera salido de la carretera y casi hubiera caído por el precipicio.

Se apresuró a cruzar la casa para ir a la parte delantera donde le gustaba a Patsy aparcar el coche. A la hermana de Jess le pegaba el elegante descapotable rojo, del color de los camiones de bomberos. Entonces rodeó el vehículo para situarse junto al parachoques posterior. Pintura negra, abolladuras y arañazos estropeaban el parachoques y el lado izquierdo de la parte posterior del coche. Sin duda había sido embestido, y con cierta fuerza. Tenía que haber mandado el descapotable dando vueltas sin control. Patsy había tenido suerte.

Por un lado, Jess era un Soldado Fantasma; que dos de ellos se encontraran en el mismo lugar al mismo tiempo no podía ser una coincidencia. Por otra parte, el coche de Patsy había sido embestido y ella aparecía con un micrófono sintonizado específicamente para captar el tono de voz de Jess. Calhoun llevaba a cabo una investigación encubierta que estaba irritando a gente en todas partes, lo cual significaba que tal vez corriera más peligro que ella misma. Si tuviera un poco de cerebro, se marcharía de allí.

—Qué estúpida eres, chica —murmuró en voz alta—. Estúpida.

Había logrado sacarle ventaja a Whitney, demostrando ser lo bastante lista como para moverse constantemente sin dejar rastro. Sabía pasar desapercibida pese a vivir al descubierto, y seguía libre porque siempre —siempre— era espabilada. Entonces, ¿qué hacía en este momento considerando la posibilidad de volver a entrar en esa casa?

Permaneció en el patio de la entrada principal, mirando la casa de Jess, con el corazón agitado, y se percató de la verdad. Se había permitido enamorarse de él. Y era el enemigo. ¿Estaba enterado Calhoun de su historia? ¿Cómo no iba a estarlo? Las casualidades no existían, no en su mundo. ¿Con cuántos hombres y mujeres había experimentado de hecho Whitney? ¿Abriendo sus mentes, retirando sus filtros, mejorando sus habilidades psíquicas y alterándolos genéticamente?

Con certeza las posibilidades de toparse por accidente en Sheridan, Wyoming, eran mínimas.

—Lárgate, Saber. Entra en la casa, recoge tus cosas, pilla la mochila de emergencia y márchate mientras puedas —se dijo en voz alta con toda la firmeza posible—. Es un Soldado Fantasma y, con silla de ruedas o sin ella, esto es una trampa. Si está en peligro, es su problema. No puedes regresar con Whitney, tienes que cuidar de ti misma. Hazlo, márchate ahora.

Le dolía el corazón, un dolor real como la punta de un puñal incisivo. Sacudió la cabeza y se obligó a entrar. Se mostraría indiferente, le explicaría lo del coche, se disculparía y se largaría.

Apretándose el pecho con la mano, cruzó el salón. Le encantaba la casa. Le encantaba todo en esta vivienda. Le encantaba la manera en que la fragancia de Calhoun persistía en cada habitación. Masculino. Especiado. Inspiró para absorber a Jess mientras se detenía en el umbral y se quedaba mirándole. Incluso en su silla de ruedas era una figura imponente. Él alzó la vista, encontró su mirada, y el corazón de Saber casi se detiene al verle.

El crudo deseo se mezclaba con algo más, algo que nunca antes había visto. ¿Podía amarla, tal vez? ¿Era eso posible? Se pasó una mano por el pelo, de pronto insegura.

—Pequeña, ¿qué sucede? Pareces tan alterada como Patsy.

La caricia de la voz de Jess, arrastrando las palabras, le aportó calor pese a ni siquiera ser consciente de que tenía frío. Negó con la cabeza.

—Hay pintura negra además de arañazos y una gran abolladura en el coche, Jess. Alguien le ha dado. —Y en algún lugar, Patsy llevaba encima un dispositivo de escucha. Tenía que encontrarlo y destruirlo—. ¿Has ido hoy a algún otro lugar aparte de la emisora?

Sirvió té y añadió un poco de leche, luego dejó la taza delante de la mujer. Lo hizo con despreocupación, moviéndose alrededor de la hermana de Jess para poder colocarse a su lado y apoyar otra vez la mano en su hombro para consolarla.

—Sólo he ido a comisaría para informar del accidente.

Saber asintió.

—Tal vez deberías ir al hospital y que te hicieran un chequeo. ¿No te habrás dado un golpe en la cabeza? ¿Te has hecho daño en el cuello?

Ahora sí que lo captaba. La energía de baja frecuencia procedía del bolsillo de la chaqueta de Patsy. Cualquiera podría haberlo dejado caer ahí al pasar junto a ella andando por una acera.

Estaba bastante segura de que no era un accidente que alguien chocara con el coche de Patsy y luego se largara. Pero ¿por qué? Estudió el rostro de Jess. Parecía sereno, hasta que le miró a los ojos y percibió el volcán bullendo bajo la superficie. Estaba enfurecido, y eso significaba que había llegado a la misma conclusión que ella: alguien había intentado hacer daño a su hermana. Pero si eso era cierto, ¿quién había colocado el micrófono en su bolsillo? Volvió a mirar a Jess mientras se inclinaba hacia delante sin soltar la mano de su hermana y le murmuraba palabras consoladoras.

Llevaba casi once meses con él. Cuando le tenía cerca, los demonios que la acosaban se aquietaban. No porque fuera un Soldado Fantasma o un anclaje, sino porque todo en su interior se encontraba en paz cuando él estaba próximo. Le hacía reír. No era una sonrisa falsa, amable, sino una risa genuina. Más que eso, él le gustaba, le encantaba estar con Jess, era inteligente y podía hablar de cualquier tema que le interesara. Jess era su mejor amigo.

No podía creer que la estuviera traicionando; no soportaría que estuviera implicado en una conspiración contra ella. Tomó aliento, exhaló y se dio la vuelta para recuperar la compostura. Había algo muy conmovedor en verle consolar a su hermana, esa mirada de amor en su rostro, su dulzura.

Pero la realidad seguía siendo que era un Soldado Fantasma y ella una fugitiva, y que Whitney haría cualquier cosa por echarle el guante. Pero ¿podía dejar a Jess cuando tal vez la necesitara más que nunca? Había un dispositivo de escucha sintonizado en la frecuencia exacta de su voz; ella había trabajado con sonido y ritmo lo suficiente como para reconocer la longitud de onda de Jess al oírla. No obstante, tenía la boca seca y le costaba controlar la aceleración del corazón, lo cual sólo podía significar que estaba en modo de huida.

Jess escogió ese momento para alzar la vista y sonreírle. El calor de sus ojos y la ternura la inundaron.

De acuerdo. Intentaría recoger más información manteniéndose en guardia en todo momento. Eso significaba fijarse en que él ingiriera la comida y la bebida, no fuera a diluir alguna droga para sedarla. Se pasó una mano por el pelo y suspiró. Las complicaciones eran enormes, y una locura quedarse aquí.

—¿Saber? —preguntó con voz amable—. ¿Pasa algo?

—Me enoja que haya podido pasarle esto a Patsy —dijo Saber; y no era del todo mentira. Detestaba que Patsy también pudiera correr peligro.

La hermana estiró de inmediato el brazo y le tomó la mano.

—Estoy bien, sólo un poco afectada. Si no hubiera sido en ese punto exacto me encontraría bien. Voy a menudo a poner flores sobre la barrera. No tenía ni idea de que hubiera ahí un camino o que alguien viviera ahí. Es una maniobra espantosa, salir así a la autovía justo en medio del giro cerrado de la rampa.

Saber aprovechó la oportunidad para acercarse más a Patsy, centrándose en el dispositivo. Con un leve embate de energía, el micrófono quedaría frito, pero si no lo dirigía con precisión podría dañar todos los aparatos electrónicos de la casa. Peor todavía, le preocupaba de verdad el corazón de Patsy. Algo no cuadraba, el ritmo no era el correcto. Si destruía el dispositivo, podía matar a Patsy, y eso era inconcebible.

—Cuéntanos qué era tan importante antes de que sucediera todo esto —la animó, pues sabía que estaba abriendo la caja de los truenos, y ella estaba decidida a que Patsy dejara de llorar—. Permíteme que te ayude a quitarte la chaqueta, tú relájate y toma el té mientras nos lo cuentas todo.

Patsy se enderezó de inmediato.

—Sí, tengo algo muy importante que hablar con los dos.

Saber se inclinó y la ayudó a quitarse la chaqueta, sin darle opción en el asunto. Jess alzó las cejas al verla, pues no le complacía estar a punto de recibir una regañina. Ambos sabían lo que les tocaba ahora, y Saber lo había propiciado a posta.

La mujer alzó la barbilla y fulminó a su hermano con la mirada, algo que parecía difícil cuando él acababa de estar tan cariñoso con ella.

—He venido a salvar a Saber de tus tendencias de mujeriego, Jess. Eres un perro buscón y lo sabes. Ella es una chica dulce e inocente que necesita mi protección, y mi intención es ofrecérsela.

Saber disimuló una sonrisa al ver el rostro ofendido de Jesse y se llevó la chaqueta cruzando la habitación para alcanzar el umbral de la puerta que llevaba al salón. Necesitaba alejarla de Patsy.

Entonces colgó la prenda en el armario y, mirando hacia la cocina para asegurarse de que nadie la observaba, metió la mano, atrapó el dispositivo y se concentró en mantener el impulso electromagnético dirigido sólo a ese pequeño objeto. La breve oleada de energía eliminó la débil vibración y pudo dar un suspiro de alivio. Verificaría los ordenadores y el teléfono móvil de Jess en cuanto pudiera, pero estaba convencida de que había mantenido centrado el impulso en el bolsillo de la chaqueta.

—Muy graciosas las dos —dijo Jess cuando Saber volvió a entrar en la habitación—. Cómo os aprovecháis de que no sea demasiado susceptible.

—Pienso que necesitas ir al hospital a que te hagan un chequeo, Patsy —dijo Saber, cambiando de tema, pues sabía que Jess seguiría su ejemplo aunque sólo fuera por librarse de otro sermón.

—Saber tiene razón, Patsy. Podría haber lesiones internas de las que no sepamos nada —admitió Jess.

Patsy entornó los ojos.

—Los dos decís eso sólo para distraerme. Saber es demasiado joven, Jess, mucho, para vivir contigo de este modo.

—De hecho, sólo aparento ser joven —dijo Saber. Podía ser menuda y parecer una niña abandonada, nada alta, sin elegantes curvas femeninas, pero desde luego era una mujer hecha y derecha—. Soy mucho mayor de lo que crees. —Pero no podía precisar su edad ya que ella misma la desconocía. A Whitney no le entusiasmaba dar esa clase de información. Hasta fecha reciente no había conocido gente que celebrara cosas como el cumpleaños, las Navidades y los aniversarios—. Y la verdad, cuando llegaste aquel día y estábamos haciendo el payaso, sólo era una broma. Jess siempre es caballeroso conmigo.

—Aunque no quiera serlo —masculló él en voz baja.

Patsy se inclinó hacia delante.

—¿Qué has dicho?

—He dicho que nunca lastimaría a Saber, ni en un millón de años, Patsy —aseguró Jess.

—Estoy convencida de que no la lastimarías a posta —dijo Patsy—, pero no es como las otras tontitas que han pasado por tu vida.

Saber apoyó una cadera en la pared e hizo una mueca a Jess.

—Veo que Patsy ha conocido a Chaleen. Ha estado por aquí hace poco, Patsy, y quería continuar donde lo habían dejado.

—¡Jess! —Claramente aterrorizada, Patsy estiró el brazo hacia su hermano—. ¿Estás bien?

—Por supuesto que sí. Saber la espantó y se largó.

Patsy dirigió a la chica una mirada agradecida.

—Detesto a esa mujer. Sólo fingía disfrutar de todas las cosas que le gustaban a Jess. Y desde luego no le gustaba la familia.

—Las familias pueden dar miedo —admitió Saber.

—La nuestra, no —dijo Jess tendiendo la mano a la joven. Advirtió que permanecía sentada un poco lejos de él y sabía que eso no era buena señal—. Ven aquí.

Saber cruzó hasta su lado disimulando sus reticencias. Cuanto más rato pasaba con él, cuanto más contacto físico tenían, más atrapada estaría en sus propios sentimientos, bien lo sabía. Pero puso su mano en la de Jess porque era incapaz de resistirse.

Calhoun tiró de ella hasta que estuvo a su lado y pudo cogerle la nuca, arrastrar la cabeza a su nivel y darle un beso en el pelo.

—Lo lamento, señoras, pero tengo una cita con mis médicos, por lo tanto tengo que dejaros solas a las dos. Patsy, no te atrevas a convencer a Saber de que se vaya. Yo no sobreviviría.

—Justo lo contrario. Voy a convencerla de que te convierta en un hombre decente.

Jess dedicó una rápida mirada a su hermana.

—Te querré eternamente si consigues convencerla.

—Me querrás eternamente de todas formas —dijo Patsy.

Él impulsó la silla para salir de la habitación, oyendo cómo Saber instaba a su hermana a ir a hacerse un rápido chequeo, aunque fuera con su médico habitual, «por si acaso».

Jess entró en el despacho, alterado por todo el supuesto accidente de Patsy. Las coincidencias se acumulaban y empezaban a sobrepasar los límites de lo creíble. Y Saber... bien, estaba comportándose de forma extraña.

Tenía una reunión sobre biónica con Lily y Eric, pero no le apetecía nada. La terapia, en combinación con la visualización y los fármacos, debería estar funcionando a esas alturas, pero seguía sin poder andar. Ahora no era el momento de perder el tiempo con médicos que no servían para nada.

A Saber le pasaba algo, y a él le aterrorizaba la idea de que estuviera a punto de esfumarse. Si se largaba, nunca la encontraría, y eso le daba verdadero pavor.

Lily y Eric le esperaban; ambos le saludaron desde sus respectivos monitores.

—¿Cómo te encuentras? —preguntó Lily.

—Encuentro que no puedo andar —contestó Jess, con tono irritado—. Cuernos, ya habéis utilizado bastante ADN de iguana y lagarto como para convertirme en un reptil. Pensaba que eso regeneraría mis células con o sin la cantidad de fármacos que ya me estáis metiendo.

—Debes tener paciencia, Jess —dijo Eric—. Te lo hemos dicho, esta línea de tratamiento no se ha probado antes en humanos. La teoría está documentada, ha funcionado con unos cuantos animales de laboratorio, pero no hemos tenido tiempo de perfeccionar eso siquiera.

—Unos cuantos animales de laboratorio —repitió Jess—. Qué genial. Genial de verdad. Si me empieza a crecer la lengua y de repente me gustan las moscas, se lo explicaréis a los demás, ¿verdad?

Lily se pasó la mano sobre su abultada barriga. Parecía que se hubiera tragado una pelota de baloncesto.

—Sé que estás molesto, Jess. Pero va a funcionar; sólo tenemos que esperar un poco más. ¿Aún tienes hemorragias?

—A veces —respondió encogiéndose de hombros.

—¿No te estarás excediendo con los ejercicios? Haces la terapia sólo cuando hay alguien contigo, ¿correcto? —dijo Eric.

En vez de mentir, Jess les puso mala cara.

—Estoy empezando a creer que ninguno de vosotros sabía de verdad qué hacía cuando me hablasteis de esto.

—Te advertí de que era experimental —señaló Eric—. Cuando te lo dije nunca lo había probado, quiero decir, nadie lo había probado.

Lily se inclinó hacia delante.

—Estoy trabajando en ello, Jess. Sabes que no cejaré hasta conseguirlo. Tu cuerpo no ha rechazado la biónica, y ése suele ser el principal escollo. La cuestión es que no hemos logrado todavía acoplarla a tu cerebro. Si sucede lo peor, tenemos la opción de regresar a la idea de un dispositivo externo de energía.

—Que me proporciona unas horas y luego me devuelve a la silla, lo cual sigue siendo un lastre si estoy de misión.

—¿Así que quieres volver al campo de batalla? —preguntó Eric.

—Por supuesto. —Pero ya no estaba tan seguro. No quería dejar atrás a Saber—. Mirad, no me estáis contando nada nuevo. Voy a dejarlo de momento y dedicarme a otras cosas.

Lily asintió.

—Ya daremos con algo, Jess.

Él levantó una mano como despedida, inexplicablemente enfadado con ellos y consigo mismo. Había dado su consentimiento a la cirugía. Ninguno de los dos le había mentido sobre la posibilidad de que no funcionara, pero aun así él había accedido convencido. Las iguanas y los lagartos regeneraban las colas, ¿por qué no encontrar una manera de regenerar sus nervios dañados para que su cerebro lograra dirigir la biónica, como si sus piernas fueran totalmente suyas?

Necesitaba a Saber, precisaba abrazarla, estar con ella. Inspirar aire fresco, nada más, y olvidarse de que tal vez no volviera a caminar de nuevo después de las esperanzas que había puesto en ello. Fue en su busca porque era la única persona que lograba sosegarle cuando estaba a punto de explotar de frustración y rabia. Se encontraba en la cocina recogiendo platos.

—¿Ya se ha ido Patsy? —preguntó.

Saber asintió.

—Hace poco. Intenté convencerla de que fuera al hospital a que le hicieran un chequeo. Pienso que deberías llamarla e intentar persuadirla, de verdad. A veces las cosas aparecen más tarde. No debería jugársela con esto.

—Es testaruda. Tal vez vaya si mañana se despierta con algún dolor.

Saber apretó los labios para no seguir insistiendo.

—¿Estás bien? Pareces disgustado. Si te preocupa Patsy, sigo pensando que deberías conseguir que el médico le haga un chequeo, y luego contratar seguridad... un guardaespaldas, alguien que esté pendiente de ella.

Jess ya había planeado eso mismo. De hecho, iba a hacer unas cuantas llamadas. Estaba inquieto.

Se pasó ambas manos por el pelo.

—Me siento enjaulado. Larguémonos de aquí y vayámonos de picnic.

Ella alzó una ceja.

—¿Un picnic?

—Sí, un picnic, ya sabes, con una manta sobre el frío suelo...

—Frío suelo... —interrumpió ella.

—Eso mismo, la manta encima del frío suelo —repitió—. Cesta de mimbre con cosas ricas preparadas para comer al aire libre. Ya sabes: un picnic.

—Ya sé qué es un picnic, Jesse. Sólo que no entiendo la urgencia repentina de ir de comida campestre, sobre todo cuando la naturaleza está a punto de arrojar una tonelada de nieve sobre nosotros.

—Sólo ha refrescado un poco. Te encantará.

—Sí, claro. Yo y los pingüinos. —Pero él empezaba a sonreír y el brillo en sus ojos era irresistible, maldición. Sabía que no podía resistirse a esa mirada juguetona—. Supongo que me convence esta idea ridícula del picnic. Tal y como has indicado, los picnics implican comida. —Abrió el frigorífico e indicó con una sonrisita—: Detesto desinflar la burbuja, Calhoun, pero a mí me parece que esto está vacío.

—Ayúdame un poco en esto, quejica. Haremos una parada en la tienda. Necesito un poco más de entusiasmo por tu parte.

—De acuerdo entonces —capituló Saber—. Estoy entusiasmada, me muero de ganas. —Y se moría. Nunca antes había ido de picnic, era una de esas cosas que hacía la gente normal. Normal, justo lo que ella había querido ser siempre—. ¿A dónde vamos?

—Ya verás. Abrígate y no olvides los guantes.

Fueron sus instrucciones.

Saber se permitió estudiar bien su rostro. Era difícil interpretar a Jess, siempre lo era. Se sentía cómoda con él, viva y feliz. Y no tenía dolores de cabeza, ni hemorragias en la boca, nariz u oídos. Cuando le tenía cerca, podía asumir toda la energía que inundaba su cerebro, todas las emociones y el bombardeo de sonido que la asaltaba. Nunca se había hecho preguntas al respecto, debería haberlas planteado. Sólo un Soldado Fantasma, que además fuera un anclaje, podía bloquear la energía para protegerse; Jess Calhoun tenía que ser un anclaje. ¿Por eso se sentía tan unida a él? ¿Porque era como ella?

¿De verdad se había estado engañando todos estos meses? Calhoun tenía que estar muy bien entrenado para ser capaz de ocultar que formaba parte del programa. Por lo habitual ella detectaba a un Soldado Fantasma a kilómetros de distancia; pero Jess estaba en una silla de ruedas y ni se le había ocurrido pensar que participara en ese proyecto.

—¿Qué pasa? —preguntó él otra vez en voz baja.

Era una tentación desvelar por fin sus miedos, sus preguntas. Pero sabía que mejor no. Jess había sido un soldado de elite. Una vez eres Soldado Fantasma no hay marcha atrás. Él seguía trabajando para el ejército, estaba implicado en algún tipo de investigación de alto secreto. Ella era muy consciente de las visitas secretas, los hombres que nunca veía entrar y salir. Debería haber sospechado, pero la silla de ruedas la había sumido en una falsa sensación de seguridad.

—¿Saber? —inquirió Calhoun.

—Nada.

Se obligó a sonreír. Iba a pasar este único día con él, lo iba a hacer por ella misma, porque probablemente se trataría del único día que podría pasar con el hombre que amaba.

La hermana del sujeto Calhoun ha llegado hoy. Antes conseguí dejar caer en su bolsillo el dispositivo de escucha, después de enterarme de que iba a visitarle. Debe de tener sistemas de bloqueo en su casa porque no ha funcionado. No conseguí captar nada y de repente dejó de emitir. La buena noticia es que la hermana ha regresado a la ciudad y si hace falta podremos utilizarla para controlar a Calhoun. Nos ha demostrado que está dispuesto a sacrificar la vida por sus seres queridos. Es su principal punto flaco y podemos sacar partido a eso. Si me dan el visto bueno, iré a por la hermana.

Le encantaría echar el guante a la altiva Patsy, siempre mirándole por encima del hombro, apartándole como si fuera un don nadie. Podría enseñarle modales y disfrutar de cada instante. Era frustrante que el dispositivo de escucha no hubiera funcionado después de las molestias que se había tomado en colocarlo, sobre todo después de lo que había tardado en dar con la frecuencia exacta. Semanas de escuchar la voz de Calhoun durante horas interminables, una y otra vez, grabando la longitud de onda exacta. Whitney ahora ya tenía todos estos pequeños experimentos, como quería, y los demás... Whitney siempre era muy exigente. Resultaba excitante ser un agente doble, jugar a dos bandas y llevarse buenas pagas, pero si no obtenía pronto los resultados que ambos querían, enviarían a otro a hacer el trabajo, y eso era inaceptable. Tenía planes para la Sirena Nocturna. Grandes planes.

Capítulo 6

Jess había recorrido el mundo entero y había escogido Sheridan, Wyoming, para establecer su hogar, no sólo por su gente simpática y afable, sino por su rica historia y las animadas actividades que se sucedían a lo largo de todo el año. Era una preciosa ciudad próxima a la sierra de Bighorn. Se sentía en casa aquí, y tras quedarse en silla de ruedas había planeado instalarse para siempre... hasta que Lily y Eric le hablaron del programa de biónica.

Aún tenía pesadillas sobre lo que en su momento le llevó a acabar en la silla de ruedas. A menudo se despertaba empapado en sudor, con el corazón acelerado, las tripas retorcidas de dolor y las piernas brincando con el recuerdo de las primeras balas que alcanzaron sus huesos y la tortura que vino a continuación. Le había parecido interminable, un océano de dolor, el dibujo de la sangre salpicando las paredes, los recuerdos de hombres brutales golpeando con objetos lo que quedaba de sus piernas destrozadas. Lo recordaba con viveza, el tiempo lo amortiguaba. Nada había sido de ayuda hasta el momento en que abrió la puerta y dejó entrar a Saber Wynter en su vida. Las pesadillas no cesaban, pero desde la llegada de Saber se habían aliviado.

Saber iba en silencio en la furgoneta mientras conducían por las calles pero, como siempre, Jess percibía la paz que penetraba en él cuando estaba a su lado. Esta reacción resultaba extraña pues Saber no era precisamente una persona sosegada. Tenía demasiada energía y demasiadas inquietudes, pero siempre que estaba con ella se sentía feliz. En los paseos que daban al anochecer, a menudo ella corría al lado de su silla, que él impulsaba por la calle principal junto a los pintorescos edificios.

Saber tenía las habilidades psicomotrices mejoradas. Lo admitiera o no —desconocía si ella lo admitía— era una Soldado Fantasma igual que él. Era buena, demasiado buena, y eso significaba que había recibido formación. En caso contrario, a esas alturas habría tenido algún desliz.

Ser Soldado Fantasma explicaba su voz, tan popular en las ondas radiofónicas como para estar convirtiendo su pequeña emisora en todo un éxito. Explicaba su necesidad de soledad: no era un anclaje, por lo tanto no podía estar con gente sin sentir dolor. Lo explicaba todo, excepto por qué estaba en su casa. Por muy enamorado que él estuviera de su carácter alocado, no podía pasar por alto el hecho de que tenía que ser una infiltrada. Era la única manera de explicar que sus huellas dactilares no hubieran hecho saltar la alarma.

Condujo la furgoneta hacia el oeste por Loucks Street, pero estaba tan ocupado observando a Saber que casi se pasa de largo el giro a Badger. El parque Kendrick estaba justo al final. En esta época del año, con las temperaturas bajando considerablemente, pero con la nieve aún ausente, poca gente disfrutaba el parque. El arroyo Big Goose Creek lo bordeaba, con su abundancia de altos álamos de Virginia, elegantes y perennes.

—Una zona de picnic perfecta, todos los turistas lo dicen —comentó observando con cautela a su alrededor.

De pronto notó un curioso hormigueo, sus sentidos en guardia: nada importante, pero sí un indicio. Deslizó la mano sobre la mochila para palpar el bulto de su pistola.

Saber se rió.

—Este parque está a tope en verano. Estaba convencida de que iríamos al fuerte Phil Kearny, lo llevas prometiendo tres meses.

—Cierto, también dije que iríamos a...

—Al museo de Buffalo Bill. —Ella se rió—. Hay mucho que ver. No podíamos perdernos el rodeo, eso hubiera sido un sacrilegio.

Y quería hacerlo todo antes de marcharse, quería hacerlo todo con Jess porque nada volvería a ser lo mismo otra vez.

—¿Prefieres ir al fuerte? Podríamos explorar un poco.

Estaba cogiendo las provisiones pero se detuvo. Era un buen sitio si les atacaban, tenían espacio y protección. Prefería quedarse.

—No, esto es perfecto. Me apetece un poco de paz y tranquilidad, tal vez una siestecita ya que no he podido dormir mucho esta noche. —Se estremeció un poco con el aire frío—. Habrás traído mantas, espero.

—Me he acordado de todo sin tu ayuda.

Ella le dedicó una sonrisa descarada. No le había ayudado a preparar el picnic porque estaba ocupada intentando aceptar el hecho de que era más que un SEAL de la marina; formaba parte de un equipo de Soldados Fantasma. Eso lo explicaba todo, y sobre todo por qué le resultaba tan fácil estar en su compañía. Nunca había sido capaz de tolerar la compañía de gente durante mucho rato, hasta estar con Jess. No cabía duda de que era un anclaje y apartaba la energía negativa de ella. Debería haberlo sabido. Bien, lo sabía en cierto sentido, sólo que no había querido sacarlo a la luz y examinarlo.

Se fueron a una zona protegida cerca del arroyo donde el agua borbotaba sobre las rocas y que permitía una buena visión si alguien se acercaba. Tras extender el suelo impermeable junto a la base de un grueso tronco de árbol, Jess se bajó de la silla y se sentó con la espalda apoyada en el tronco, y las mantas —y la pistola— a mano.

Saber se sentó a menos de medio metro, de cara a él, con el viento jugando con su cabello.

—Podría quedarme aquí para siempre —dijo en voz baja.

Y quería quedarse, con él.

—Eso podría organizarse —reconoció Jess.

Saber se apartó los mechones sedosos de la cara.

—A veces no tengo claro si hablas en serio o en broma.

—Te lo he dicho, cielo: te tomo muy en serio.

Su mirada negra la perforó de tal modo que el útero se le contrajo. Apartó la mirada.

—¿Te imaginas todo esto cien años atrás? ¿Las batallas libradas en esta región? ¿Los famosos indios y hombres de la frontera que recorrían estas tierras?

—Nube Roja, Jefe Cuchillo Romo, Pequeño Lobo. —recitó él.

—General Cooke, capitán Fetterman, Jim Bridger —enumeró Saber para no ser menos.

Conocía la historia de su país. Era capaz de leer una página y recitarla al pie de la letra.

Jess suspiró. Con toda probabilidad ella iba a referir todo los sucesos históricos que habían tenido lugar en el condado de Sheridan, incluida la construcción de la Posada Sheridan y los cuentos sobre su fantasma. Le gustaba la historia, pero no era el momento. Saber huía de él como si los pies le quemaran sobre el asfalto.

—¿Vamos a hablar de la batalla de Fetterman o de nosotros dos? —preguntó con voz amable.

—La batalla de Fetterman.

Saber le dedicó una mirada rápida, casi desesperada.

—¿Por qué sabía que ibas a contestar eso?

La chica se encogió de hombros.

—Podríamos hablar de cocina o restaurantes.

—Me entran ganas de sacudirte.

—Conténte.

—Familia, cielo —sugirió él—, hablemos de familia. ¿Viven tus padres? Nunca lo has mencionado.

Saber restregó el suelo impermeable, evitando su mirada perforadora.

—Crecí en un orfanato —dijo con brusquedad—, no hay mucho que contar, ¿verdad?

Casi era un desafío, como si ella le retara a insistir en el tema.

Ella iba a huir si insistía; Jess veía la inquietud en sus ojos y decidió pasar del tema, recostándose con pereza engañosa en el árbol, alzando la vista a las nubes del cielo y luego permitiendo que la mirada inspeccionara cada centímetro cuadrado a su alrededor. Suelo. Maleza. Incluso árboles.

Saber bostezó, apresurándose a taparse la boca con la mano.

—Ha sido buena idea venir aquí, rey dragón. Se está en paz.

Calhoun alargó la mano sigilosamente y tiró de ella, haciéndole perder el equilibrio. Con un chillido, Saber le cayó encima y su cabeza quedó acomodada sobre su regazo. Jess acercó la mano a su cabello sedoso, entreteniéndose en la abundancia de rizos.

—Echa una siesta, preciosidad —le sugirió persuasivamente—. Yo cuido de ti.

Saber se relajó contra él, sonriendo al verle ajustar la manta sobre los dos.

—Ya sabes, Jess, me encanta tu casa. Si no te lo he dicho antes, gracias por toda esa reforma que la dejó perfecta para que yo viviera también. Fue muy considerado por tu parte, aunque no del todo necesario, pero estoy encantada de que lo hicieras.

—Pensaba que ya era nuestra casa a estas alturas —contestó con gentileza, intrigado por los reflejos azules que dejaba el sol en su pelo negro—. Yo la considero nuestra casa.

La boca de Saber se curvó.

—Así es, ¿verdad? He sido feliz estos últimos meses, más feliz que nunca. Eres un buen amigo.

Jess siguió con la punta del dedo el contorno aterciopelado de su labio.

—¿Eso es lo que soy, vida mía? —La diversión coloreaba el timbre profundo de su voz—. ¿Un buen amigo? Empiezas a sonar como si fueras a pronunciar una loa: «Ha sido genial, Jess, pero yo me largo de aquí».

Ella le mordisqueó el dedo.

—No es eso, para nada, y lo sabes.

—Entonces dime qué es.

Tuvo cuidado de mantener un tono algo anodino.

Las pestañas de Saber descendieron descansando como dos densas medias lunas sobre sus ojos. Una descarga de electricidad alcanzó con fuerza el estómago de Calhoun. Durante un momento le tembló la mano antes de lograr imponer un rígido control sobre su cuerpo, luego acarició su cabello y el lóbulo de su oreja con dedos cariñosos.

—Me muevo mucho, Jesse, eso ya lo sabes. He vivido en Nueva York, Florida y en varios estados más antes, por no mencionar las diferentes ciudades de cada estado.

—¿Por qué?

—¿Por qué? —repitió ella.

Se tocó con la punta de la lengua el carnoso labio inferior.

Se hizo un largo silencio, tan largo que él temió que no fuera a responder.

—Éste es el periodo más largo que he pasado en un lugar. Estoy tomando demasiado apego a todo el mundo. La gente en esta ciudad es la más maja que he conocido hasta ahora. Y si me quedó más tiempo contigo...

Su voz se apagó con un suspiro.

Jesse movió las manos sobre su rostro, siguiendo la delicada estructura ósea como si deseara grabarla en la memoria.

—Ya es demasiado tarde, pequeña —dijo.

Las largas pestañas negras se agitaron hasta alzarse y los preciosos ojos azul violeta alcanzaron su mirada ardiente, luego pasaron de largo a toda prisa. A Jess se le contrajo la garganta. Cuando ella hizo un leve movimiento para retirarse, Calhoun la estrechó posesivamente y esperó a que aflojara la resistencia.

—Pensaba que querías hablar en serio.

Le revolvió el pelo porque no podía resistirse a los tirabuzones que brotaban por toda su cabeza.

—Eso tú.

—Niña cobarde.

Ella cogió la mano entre sus dedos y la retuvo contra su mejilla, mientras las emociones descontroladas se sucedían en un caos veloz.

—Lo lamento, de verdad.

Se le atragantaron las palabras y unas lágrimas repentinas aparecieron a punto de escaparse. Dejar a Jess iba a romperle el corazón.

Calhoun tomó su mejilla con la mano, deslizando con firmeza el pulgar por el mentón. Inclinó la cabeza oscura poco a poco hacia ella, tapando el cielo, bloqueando la luz, hasta que al final sólo quedó Jess.

Su boca se encontraba suspendida a un centímetro de ella.

—No voy a permitir que te vayas.

Pronunció las palabras tan bajito que casi no las entendió.

A Saber se le cortó la respiración, mente y cuerpo libraban una dura batalla. Todo en ella ansiaba esto, anhelaba a Jess, mientras su parte cuerda apelaba a su instinto de autoconservación, gritaba que retrocediera de un brinco y se pusiera a salvo. Jess cubrió su garganta con una mano, percibió el pulso agitándose salvaje contra la palma, como las alas de un pájaro capturado. Murmuró algo con voz doliente y su cálido aliento pegado a ella.

Inclinó los labios un poco más, ligeros como una pluma, suaves como el terciopelo y firmes al mismo tiempo. Con el primer contacto de su boca, el corazón de Saber golpeó en su pecho con gran alarma y la sangre empezó a arder. Jess le mordisqueó con los dientes el labio inferior. Fue el jadeo de sorpresa de ella lo que le dio acceso al interior húmedo, cálido y sedoso de su boca.

Todo cambió. Todo.

La estrechó en sus brazos y la atrajo un poco más, rodeándole la garganta para que mantuviera quieta la cabeza, obteniendo exactamente lo que quería. Pura magia negra. Era todo masculinidad, llevándose su resistencia simbólica, bebiendo su dulzura, explorando cada centímetro de su boca.

Pura sensación. El suelo pareció desplazarse bajo ella, los colores se arremolinaron y fundieron. Su cuerpo ya no le pertenecía, ya no le era familiar ni lo controlaba. Cobró vida como aquel fuego, anhelante, plagado de la necesidad de ser acariciada y tocada. Si algún hombre la había besado en su vida, Jess lo borró de su mente para el resto de la eternidad. La boca de él le pertenecía ahora, ardiente y dura, mientras el cerebro de Saber se derretía con una docilidad insensata y la marca posesiva de él.

Gimió bajito, llena de desesperación. Se estaba perdiendo al tiempo que se aferraba frenética a sus hombros musculosos para sujetarse a alguna realidad.

Jess levantó la cabeza a su pesar. Era tan hermosa, le miraba con tal confusión sensual, que casi pasa por alto aquella agitación. Saber empujó la pared del torso con sus manitas, una fuerza fácil de superar, pero él se enderezó obedientemente, apoyando la espalda en el sólido tronco del árbol. La joven se apresuró a sentarse, marcando a duras penas lo que consideraba una distancia de seguridad. Poniéndose de rodillas, le miró a la cara.

—Dios, Jesse. —Pronunció su nombre con sobrecogimiento—. No podemos repetir eso. Que no se nos ocurra hacerlo, casi le prendemos fuego al mundo.

Una sonrisa curvó poco a poco la boca de Jess.

—Personalmente, estaba pensando que sería una buena idea repetir la experiencia, y a menudo.

Ella se tocó el carnoso labio inferior con dedos cautelosos.

—Deberían declararte fuera de la ley; una mujer no está segura contigo.

Calhoun resistió la necesidad imperiosa de acariciarle el rostro, pues no quería destruir su ilusión de seguridad.

—No he sido sólo yo, preciosidad.

Saber sacudió la cabeza con firme negación. Jess pasó por alto el gesto, intrigado por el juego de luz en su cabello reluciente. Dios, la deseaba. Era más que un anhelo físico. Todo era la misma cosa. Había estado con mujeres hermosas, había tenido ligues fugaces, pero nunca nada así, nunca se había sentido así, donde el amor y el deseo se encuentran y entretejen, tan entrelazados que constituyen una sola cosa.

—Esto no puede ser —dijo Saber—. Tengo que irme, Jess. Las cosas se me escapan de las manos y no puedo controlarlas. Ni siquiera quiero controlarlas.

Cuando inició el movimiento de retirada, Jess interpuso la mano como un rayo para aprisionar su muñeca.

—Oh, no, pequeña, no te vas de mi lado.

El asimiento era de una fuerza inmensa, pero sin hacerle daño, nunca se lo hacía.

Los ojos azules volaron, asombrados, hacia la mirada oscura. Rey dragón, le llamaba siempre. Estaba trastocando todos sus sentidos.

—Jesse.

Pronunció su pequeña protesta sin aliento, sintiéndose perdida.

—Es demasiado tarde, Saber. Estás enamorada de mí, sólo que eres demasiado cabezota, maldición, para admitirlo.

—No, no, Jesse, no me he enamorado.

Sonaba más asustada que convencida.

—Seguro que sí. —Atrajo sin cesar su espalda, hasta tenerla tan cerca que el calor entre ambos amenazó con provocar llamas. Bajo sus manos la sentía temblorosa—. Piénsalo, cielo. ¿Quién te hace reír? ¿Quién te hace feliz? ¿A quién acudes corriendo cuando tienes un problema?

Buscó con los dedos su nuca, provocando unas lenguas de fuego que lamieron la columna de la chica.

Saber dio una profunda inspiración en un intento de calmarse.

—No importa. Aunque tuvieras razón, y no es el caso, no importaría. Tengo que irme.

Le rodeó los hombros con los dedos, dándole la más leve sacudida de exasperación.

—Deja de decir eso. No quiero oírlo otra vez. ¿Crees que no soy consciente de que hay algún secreto profundo y oscuro en tu pasado? ¿Alguien de quien huyes? Eso no importa. Tu sitio está aquí, Saber. En Sheridan, Wyoming, conmigo, en mi casa, aquí a mi lado.

Se quedó pálida.

—No sabes lo que dices. Jesse, no tengo ningún secreto profundo y oscuro, es sólo que me gusta viajar, no puedo evitarlo. Me entra la inquietud, recojo y me largo.

Él lo sabía. Sabía demasiado de ella. Pero, ¿cómo? O tal vez no. Quizá lo único que pensaba es que le aterrorizaba un antiguo marido de quien se ocultaba. Que fuera eso, por favor, que fuera eso.

La soltó con una sonrisa:

—No sabes mentir, Saber.

—¿De verdad? —Ella sacó la barbilla, desafiante—. Bien, tú tampoco. Tienes unos cuantos secretos oscuros y profundos en tu haber.

Jess asintió.

—No voy a negarlo. Tengo una autorización de alta seguridad y no puedo hablar mucho de mi trabajo, pero eso no debería afectarnos a nosotros o a nuestra relación.

Lo estaba admitiendo. A Saber se le aceleró el corazón; le latía con tal fuerza que tuvo que llevarse la mano al pecho para aliviar el dolor. Era un Soldado Fantasma, extremadamente preparado para enfrentase a la muerte. Y tenía habilidades psíquicas. Con silla de ruedas o sin ella, no estaba segura con él. Apretando los labios, agachó la cabeza. No quería ahondar en aquella cuestión, ahora no, hoy no. La mayor parte de su vida era puro fingimiento. Era su única oportunidad de pasar un día con Jess, la única que tendría.

Calhoun percibió el pánico en ella, la confusión y sus reparos. Suspiró y dejó el tema.

—Dejémoslo por ahora. Hazme sólo una promesa. Dame tu palabra de honor de que no te irás sin comentarlo antes conmigo.

—Si lo comento antes contigo —dijo con frustración—, vas a impedírmelo.

—Promételo.

—No es justo.

—Saber.

Le dio unos toques en la barbilla con el dedo índice.

—Oh, de acuerdo. Lo prometo —cedió a regañadientes—. Tengo hambre. No he desayunado, ni almorzado, ni he tomado nada en horas, ¿vas a darme de comer o qué?

Jess iba saborear su pequeña victoria. Retroceder un poco para concederle espacio parecía un mal menor. Los cambios de humor de Saber eran caprichosos. Era fácil reconocer su pánico creciente, y necesitaba tranquilizarla, aliviar sus temores. Ella le ocultaba la verdad con desesperación, pero no importaba porque él ya sabía que tenía que ser uno de los experimentos de Peter Whitney.

Whitney se había llevado niñas de orfelinatos de todo el mundo, las había retenido encerradas y había llevado a cabo experimentos psíquicos y genéticos mucho antes de que hiciera lo mismo con militares adultos. Les había dado nombres de flores y de estaciones. Ella utilizaba el nombre de Saber Wynter, pero era más que probable que Whitney la hubiera llamado Winter.*

Jesse había entrado en el programa de Soldados Fantasma por iniciativa propia, y al tomar la decisión de potenciar sus capacidades psíquicas sabía que sería propiedad del gobierno el resto de su vida. En si-

* *Winter*: invierno (*N. de la T.*)

lla de ruedas o no, seguía siendo un arma poderosa y peligrosa. Nadie iba a olvidarse de él así como así y dejar que viviera tranquilo la vida. Había accedido al experimento de biónica en parte por ese motivo.

De acuerdo, había accedido porque echaba de menos la acción del combate. Estar en un despacho no era lo suyo, no lo sería nunca. Pero luego había llegado Saber y de repente había dejado de pensar en salvar el mundo. Sentar cabeza parecía más atractivo, y la joven ya llevaba tiempo suficiente en su casa como para no poder imaginar la vida sin ella. Pero Calhoun había tomado una decisión siendo adulto. Sin embargo, Whitney se había llevado a estas chicas, a estas niñas de pequeñas, y en vez de darles un hogar decente, las había convertido en proyectos científicos.

Notó la vehemente oleada de rabia y la suprimió a posta.

—Tú estás más cerca de la cesta de la comida, preciosidad —dijo con suma amabilidad—. Pásame un emparedado.

Saber, agradecida por la oportunidad de cambiar de tema, hurgó en el cesto de mimbre.

—¿Queso crema?

—Eso para ti. Yo me quedo con el jamón —le dijo.

El color regresó poco a poco a la piel perfecta de Saber y la tensión se disipó. Ella evitó tocarle al tenderle el emparedado. Jess dejó que se saliera con la suya

—¿Y mi bebida?

Saber le tendió un termo de chocolate caliente.

—Háblame de Chaleen.

Él casi se atraganta.

—¿Por qué quieres saber de ella?

Porque seguía presente, y Saber no se fiaba de ella ni un pelo. Pero no le importaba jugar a hacerse la mujer celosa si sacaba la información que quería.

—Va detrás de ti. Creo que eso ya lo dejó bastante claro. Me dedicó una mirada de esas que las mujeres reservan a la competencia. Así que háblame de ella.

—Si quieres saber más de Chaleen, te lo contaré, aunque en realidad no hay mucho más que contar.

Porque tenía que ser cuidadoso.

Ella detectó su reparo.

—No tienes que hacerlo. —Inclinó la cabeza—. Pero he alcanzado a oír vuestra conversación y parecía que te advertía acerca de una investigación que llevas a cabo. —Sostuvo la mano en alto cuando la mirada penetrante de Jess se volvió fría e inexpresiva—. No busco detalles, pero creo que Chaleen es mucho más de lo que finge ser. Aparenta ser una amiga que te advierte, pero he percibido...

Saber tenía un millón de secretos que explicar, por lo tanto parecía injusto que él tuviera que revelarle algo obviamente privado. Pero quería saber, necesitaba saber, porque Chaleen era una mujer peligrosa, y debía discernir lo peligrosa que era para Jess.

Calhoun se encogió de hombros.

—La conocí esquiado en Alemania. Parecía lo bastante inocente, guapa e inteligente, y le encantaba hacer todo lo que yo hago. Parecía perfecta. Por supuesto era demasiado perfecta, yo debería haberme percatado de eso, pero estaba demasiado absorto en el sexo como para pensar que me podían enredar.

Saber dio un respingo. Sexo. No quería pensar en él manteniendo relaciones con la perfecta Chaleen, pero ella misma se lo había buscado. Se mordió el labio con fuerza para no interrumpir.

Jess se apoyó contra el árbol, apretando la cabeza contra su amplia base.

—Era una estupidez... la verdad, era consciente en cierto sentido, no era un crío tan tonto. Empezó a hacerme preguntas sobre mi trabajo, nada importante, nada que disparara las alarmas, pero de todos modos debería haberlo hecho. Me lo tomé como que realmente se interesaba por todo y, te lo creas o no, me sentí incluso culpable por no poder contarle nada.

Saber levantó las rodillas y apoyó la barbilla. No le costaba imaginarse a la lista Chaleen manipulando a un hombre para que se sintiera culpable.

—Al menos al principio sí me sentí culpable. Pero en algún momento me percaté de que no le gustaban de verdad todas las cosas por las que fingía estar interesada. Sólo actuaba.

Con toda probabilidad Chaleen le había estudiado, había descubierto todos sus intereses y, antes de aproximarse a él, se había convertido en la persona por quien él se sentiría atraído. Chaleen: la viuda negra. Saber retorció sus dedos enlazados, temiendo por él. Si la mujer había regresado, era por algún motivo.

—Una misión fue mal. Me hicieron prisionero y me torturaron. Me dispararon en las dos piernas, haciendo pedazos lo que quedaba de ellas por debajo de la rodilla. Intentaban doblegarme, querían que delatara a un colega. —La miró, quería que ella supiera qué clase de hombre era—. No lo hice.

Saber le pasó la palma de la mano por el muslo con adhesión silenciosa.

Todavía sentía a veces aquellos golpes contra las enormes heridas en carne viva, sentía los huesos haciéndose añicos dentro de la piel. Se le hizo un nudo en el estómago y por un momento notó la bilis. La combatió.

—Permanecí mirando el techo tres semanas seguidas después de que me trajeran al hospital. Sólo mirando, sin ver nada ni hablar.

Al instante los ojos de Saber se llenaron de lágrimas. Jess tomó su mano entre los dedos.

—Oh, Jesse, qué terrible. No era mi intención revivir un recuerdo tan horrible. —Se arrodilló junto a él—. Lo lamento, cuánto lamento haber sacado esto.

Jesse le rodeó la mejilla con la mano, acariciando la piel suave, siguiendo el contorno delicado de los pómulos.

—No te preocupes. Quería decírtelo, si no, no lo habría mencionado.

—¿Estuvieron tus padres a tu lado?

—No quería verles, no podía. Tenía que decidir por mí mismo qué hacer el resto de mi vida. No quería que nadie me presionara de un modo u otro. Las decisiones tendrían que ser mías para poder vivir con ellas. Pero Chaleen sí vino. Y se fue. Ya no le servía, ni a sus jefes. No podía ofrecerle nada, así que nuestro compromiso dejó de tener sentido.

A Saber se le fue el corazón al suelo. Se había comprometido con

Chaleen. ¿La amaba? ¿De verdad la quería? La perfecta Chaleen seguramente sería también perfecta en la cama. Ella estaba tan lejos de la perfección en todo que no habría competición alguna.

Jesse deslizó el pulgar sobre la boca de la chica.

—Me di cuenta de que no la quería, que nunca la había querido. Por lo tanto, no tomé represalias. Sólo la dejé marchar y lo anoté como una lección. Tengo un trabajo que parece despertar el interés de alguien ahí fuera... de mucha gente. Y quieren saber qué estoy haciendo.

Deslizó los dedos hasta sus rizos y recogió un puñado de cabello, para mantenerla quieta mientras desplazaba la mirada sobre su rostro vuelto hacia arriba e inspeccionaba su expresión.

De repente, sus ojos se tornaron fríos e inexpresivos.

—No seré tan agradable si descubro que me estás engañando, Saber. Tú me importas, me has conquistado. De modo que si operas en secreto, te romperé el cuello.

Su tono de voz y la mirada en sus ojos provocó un escalofrío en la columna de Saber. No dudaba que Jess iría tras ella si le engañaba como había hecho Chaleen.

—No me importa tu vida secreta, Jess, no en el sentido que hablas. Me importas tú.

La sonrisa de Jess tardó en formarse. Seguramente era el mayor necio del mundo, pero, maldición, la creía. Creía en esos ojos grandes y hermosos, pese a las sombras que veía en ellos. A propósito, echó un vistazo a su reloj.

—Mejor que comamos. La temperatura está cayendo aquí en picado.

En vez de beber el líquido caliente, Saber dejó la taza y estiró el brazo, metiéndose bajo la manta, cerca de él.

—Pero ¿sabes? Creo que te plantaría cara con una buena pelea revolcándonos por el suelo.

—Oh, ¿de verdad? —La diversión apareció en su voz, y le rodeó la cabeza con el brazo, enredando los mechones sedosos en sus dedos—. ¿Me darías un revolcón?

Ella le dio con el puño en la cadera.

—No lo digas así. ¿Siempre tienes que hacer que todo suene tan sexual?

—Es como me siento. —Le acarició la sien—. Me vuelves loco.

Nunca lo había expresado así, ni lo había dicho siquiera. No era estúpida, y sabía con certeza la atracción física que él sentía por ella; aunque después de ver a Chaleen y darse cuenta de que eran tan distintas, no estaba segura de por qué le conquistaba.

Saber tamborileó con los dedos en la rodilla y observó las montañas que les rodeaban. Tenía que ofrecerle algo personal, de otro modo no sería justo. Él le había contado cosas, cosas dolorosas que importaban, reales, y por una vez quería ofrecerle algo también.

Permaneció callada, y Jess también, dada la reacción nerviosa de ella, y de ese leve tamborileo con sus dedos.

—En una ocasión me quedé atrapada en una especie de agujero en la tierra, estaba todo negro.

Saber observó con atención su rostro. Le estaba revelando... demasiado. Suficiente para delatarse. Pero cada día aparecían niños que sufrían abusos. Lo natural sería que pensara en eso, en vez de en algo tan raro como que fuera también una Soldado Fantasma.

Jess se quedó paralizado por dentro. Distinguía el temblor en su voz al revelar un suceso traumático en su vida. También había un leve estremecimiento en su cuerpo. Era verdadero, no algo ficticio para apaciguarle. La emoción contenida en ella lo decía todo, y él sintió rabia, una rabia gélida. No estaba seguro de estar preparado para oír aquello.

—No podía ver mi propia mano delante de la cara. Después de un rato pensé que iba a volverme loca. Ni siquiera podía respirar.

Saber no le miraba, sino que mantenía la vista en las montañas.

—Había bichos. Oh, Dios, tantos bichos... Reptaban sobre mí. —Se frotó los brazos y el rostro como si quisiera apartarlos. Jess vio la garganta convulsa mientras tragaba con dificultad sin ser consciente de las lágrimas que le llenaban los ojos—. No me creí capaz de soportarlo. Perdí la noción del tiempo. Un minuto, una hora, días. Me oía gritar a mí misma, pero no en voz alta, sólo mentalmente. No me atrevía a proferir ni un sonido. Nunca habría salido.

El silencio se prolongó entre ellos. A Jess le daba miedo hablar, temía el desgarro en su voz. No podía tocarla, no podía mover la mano esos escasos centímetros que les separaban, pues temblaba de rabia, una ira que nunca antes había experimentado. Y si no mantenía el control, los resultados podrían ser mortales.

Saber se percató de que el suelo ondulaba bajo ella, los árboles temblaban y el agua salía propulsada de las fuentes como géiseres. Una rama de un árbol próximo se partió sin augurar nada bueno. Se inclinó hacia Jess, apoyó la cabeza en su hombro y le puso una mano tranquilizadora en la pierna. Al instante él se la cubrió y respiró hondo.

—Está bien —le tranquilizó—, estoy bien.

Se había enfurecido por él, a punto de perder el control, algo nefasto para cualquier Soldado Fantasma. Aquello debería haberle recordado que Jess era peligroso, con silla de ruedas o sin ella, pero sólo hizo que se sintiera feliz.

—¿Qué edad tenías?

Su voz sonó muy tranquila. Se acercó la mano a la boca y le besó la palma, intentando encontrar la manera de mejorar las cosas.

—Creo que tenía unos cuatro años la primera vez. No nos permitían dar muestras de miedo, y yo tenía miedo a los lugares cerrados y oscuros. Un punto débil que no estaba permitido donde yo me crié.

No hacía falta preguntar quién le había hecho tal cosa. Whitney. Que su alma se condenara en el infierno. Peter Whitney había cogido a esta niña y la había torturado, para dominarla o doblegarla.

—Por eso te gusta tener todas las luces de la casa encendidas.

Saber le agarró la camisa, rodeando el extremo del tejido con los dedos, rozando la piel desnuda. No pareció darse cuenta, así que él lo dejó así, cubriéndole la mano de nuevo con la suya y apretándosela contra el pecho.

—Supongo que todos esos métodos nunca lograron eliminar mi miedo —admitió Saber.

Le tocó la pierna con la punta de las uñas.

—Hijo de perra.

Tuvo la cautela de no preguntar de quién eran esos métodos.

Saber no tenía ni idea de por qué la reacción de Jesse le provocaba una oleada de calor que inundaba todo su sistema. Tomó aliento y luego exhaló, y a continuación le cogió la muñeca para distraerse los dos mirando el reloj de Jess.

—Tengo que prepararme para ir a trabajar.

—Aún falta mucho; echa un sueñecito.

—¿Aquí a la intemperie?

¿Se atrevería pese a la posibilidad de estar vigilados?

—Claro, escucha el agua, acabas de reconocer lo tranquilo que está esto. Me cuentas algo de tu pasado y de inmediato te pones nerviosa y quieres salir corriendo. —Se escurrió hacia abajo, recostando la cabeza en una manta enrollada—. Vamos, dama misteriosa, ven aquí, éste es tu sitio.

Saber vaciló sólo un momento, luego se acurrucó pegada a él. El contacto con su cuerpo protector, curvado en torno al suyo, se estaba volviendo algo familiar, cómodo, como si fuera su sitio. Estaba cansada y el aire fresco, junto con la belleza absoluta del entorno y la presencia de Jess, le provocaban una felicidad intensa. Acomodó la cabeza en el hueco de su hombro, colocó su delgado brazo sobre su amplio pecho y cerró los ojos.

—Si oyes o ves algo sospechoso, o que alguien se nos acerca, prométeme que me despertarás.

De modo que ella también lo percibía, tomó nota Jess. Dejó que su mirada se perdiera a su alrededor, dividiendo la zona para inspeccionarla y asegurarse de que no había nadie cerca.

—Lo haré. Duérmete.

Jess la abrazó, reteniéndola en algún lugar entre el cielo y el infierno. Ahora que había saboreado la dulzura melosa de su boca, anhelaba más. Su mente estaba en paz con ella en sus brazos, pero su cuerpo bullía de necesidad. Despacio, se recordó, despacio y con dulzura. Saber se merece todo el ansia, todas las noches sin dormir. Necesitaba protección, lo supiera ella o no, porque si Whitney la había metido en un agujero en el suelo y había escapado, seguro que el científico vendría por ella.

No quería pensar en otra posibilidad, como que Whitney la hubiera enviado a espiarle para saber lo próximo a la verdad que estaba en sus investigaciones. Que Dios les ayudara si ella estaba traicionando a Whitney. No obstante, no le cuadraba. Ella iba a salir huyendo pronto. Y una espía no huiría; intentaría acercarse más a él.

Pero a Saber no le gustaba la nieve, desde luego no para conducir. Y tras una serie inicial de temporales feos, el tiempo estaría cambiando antes de lo habitual. Una vez que nevara, no se sentiría tan predispuesta a largarse, y así tendría todo el invierno para retenerla junto a él.

Las palabras de su canción reverberaron en su mente, convertidas en su realidad.

Oh, pero esos ojos inquietantes
Me hacen ser consciente
De la profundidad de las emociones que me desbordan

Ojos inquietantes, estribillo inquietante, pero cuan cierto. Cada vez que miraba sus ojos azul violeta, el corazón le daba un vuelco. Nunca se cansaría de ella. Cada día se fortalecían sus sentimientos y su seguridad sobre lo completamente entregado que estaba a esa mujer.

Saber se durmió con la inocencia de una niña. Tan profundamente sosegada y quieta en su sueño, era sin embargo como el mercurio cuando estaba despierta. Ya había oscurecido cuando abrió los ojos, y él lo supo en ese mismo instante por la manera en que su cuerpo entró en tensión, por la respiración rápida.

—Estás bien, pequeña —le susurró al oído, volviéndola con firmeza—. Te tengo. Abre los ojos y verás que estás a salvo.

Sus manos eran posesivas, su aliento cálido contra su piel, su voz ronca y sexy hacía bullir una espiral de calor intenso en el centro de su cuerpo. Saber se movió inquieta contra él, con una atracción inconsciente.

—¿Lo estoy?

Susurró aquellas palabras anhelando el contacto de su boca devorando sus labios, necesitándole ahí en la oscuridad.

No hubo vacilación. Jess la necesitaba en igual medida. Retuvo su cabeza con firmeza en el hueco del codo y, con el puño bajo su barbilla, bajó la cabeza sobre ella. No hubo nada de la dulce y amable persuasión con la que la había seducido antes. Estaba demasiado hambriento. Tomó posesión de su boca sin el autocontrol que se imponía habitualmente. Dominación masculina, pura y simple. Fue un asalto de cuerpo y mente —ardiente, acalorado y exigente—, y su lengua emprendió una invasión desenfrenada a la altura de las circunstancias. Fue una tormenta turbulenta que arrastró a Saber a un mundo primitivo de pura sensación.

Junto a la oleada de calor húmedo, sus senos se hincharon y la piel se volvió ultrasensible. Jess movió la mano bajo su camisa, apoyándola en su estrecha caja torácica, acariciando con la punta de los dedos la parte inferior del pecho, provocando una oleada de fuego que se disparó como lenguas sobre su piel.

Saber se soltó de repente con un gritito de desesperación, se apartó rodando de él, de su cuerpo masculino excitado por completo y de los duros músculos amenazantes.

—Jesse, no podemos —dijo con un gemido desgarrador.

Desamparado, abatido, teñido de desesperación.

Jess se quedó echado perfectamente quieto, mirando el millar de estrellas que cubrían el cielo, temeroso de que al moverse se descompusiera en un millón de fragmentos. Su cuerpo exigía alivio con furia, su dolor de cabeza era salvaje. La deseaba con cada célula, cada tejido de su ser. En su interior, las señales de alarma reclamaban atención. No podía perderla tratándola con tanta torpeza.

¿Qué cuernos le pasaba? Sabía que ella estaba asustada. Que le horrizaría establecer cualquier clase de compromiso.

Se esforzó por recuperar el control, se obligó a adoptar una nota de diversión en su voz.

—Claro que podemos, cielo. —Se subió a la silla con la facilidad de la práctica prolongada—. Es la noche perfecta para ello. Eres una mujer, yo un hombre, y esas cositas centelleantes sobre nuestras cabezas son estrellas. Creo que lo llaman romanticismo.

Saber se sentó a cierta distancia, con los brazos cruzados. Sólo respirar con normalidad ya le suponía un esfuerzo, y ahí estaba Jesse, riéndose de su reacción inexperta. Sintió una necesidad inusitada de abofetear aquel rostro tan apuesto. Patsy tenía razón: era un canalla.

Su cuerpo se moría por él, algo que la incomodaba por lo poco habitual que era, y él estaba tan pancho dispuesto a aprovechar la situación, pasando por alto su obvia consternación. Estaba claro que no era la perfecta Chaleen con la que había tenido perfectas relaciones sexuales.

Jess observó a Saber mordiéndose su carnoso labio inferior y pasándose una mano inestable por el pelo. Bajo la luz de la luna su erotismo era salvaje, de un sexy imposible. Tuvo que apartar la mirada, los vaqueros le apretaban tanto que le hacían daño, y todo su cuerpo se estremecía.

—Creo que hablar de la encantadora Chaleen y su sexo perfecto te ha dado ideas —masculló Saber—. O eso o Patsy con sus charla sobre tontinas.

—No es que estés en la misma categoría —dijo él con sequedad.

Saber puso a prueba sus piernas, se incorporó para meter en el cesto los restos del picnic. Sus ojos azules le lanzaban chispas púrpura.

—¿Es eso un insulto, Jesse? Porque si lo es, que te den.

Él se rió en voz baja, un sonido que resultó atrayente.

—Tienes una gran habilidad con las palabras. Dame, yo lo llevaré —dijo cuando ella cogió el cesto de su regazo. Parecía demasiado grande para ella.

—No empieces con los chistes sobre bajitos —advirtió—, no estoy de humor.

Jesse la siguió con la silla de ruedas, manteniendo el paso sin esfuerzo con un solo movimiento de sus poderosos brazos.

—Te refieres a: ¡Eh! Estoy sentado y aún así te saco varios centímetros.

Ella se detuvo tan de repente que chocaron y él aprovechó la ocasión para cogerle la muñeca, riéndose de su chillido de rabia mientras tiraba de ella para sentarla sobre su regazo.

—¿Qué pasa, Saber, me he acercado demasiado a la verdad como para aceptarlo?

Saber le rodeó el cuello con los brazos.

—Oh, calla —soltó, pero él pudo oír la risa en su voz.

Saber no consiguió evitar admirar la manera fácil en que manio-braba la silla sobre el terreno abrupto con su peso añadido y la carga incómoda de mantas y el cesto de picnic. Ambos iban riéndose cuando alcanzaron la furgoneta. Pero al llegar a casa, Jess estaba callado, pensativo y casi distante.

Mientras se vestía para ir a trabajar, Saber intentó con desespera-ción olvidarse de la sensación de su boca, de sus manos. Era una suer-te que no tuviera que irse a la cama porque dormir sería imposible.

El júbilo y la euforia le dominaron, junto con la pura adrenalina que corría por su sistema. Era mucho más listo que los apreciados solda-dos mejorados de Whitney. Podría haber ido andando hasta ellos y cortarles el cuello. Les había acechado —*juntos*— y ninguno de los dos había reparado en su presencia. Qué bueno era. El mejor. Tan ca-pacitado, y sin la formación que esos dos tenían. Les tuvo rodeados en todo momento, fantaseando con el modo de liquidarles, riéndose para sus adentros por la excitación que sentía. Casi no logra dominar-se. Tanto dinero invertido, tanto adiestramiento... y ahí estaba él, un mero soldado raso sin refuerzo genético alguno, sólo cerebro y habi-lidad, eludiendo a ambos.

No le sorprendía lo más mínimo. Siempre había sido superior a los demás, pero esto se lo dejaría claro incluso a Whitney. Whitney, que se consideraba más inteligente que todos los demás, que se creía un dios, ¿cuántos errores había cometido aquel hombre? Su progra-ma de receptores de feromonas dejaba tontos a los soldados y a las mujeres las convertía en putas. Sólo había que ver a Wynter besando a ese tullido en vez de matarlo, que era lo que debía hacer. Calhoun era inferior ahora, no servía para nada. Debería haberle pegado un tiro en la cabeza hacía un año, pero no, querían su ADN. Iba a tener que ocuparse él mismo del adiestramiento de la chica porque Whit-ney había metido la pata, estaba claro. Cada vez le costaba más espe-rar, seguir el juego y hacer de títere; quería mostrar las cartas y poner-las ante sus narices ahora que sabía que podía. Oh, sí, iba a ser de lo más divertido.

Capítulo 7

Alguien les acechaba. Saber se introdujo en el garaje y miró con cautela a su alrededor. Nada estaba fuera de lugar, no obstante, allí había andado alguien, y era muy bueno, muy bueno, porque ella se fijaba en todos los detalles. Tenía una memoria fotográfica que le alertaba en cuanto algo se desplazaba un milímetro. Era hora de salir de su mundo de sueños y enfrentarse a la realidad.

Jess era un Soldado Fantasma. Ella era una Soldado Fantasma. A él le habían reclutado e instruido de adulto, cuando estaba en la fuerza de Operaciones Especiales. A ella la habían sacado de un orfanato y la habían criado en un laboratorio, y luego en un campo de entrenamiento. ¿Cómo demonios habían acabado los dos en Sheridan, Wyoming?

Saber se aproximó con cautela al coche de Jess y luego al suyo en busca de un dispositivo incendiario. Necesitaba su equipo electrónico para asegurarse por completo de que los coches no tenían micrófonos, pero eso tendría que esperar. Por lo que percibía simplemente con su oído y tacto, ambos vehículos estaban limpios, y ella nunca se equivocaba. Se introdujo en el coche y se sentó un momento, considerando qué hacer.

Tamborileó con la uña en el salpicadero y se observó a sí misma en el espejo retrovisor. Su suave piel de bebé no tenía una sola arruga. Sus ojos demasiado grandes, bordeados por pestañas largas y livianas, miraban con una inocencia absoluta. A veces casi ni lograba mirarse en el espejo. Había perdido la inocencia con la primera misión a la que fue enviada con nueve años. Bajó la vista hacia sus manos esperando ver sangre, algo, alguna evidencia de la maldad latente en su interior, pero incluso sus manos parecían jóvenes e inocentes.

Volvió a mirarse en el espejo y se hizo la promesa de que nunca regresaría a esa vida. Pero no abandonaría a Jess, no podía. No creía en las casualidades, pero era imposible que él hubiera planeado que ella se presentara en su casa. Meses atrás, había deambulado por esta carretera con la esperanza de encontrar un lugar donde acampar antes de que llegara el invierno. Su nombre lo había sacado de internet, de una página para encontrar trabajo en emisoras de radio. Había entrado buscando una vacante en Sheridan.

Su voz era una de sus grandes bazas. Le resultaba muy fácil encontrar trabajo y, si no había vacantes, a menudo utilizaba su voz para convencerles de que la contrataran de todos modos. Sabía que Jess había sospechado que era una mujer maltratada que huía. La había contratado para trabajar en su emisora y además le había ofrecido en alquiler el apartamento superior a cambio de algunas tareas de ama de llaves... ¿Alguien podía haber manipulado ese encuentro? Y si fuera así, ¿con qué propósito?

Se mordió el labio inferior mientras permanecía ahí sentada dando vueltas a todo el asunto. No podía macharse, no cuando alguien andaba detrás de Jess. Tendría que mantenerse muy alerta, consciente en todo momento de que cualquiera de los dos, o los dos, podían correr peligro.

Jess observó en el monitor a Saber saliendo por la verja en su coche y perdiéndose de vista. Tocó la pantalla con el dedo, justo sobre el punto donde antes estaban las luces traseras del Volkswagen. Debería haber insistido en que llevara un guardia de seguridad. Alguien les vigilaba, alguien que sabía evitar el nivel de seguridad que él tenía, que conocía con exactitud los puntos ciegos de la cámara y los utilizaba para invadir el territorio de Jess. Lo supo justo cuando salieron de casa. Dudaba que el intruso hubiera entrado en ella, pero les había seguido hasta el parque. Jess sabía que les acechaba.

Cogió el teléfono sin vacilación y marcó un número al que poca gente tenía acceso. Sabía cuándo necesitaba ayuda. Tenía que traer a parte de su equipo y ponerles a trabajar. Por mucho que amara a Saber —o precisamente porque la amaba— debía notificar a la gente en quien confiaba que alguien estaba montando algo gordo.

No le agradaba la idea de no ser capaz de mantener a Saber a salvo, pero no podía permitir que su ego se interpusiera. Todavía se estaba recuperando de la operación y había corrido demasiados riesgos empleando Zenith en un intento de curarse más rápido. Lily y Eric habían contrarrestado la droga en dos ocasiones, viéndose obligados a donarle sangre cuando las células se convirtieron en misiles balísticos dentro de él. Había pasado por el quirófano antes de que Saber apareciera en su vida. Tal vez no lo hubiera hecho si hubiera aparecido antes, pero su vida se prolongaba hacia delante con una desolación eterna cuando oyó a Eric hacer un esbozo de la tecnología. Parecía posible, más que posible, no sólo volver a andar, sino ser de alguna utilidad.

Dio un suspiro. Una vez más había accedido voluntariamente a ser un experimento. El ejército estaba empleando la biónica en soldados, pero en elementos externos, nada tan avanzado o complicado como lo que él llevaba dentro. Realizaba de noche la mayor parte de su intensa terapia, mientras Saber estaba en la emisora de radio. Era más seguro que Lily Whitney-Miller le visitara cuando no hubiera nadie por allí. Siempre venía con su marido, Ryland Miller, líder del equipo de Soldados Fantasma de la fuerza de Operaciones Especiales, y con Eric Lambert, el cirujano que le había salvado la vida y el médico de guardia durante sus misiones, preparado para volar a cualquier lugar del mundo y ayudar a un Soldado Fantasma caído. A menudo acudía a tratarlo.

Después de hablar con Logan, y una vez organizado un rápido encuentro del equipo en su casa, se fue a la piscina. Se incorporó para zambullirse luego en el agua y activar el sistema biónico, obligando a su cerebro a crear las vías neuronales necesarias para dar órdenes a sus nuevas piernas. La regeneración celular se estaba desarrollando a un ritmo mucho más lento de lo anticipado. Debía tener cuidado con uno de los fármacos empleados, pues era demasiado peligroso. Curaba... y luego mataba.

Nadó intentando que su cuerpo aprendiera la mecánica de cada patada. Se situó en el extremo menos profundo, cerca de la estructura de barras, y realizó los ejercicios. En el agua se volvía ligero, por lo tanto, si sus piernas fallaban —como sucedía a menudo, ya que su concentración no era tan exacta— no importaba, aunque sabía que Lily se enfadaría si supiera que trabajaba a solas.

Cuando se sometió a la operación lo hizo muy seguro de que algún día se mantendría en pie y caminaría. No estaba siendo así, para nada. Nada en su formación como parte del programa SEAL o su preparación como Soldado Fantasma era comparable a esto. Le dolía la cabeza constantemente y le flaqueaban las piernas de debilidad. El dolor subía con intensidad por los muslos y alcanzaba sus caderas. Se caía continuamente, y eso era lo peor. Las piernas no le sostenían, se negaban a trabajar si él no pensaba a cada segundo en la mecánica de su funcionamiento. A la menor distracción se venía abajo.

Maldijo una y otra vez mientras imponía a su cerebro una pauta que comunicara a sus piernas cómo funcionar. Visualizaba cada músculo, las vías necesarias, los ligamentos y tendones, poleas que obligaban a sus piernas a dar pasitos. El sudor corría por su cuerpo junto a las gotas de agua de la piscina cuando se aupó hasta las escalerillas y se sentó con los pulmones ardiendo y la cabeza a punto de estallar.

Ya volvía a sangrar por la nariz, lo único que le hacía desistir. No quería otra transfusión. Agarró una toalla, furioso por haber accedido a aquello de entrada. Sus piernas estaban demasiado débiles como para sostenerle. Practicaba dos veces al día y seguía terapia física, pero ahí estaba, exactamente igual cada día, con trembleques en las piernas y el tremendo dolor de cabeza, pero sin ningún resultado visible como contrapartida.

Al percatarse de que el agua de la piscina borbotaba como reacción a su rabia, respiró hondo un par de veces para calmarse. Sobre todo le enfadaba no poder contárselo a Saber. Y que ella no le contara cosas de su vida. Vivían en la misma casa, había visto amor en sus ojos, lo había saboreado en sus labios, y aun así no podían hablar de quiénes eran en realidad.

Maldiciendo, se agarró a las barras y se aupó para colocarse en posición erguida. Siempre le asombraba lo difícil que todo se volvía cuando se incorporaba. Le dejaba pasmado lo diferente que se sentía. Era un hombre fuerte con una cantidad asombrosa de potencia en la parte superior del cuerpo y también en los muslos, pero la debilidad de las pantorrillas podía derribarle en un instante por el suelo.

Iba a ir andando hasta la silla de ruedas. Con los puños cerrados y gesto decidido en la boca, esta vez lo iba a conseguir. Apenas era un metro. Era cuestión de visualizar cómo operaba una pierna y dar esa información al cerebro para que la transmitiera a través de su cuerpo hasta la pantorrilla y el pie.

Dio un paso. El sudor entraba en sus ojos. Se obligó a coger aire en los pulmones. Unos martillos neumáticos taladraron sus sienes mientras el dolor se disparaba pierna arriba. Retuvo en la mente la imagen de todo conectado y en funcionamiento, y sus músculos contrayéndose y expandiéndose. Dio un segundo paso. Estaba muy cerca de la silla de ruedas, poco más de medio metro. Una parte de él quería intentar lanzarse al sprint y la otra quería arremeter sin mover los pies de su sitio para no tener que usar más el cerebro.

Le flaquearon las piernas y se fue estrepitosamente al suelo de cemento sin poder evitarlo. Se dio en la cabeza y en el codo contra la repisa mientras caía despatarrado con torpeza. Cuernos, ni siquiera sabía caer bien. Las piernas cedían sin avisar, sin darle tiempo a rodar o al menos a protegerse. Se quedó ahí tumbado, furioso consigo mismo, dando manotazos al cemento con la palma abierta, alternando entre juramentos e intentos de recuperar la respiración.

Sonó el teléfono, pero estaba demasiado lejos para contestar. Volvió a maldecir y arrastró el cuerpo empleando los brazos sobre las baldosas de cemento, dejándose la piel en los puntos más ásperos con un rastro de sangre. Le llegó la voz de Patsy ordenándole contestar. Alcanzó la silla y se apoyó para descansar un minuto. Luego, al final, empleando toda la fuerza de su parte superior, consiguió sentarse, pero para entonces Patsy se había rendido, y se había quedado solo. Dio las gracias. No quería hablar ni ver a nadie. Por unos instantes se sintió del todo impotente.

Entró con la silla en el despacho, dio un portazo y cerró la puerta con llave, aunque no había nadie allí que pudiera interrumpirle. Se miró en el espejo y observó con un suspiro la sangre que corría desde el corte en su cabeza. Iba a ser una larga noche. Técnicamente su obligación era llamar a Lily e informar de las heridas. Tan sólo una mínima cantidad de Zenith en el cuerpo implicaba el peligro de desangrarse si sufría una lesión, por insignificante que fuera, pero cualquier cosa antes que contar a alguien que se había caído.

—Copón bendito, Saber —dijo Brian—. De verdad sabes cómo alterar al jefe. Te ha cerrado el micro el resto de la noche. Y no veas qué enfado lleva. Un enfado serio. No estoy seguro de que quieras volver a casa esta noche.

Apoyando la barbilla en la palma, Saber le miró con recelo.

—Por casualidad no le habrás llamado para decirle que sintonice la emisión, ¿verdad? Porque no creo que la escuche habitualmente.

Con gesto dramático, Brian se puso la mano en el corazón.

—Me vas a matar.

Ella agitó las pestañas, conteniéndose para no levantarse y darle una patada.

—Deberías tener un poco de lealtad, Brian. Algún día igual tú también necesitas un favor.

La sonrisa abandonó el rostro del técnico de sonido.

—Es mi jefe también. A quien va a despedir por esa trampa que le has tendido es a mí... No te despedirá a ti, sino a mí. Todo el mundo en la emisora sabe que ha perdido la cabeza por ti. Y lo protector que es. Mandar una invitación a un chiflado pasa de castaño oscuro, Saber, incluso para ti. No puedes hablar con esa voz sin esperar que llamen un millón de colgados o borrachos. Sólo con abrir la boca y, mira, la centralita se ilumina como un árbol de Navidad.

—No hacía falta que te chivaras. Somos mayorcitos, por el amor de Dios.

Se pasó las manos por el pelo con nerviosismo. Había utilizado su voz reforzada para que el hombre que no paraba de hacer llamadas se animara a telefonear otra vez. Había lanzado a través de las ondas su voz suave y sexy con una coacción encubierta. «Para ese alguien especial, tan ansioso por llegar a mí, espero esa llamada. Para mis oyentes románticos, aquí tenemos un poco de música ambiental.»

Brian había levantado los brazos en alto, furioso con ella. «Calhoun te va a matar», articuló desde el otro lado del cristal.

Y el muy soplón había llamado al jefe. Si Jess había oído esa grabación, sabría al instante que usaba la voz reforzada. Cualquier Soldado Fantasma lo distinguiría. Había calculado ese riesgo, pero obviamente estaba perdida si Jess la oía. Deseaba estrangular a Brian por su interferencia.

Quería alejar la pelea de casa de Jess. Si Whitney había enviado a alguien en su busca, mejor hacerle salir para que intentara atraparla. Cuernos, sí, si hacía falta quedaría con un centenar de chalados con tal de apartar el peligro de Jess. Y que se enfadara. Tal vez fuera el peor tirano de la marina en su momento, tal vez incluso del programa de Soldados Fantasma, pero estaba recluido en una silla de ruedas y ella no iba a permitir que nadie le lastimara.

—Tengo que darle la razón a Calhoun en esto, Saber. Hombres como éste llaman a la emisora pensando que van a salir contigo. Tienen esa fijación. No puedes acceder a salir con todos, no puedes aceptar sus llamadas y animarles.

Ella se tragó su respuesta y se obligó a sonreír.

—Quizá tengas razón. No me gusta vivir asustada, y ese hombre insiste tanto que he pensado que si hablaba con él dejaría de ponerme nerviosa.

Brian se rascó la cabeza, tenía el ceño fruncido.

—Siempre te has reído de estos zumbados que llaman. No me había percatado de que te molestaran.

—Por lo general no, sólo que éste es demasiado insistente, ya sabes.

Debía aparentar estar asustada y actuar en consecuencia, pero no tenía demasiada experiencia en ese terreno. Probó a esbozar una sonrisa vacilante y agitó las pestañas, sintiéndose tonta de verdad. En realidad no podía admitir que planeaba dar una paliza a ese tío si le ponía un dedo encima o matarlo si amenazaba a Jesse.

—Calhoun ha puesto unos cuantos vigilantes de seguridad a trabajar aquí. —Brian intentaba tranquilizarla—. Nadie puede entrar. Me aseguraré de que un par de ellos te acompañen hasta el coche cada madrugada cuando salgas del trabajo.

—Tú y yo sabemos que los vigilantes de seguridad no siempre son demasiado eficientes, Brian.

Él negó con la cabeza.

—No tienes que preocuparte. Calhoun ha contratado a personal serio, nada de la versión soy un-poli-que-hace-horas-extras. Estos hombres saben lo que hacen, al menos eso ha dicho Calhoun.

Saber le dedicó una sonrisa aún más amplia.

—Gracias, Brian. Te agradezco de verdad que me tranquilices. No voy a repetir otra estupidez como la de antes. Me siento mucho mejor ahora después de hablar contigo.

Iba a tener que encontrar otra manera de atraer al de las llamadas y evaluar la amenaza.

Brian le sonrió también, era obvio que aliviado por su cooperación. Volvió a atender las llamadas y ella se dejó caer otra vez en la silla para empezar su número de la Sirena Nocturna.

Jess iba de un lado a otro del salón y el vestíbulo de entrada, una y otra vez, una y otra vez, impulsando con potencia las ruedas de la silla de carreras. Saber llevaba ocho horas durmiendo; si no la oía levantarse pronto iba tener que despertarla. Y no lo haría con amabilidad, desde luego. ¿En qué estaba pensando anoche? Animando a un chiflado a que llamara por teléfono, invitándole a hacerlo. Típico de ella.

¿Qué había dicho Logan esta mañana? Que anoche Brian la había seguido a casa desde la emisora. ¿Por qué? ¿Qué había entre los dos?

—¿Qué estás haciendo ahí abajo? —le preguntó Saber dejando caer su mata de rizos por encima de la barandilla del piso superior—. ¿Practicando algún tipo de carrera? ¿Haciendo agujeros en las alfombras?

—No tenemos ni una alfombra —indicó.

Nadie debería estar tan sexy nada más despertarse. Se le fue todo de la cabeza, dejando sólo el deseo ardiente de estrecharla en sus brazos y tomar posesión de ella allí mismo.

—¿Cómo vamos a tener una alfombra si dejas las mismas marcas que un tren? —se rió ella pasándose una mano por el cabello alborotado, un gesto que le ciñó la camisa de dormir a los senos.

Jess soltó el aliento poco a poco.

—Qué gracioso. Eres toda una actriz cuando quieres. Baja aquí.

Saber le sonrió con una mueca burlona y provocativa.

—Me parece que no, Jesse. Vuelves a sonar como el oso gruñón de siempre. ¿Ha llamado Patsy?

—No sabes qué ganas tengo de ponerte las manos encima.

Quería que fuera una amenaza, pero una visión vívida de ella retorciéndose desnuda bajo él surgió burlona en su imaginación. Gimió en voz alta. Saber Wynter tenía las horas contadas.

—¿Sí? —le desafió ella sacando la barbilla, con su mirada azul cargada de malicia—. ¿Qué he hecho esta vez? ¿Dejarme las medias colgadas en tu cuarto de baño y molestar a tu visita de medianoche?

—Qué bien te lo pasas, ¿verdad? —preguntó.

Saber apoyó un pie en el barrote inferior de la baranda, atrayendo la atención a sus piernas desnudas.

—Si te pongo nervioso me lo paso bomba.

Se rió ante su expresión afligida.

—¿Quieres bajar aquí? —exigió exasperado.

—Necesito una ducha y tengo que vestirme. No conviene que Patsy me coja desfilando ante ti en camisón.

—Me importa un bledo si aparece Patsy. Maldición, Saber, voy a perder la paciencia.

—¡Oooh! —Se llevó una mano al corazón con gesto dramático—. ¡Qué miedo me das!

Jess no pudo evitarlo y estalló en carcajadas.

—Mocosa malcriada, ahora subo.

—¡No! —Preocupada, Saber se agarró a la barandilla—. Bajo ahora mismo, de verdad, Jesse, lo prometo. Cinco minutos.

Él quiso retirar a besos aquella expresión intranquila de su rostro. Esta mujer era capaz de hacer estragos en su cuerpo con facilidad.

—De acuerdo.

Le concedió aquel tiempo a regañadientes. Cómo iba a imponerse alguna vez si sólo hacía falta una miradita de esos ojos azules para metérselo en el bolsillo.

Entró en la cocina para hacer café. Arriba corría el agua, y se encontró sonriendo. No conocía a nadie que se diera más duchas que ella. La sonrisa se desvaneció cuando la imagen del técnico de sonido de la emisora surgió de nuevo.

Brian Hutton. Alto, musculoso, atractivo, tenía veintisiete años, una edad más similar a la de Saber. Al menos eso pensaba, porque en realidad no sabía su edad. ¿Se llevaban bien? Gracioso, nunca se le había ocurrido que pudiera sentirse amenazado por Brian. Saber llevaba trabajando con él cada noche desde hace diez meses, casi once, y hablaba de él a menudo. ¿Por qué iba a seguirla a casa?

En la emisora todo el mundo sabía que ella vivía con él, y al menos la mitad de sus empleados creían que también dormían juntos. Nunca había corregido esa suposición.

Saber entró corriendo en la habitación, descalza, con el pelo mojado formando pequeños rizos sobre su cabeza y ojos entusiastas.

—¿Lo he conseguido? —Su sonrisa se desvaneció de repente y se apresuró a acudir al lado de Jess, apartándose el cabello para que no cayera húmedo sobre la frente de él—. ¿Qué te has hecho?

Jess notó una agitación incómoda en el cuerpo, y los vaqueros de pronto tirantes.

—Llegas dos minutos tarde.

Intentaba sonar severo.

—Jesse, respóndeme. Te has cortado en la cabeza, no tiene buena pinta. Tienes una contusión y se ha inflamado. Tal vez debieras llamar al médico.

Calhoun la agarró por la muñeca y le apartó la mano, le irritaba que ella pudiera ver las pruebas de su caída.

—No es nada. Déjalo.

Saber detectó la mordacidad, vaciló y luego se sirvió un café.

—¿Qué pasa entonces, cavernícola? —Rozó con la punta de los dedos la comisura de los labios de Jess, provocando un río candente en su sangre—. Deja de ponerme ese ceño. Se te va a paralizar la boca con ese feo gesto.

Los fuertes dientes blancos se juntaron de repente y atraparon el dedo índice, introduciéndolo en la caverna húmeda de su boca. Los ojos de Calhoun ardían como terciopelo negro mientras empleaba la lengua para acariciarle el dedo. Ella no iba a ponerle en situación embarazosa, y enseguida toda tensión se esfumó.

Un leve rubor apareció en las mejillas de Saber. Apartó los ojos azules de él y retiró la mano como si se quemara.

—¿De qué va todo esto entonces?

Calhoun estudió su forma delgada y menuda, la camiseta de algodón elástico de amplio cuello, los vaqueros negros ceñidos a su figura. Parecía lista para huir ante la menor provocación. Se resistió a la necesidad de atraparla por la muñeca. Tan cerca y no obstante tan lejos. Quería que tomara una decisión de una vez, que se comprometiera con él. Al mismo tiempo, Jess simplemente quería tomar posesión por fin, de modo irrevocable, sin dejarla ir nunca; al cuerno lo que ella decidiera.

—¿Vas a sentarte o vas a seguir revoloteando por toda la casa como una mariposa? No veo cómo vamos a mantener una conversación decente si tengo que ir siguiéndote por todas partes.

Saber se instaló sobre la encimera, contemplándole con preocupación por encima del borde de la taza de café.

—¿Conversación? Ah-oh. ¿Qué he hecho?

—¿Qué te hace pensar que has hecho algo?

Daba con los pies desnudos en la puerta del armario.

—Te conozco demasiado bien, rey dragón, sólo pones esa cara cuando ya no puedes contenerte más y quieres darme uno de tus sermones.

—¿Te doy sermones? —dijo y frunció el ceño.

Ella puso una mueca.

—Oh, no me importa. Creo que te pones bastante guapo cuando me lees la cartilla, y yo no te presto atención en realidad.

—Eso me anima, pequeña. Con sinceridad, me siento mucho mejor ahora que has compartido eso conmigo. —El ceño se había desvanecido y había un brillo claramente malicioso en sus ojos oscuros.

Jess rodeó con la silla la mesa hasta quedarse directamente bajo los pies de la chica. La encimera era baja, diseñada para que él la empleara con comodidad—. ¿Conoces bien a Brian Hutton?

Era lo último que se esperaba ella, y se le borró de la cara aquella mueca atrevida.

—¿Brian? —repitió—. No sé. Igual que conozco a cualquiera del trabajo, supongo. Es muy bueno en su oficio. ¿Qué quieres saber?

—¿Qué tipo de relación tienes con él?

Saber parecía confundida del todo.

—Somos amigos. Me cae bien, ¿por qué? ¿Ha metido mano en la caja o algo?

—¿Cómo es?

—Le conoces mejor que yo, Jesse, trabaja para ti. —Saber apoyó los pies desnudos en sus rodillas—. ¿De qué va esto?

Jess se encogió de hombros.

—Nada importante, sólo me preguntaba qué piensas de él.

Saber estudió su rostro atractivo y al final negó con la cabeza.

—Oh, no. Esto se pone feo. No podemos consentir que mienta el señor Super-Franco. Vas a tener que leerte a ti mismo el sermón número cuatro, el que trata sobre decir la verdad.

Jess rodeó su tobillo desnudo con los dedos.

—Estás en una posición precaria, Saber —indicó.

—¿Lo estoy? —Dejó la taza de café y ladeó la cabeza—. Entonces escuchemos la verdad. ¿Por qué ese interés por Brian?

Jess soltó un largo suspiro.

—Anoche te siguió a casa.

—¿Que hizo qué?

—Te siguió a casa. Con ese chiflado llamando para hablar contigo, me preocupa cualquier cosa que se salga de lo habitual.

—¿Cómo sabes que me siguió a casa? —quiso saber ella, de pronto recelosa—. Estabas en la cama cuando llegué.

—Pensaste que estaba acostado.

Saber se encogió de hombros.

—Anoche Brian puso muchas pegas a ciertas partes de mi emisión. —Saber sonrió con el recuerdo—. No paraba de gesticular y chillar.

—Te daré después mi opinión sobre tu estupidez de ayer —apuntó él—. Igual Brian estaba preocupado por ti.

—Es más probable que se preocupara por su trabajo, que peligraba si algo me sucedía. Creo que le intimidas.

—Lo dudo. Perdimos a cuatro personas de nuestro equipo en aquel accidente de coche. Habíamos celebrado una gran fiesta en la emisora: Patsy y David acababan de anunciar su compromiso. David se encargaba de la programación nocturna. Él, su técnico y el técnico de sonido del turno de día conducían por la colina cuando perdieron el control del coche y salieron disparados por el precipicio.

—¿Dónde embistieron a Patsy? ¿En el mismo sitio?

Él asintió.

—Contraté a Brian y a Les unas tres semanas antes de que tú llegaras.

El corazón le dio un brinco. ¿Un accidente de coche? Tres personas de la emisora habían muerto y eso había dejado puestos vacantes. Era obvio que sus problemas eran más serios de lo que pensaba. Forzó una sonrisa.

—También fue una buena elección. Tiene mucho talento para este trabajo. Yo no habría superado esas primeras semanas sin él. De verdad, me ha enseñado muchísimo.

Saber no iba a dar su opinión sobre Les. Se alegraba de no tener que trabajar con él a menudo.

—Si Brian se ha preocupado por mí hasta el punto de tener que seguirme a casa, le pediré disculpas.

—No dirás una palabra —ordenó—. Hasta que sepamos un poco más, no quiero que le digas a Brian que lo sabes.

—¡Vaya intriga! Qué extraño es todo esto.

—Deja de tomártelo a broma. ¿Qué te creías que hacías anoche?

Había un matiz furioso en su voz.

—Quería hablar con ese hombre. ¿Es una idea tan descabellada? Con franqueza, Jesse, cuando quieres resultas de lo más intimidante.

—Puedo serlo si hace falta. Anoche te estabas buscando problemas y lo sabes. No puedo culpar a Brian por preocuparse; a mí me metiste el miedo en el cuerpo. ¿Alguna vez te has escuchado? Suenas sexy, Saber. Muy erótica. No puedes tomar el pelo a ese tipo.

—No le tomo el pelo. Pero tampoco quiero tenerle miedo. Imaginé que igual podía descubrir qué quiere. Y en cualquier caso, si alguna vez se topara conmigo, descubriría que no soy nada sexy.

Él deslizó la palma de la mano por su pierna.

—¿No? Es obvio que no te ves tal como yo te veo.

El contacto provocó unas llamaradas que descendieron por la columna de Saber. Los músculos se fruncieron en el estómago y el muslo, y sufrió un espasmo en el útero. Un rubor intenso se propagó por su rostro, y su cutis se volvió rosa. Agachó la cabeza evitando la mirada hambrienta de él.

—No vas a repetirlo, Saber, se acabaron las invitaciones a ese hombre. No sabes cómo es; podrías estar alimentando alguna fantasía enferma. Me refiero a que no vas a coger sus llamadas telefónicas. He llamado a Les esta mañana y se lo diré a Brian esta noche.

—No puedes hacer eso, las llamadas son parte del programa...

—Puedo hacer lo que sea, pequeña, soy el dueño de la emisora.

—No te atrevas a abusar de tu autoridad conmigo. ¡Si fuera el programa de Brian nunca dirías estas estupideces!

—Brian no es Saber.

—¿Y se supone que eso justifica algo? No puedes entrometerte en mi programa.

—Pues ya lo he hecho. Nada de llamadas —ordenó, implacable y con expresión imperturbable.

Ella levantó la barbilla al mirarle.

—¿Y si eso empeora las cosas? Es una posibilidad, ya sabes.

Jess deslizó la palma por su piel con una caricia conquistadora.

—No te crees eso.

Saber se mordió el labio inferior.

—Bien, tal vez no —admitió reacia—. ¿Y si no cogemos su llamada? Brian puede filtrarlas primero, y si es él quien llama, no la pasará a antena, sencillamente.

Le costaba pensar con los dedos de Jesse sobre ella, acariciándola una y otra vez de un modo tan maravilloso.

—Ordené a Les que me trajera las cintas. Es obvio que tenemos un chiflado, cielo, y volverá a llamar. Y si Brian dice que tú no puedes coger llamadas de nadie, ese chalado no tendrá motivos para pensar que es algo personal.

—Eso es una locura. Méteme en una burbuja, ¿por qué no?

—Mejor aún, ¿por qué no te quedas en casa sin ir a trabajar durante unos días? Podemos decir que estás enferma. —Jess bajó más las manos para sujetarle el pie y aplicar un suave masaje—. Podríamos irnos juntos de viaje, cielo.

—¿Qué clase de viaje?

A su pesar, Saber expresó interés. Irse de viaje con Jess sería divino. Con él se iría a cualquier sitio.

—Elige tú. A mí no me importa.

Saber suspiró y Calhoun alargó la mano para apartarle un mechón de la sien con dedos delicados.

—¿Por qué no me llevas a bailar y lo pensamos bien?

—Te encanta bailar, ¿eh?

Buscó su mirada con sus hambrientos ojos negros. Ella notó que se disolvía y se fundía con él. De hecho se inclinó hacia Jess conteniendo la respiración, con fuertes y dolorosos latidos sacudiendo su corazón.

El estridente sonido del teléfono hizo que ambos dieran un brinco. Jess maldijo en voz baja. Saber se llevó el dorso de la mano a la boca.

—No tienes que contestar a esa maldita cosa —refunfuñó Jesse.

—Es lo único seguro que puedo hacer —dijo Saber vacilante, cogiendo el auricular—. Hola.

Jess dio un respingo al oír el sonido sensual de su voz.

—Saber, me alegra que ya estés levantada.

—Brian, ¿qué hay?

Bajó la mano para que Jess aflojara el asimiento de su pantorrilla.

—Pensaba que tal vez podríamos comer algo antes del trabajo esta noche. Es una tontería que volvamos cada uno en nuestro coche —dijo Brian.

Jess alcanzó a oír esa voz clara y convincente de barítono. Quiso arrebatarle el teléfono de la mano y decirle al macarra de la emisora a dónde podía irse. Despedían a la gente por infracciones menos graves. Saber soltó una suave risita que le crispó los nervios.

—Gracias por pensar en mí, Brian, pero siempre llevo mi coche; es una norma después de una cita desgraciada que tuve. Pensaba que tu piso estaba justo en la otra dirección.

Miró a Jess, levantándole la barbilla con el dedo índice.

Él le cogió el dedo y se lo llevó a la boca, disfrutando con malicia cuando a ella se le aceleró la respiración, con los ojos azules empañados de repente.

—Me he trasladado —le informó el técnico—. ¿Qué tal entonces si quedamos para cenar?

Jess se sacó el dedo del calor de su boca.

—Te llevo a bailar, ¿recuerdas, pequeña? —susurró.

Saber entornó los ojos.

—Otro día, Brian. Jess y yo ya tenemos planes para esta noche.

—Y para todas las noches —añadió él en voz baja.

Aun así, Saber oyó su comentario, y le hizo una mueca mientras asentía a lo que Brian decía, fuera lo que fuese.

—Te veo esta noche, Brian, de acuerdo. Adiós. —Colgó—. Jesse, cómo te atreves. Tendré que insistir ahora cada noche en que me lleves por ahí. Pensaba que Brian te caía bien, es muy majo.

—Es un maldito mujeriego.

Saber se movió hacia un lado y saltó al suelo, apartándole las manos de los vaqueros.

—Igual que tú. Tu propia hermana lo dice. Y un canalla.

—Soy un canalla simpático.

Ella le dedicó su mirada más provocativa.

—Bien... —Ladeó la cabeza fingiendo que lo consideraba—. Creo que tienes razón.

—Tengo que trabajar un par de horas más —dijo Jess.

Saber asintió, pues sabía que él podía desaparecer en su oficina con el equipo de alta tecnología y quedarse una eternidad ahí.

—Ya era hora de que te afanaras —bromeó ella—. Temía acabar manteniéndote.

—Todo es posible. —Se deslizó sobre el suelo liso en dirección al vestíbulo—. ¿Qué vas a hacer?

Si iba a salir, tendría que notificárselo a Logan.

—Nadar unos largos, levantar unas pesas y comer.

—Si me quedo demasiado rato trabajando, entra y dame un grito.

—¿Y arriesgarme a que me arranques la cabeza de un mordisco? —Fingió espanto—. Ni siquiera Patsy se atreve a entrar en la guarida del dragón.

Él se detuvo en el umbral.

—¿De verdad soy tan malo?

La chica se rió.

—Me gustaría mentir y decir que no, pero cuando estás en mitad de un trabajo, es obvio que te resistes a cualquier interrupción.

Tendría que seguir el ejemplo de la secretaria del almirante, Louise Charter. Tenía la intuición de que su tiempo se acababa, necesitaba encontrar al traidor en la cadena de mando lo antes posible, antes de que costara otra vida.

—La próxima vez haré una excepción, lo prometo, cielo. Si me lío, ven y rescátame.

Saber asintió y le observó desplazándose con facilidad por el pasillo. Había algo tan fluido, tan poderoso, en su modo de moverse que le encantaba mirarle.

Gruñendo de rabia, dio con el puño en la pared repetidas veces, abriendo agujeros en la placa de yeso. ¿Cómo se atrevía Whitney a enviar a ese hijo de perra de soldado mejorado a darle una reprimenda? ¿Cómo se atrevía el hijo de perra a ordenarle que se alejara de la hermana de Calhoun. ¿No era su puesto? Les había demostrado cuál era su sitio. ¿Y cómo se había enterado Whitney? Dio una patada a la silla, rompiéndola en pedazos, y luego la pisoteó repetidas veces.

Había conseguido penetrar el dispositivo de seguridad de Calhoun y traspasar la verja sin que le vieran. Lo había hecho él, ninguno de los elegidos de Whitney. Que les dieran a todos. Podía entrar y salir de la casa a voluntad. Podría hacerlo en aquel preciso instante, meterse en casa de la hermana de Calhoun y pasar la noche cortándola en pedacitos, tal vez para mandárselos luego uno a uno al tullido... No, enviaría los trozos a Whitney y que se jodiera. ¿Le gustaría eso a Whitney?

Había instalado un micrófono justo fuera de la ventana de la cocina. Calhoun tenía un sistema de bloqueo, pero a él se le daba la electrónica mucho mejor que a ese hijo de perra mejorado... que a todos ellos juntos. ¿Alguno de los soldados de elite de Whitney se había acercado tanto a Calhoun?

Y ella iba a salir esta noche, iría a bailar con su amante. Bien, le dejaría una sorpresita en la cama. En las bragas. Por toda la puñetera habitación. Al cuerno Whitney y sus órdenes. Y en cuanto al tullido, bien, esta noche iba a ser la última. Iba a llevarse una paliza de muerte delante mismo de la muy puta. A Whitney y a sus soldados mejorados se les iba a atragantar eso.

Capítulo 8

*T*oda esta angustia por Saber le inspiraba. Jess empezaba a creer que los compositores de canciones necesitaban sufrir para escribir buen material... porque esta canción era buena de verdad. Cada nota tenía una belleza evocadora, igual que Saber.

Había empezado intentando resolver el misterio del funcionamiento de aquella pequeña grabadora digital que le había traído Louise Charter. La grabadora iba precintada en una bolsa de plástico y estaba guardada en la caja fuerte del despacho cuando ella la encontró, y Louise no la había dejado allí. El almirante no tenía nada que ver con la caja fuerte del despacho. Según Louise, desconocía la combinación. Si estaba ahí para incriminar al almirante, quien hubiera dejado la grabadora no sabía que sólo ella tenía acceso.

La grabación estaba en mal estado. Alcanzaba a oír voces, pero era incapaz de captar las palabras, incluso con su equipo avanzado. Al final pensó que lo mejor sería llevar la grabadora al técnico de sonido de su equipo, Neil. El hombre conseguía cualquier cosa en lo relacionado con el sonido. Y una vez lo dejó en sus manos...

Le consumía la necesidad de estar con Saber, de modo que se sacó sus frustraciones componiendo, y que todo lo demás se fuera al infierno. Por primera vez en su vida de adulto, quería dejar el trabajo con el ejército. De ese modo si Saber tenía otros motivos para estar en su casa que por gusto, los secretos dejarían de importar y podrían seguir juntos.

—¿Jesse?

Su suave voz de sirena interrumpió sus pensamientos, con una nota de vacilación tan atrayente que ya sonreía cuando se volvió para abrir la puerta del despacho. Por un momento pensó que su corazón iba a dejar de latir.

Saber iba vestida con un vestido azul real ceñido a su figura que dejaba los hombros al descubierto. La falda se ensanchaba desde la cadera hasta el dobladillo, formado por unas colas deshilachadas. Se había puesto rímel en sus largas pestañas y llevaba pintados de rosa nacarado sus carnosos labios. Estaba tan guapa, que el estómago se le contrajo mientras el corazón hacía una cabriola alocada.

—¿Aún tienes ganas de salir conmigo?

—No vas a ir sin mí, no con ese aspecto —contestó recorriéndola de arriba abajo con su negra mirada excitada y hambrienta.

Ella ejecutó una pequeña pirueta para él.

—¿Qué te parece?

—Creo que puedes romper muchos corazones con ese vestido.

Por no mencionar que podía elevar la temperatura de un hombre varios cientos de grados. Jess se secó una gotitas de sudor formadas sobre su piel. Al infierno el baile. Tenía otras ideas en mente.

—Entonces, ¿te gusta? Lo compré por capricho hace un par de meses. Pero ya me conoces, nunca llevo vestidos.

Parecía complacida con su reacción.

—Mejor me arreglo para estar al menos presentable si voy a aparecer contigo. Estás absolutamente preciosa, Saber.

Un leve sonrojo ruborizó las mejillas de la chica.

—¿Has conseguido trabajar un poco?

Jesse asintió mientras la seguía por el pasillo, incapaz de apartar la vista de su delgada figura. Sólo la manera en que caminaba le sugería música. Era hermosa y, mientras él se vestía, no pudo evitar dedicarse a tener fantasías con ella. Escogió la ropa con esmero, quería impresionarla, que sintiera por él lo mismo que él por ella.

Saber esperó mientras Jess se ponía el traje italiano oscuro con chaleco gris marengo. Se derretía cada vez que le veía con él puesto. Le encantaba la fragancia penetrante y masculina de Jess, la manera en que llevaba el pelo tan bien peinado a excepción de ese mechón insistente y sexy, que siempre caía en medio de la frente.

Una vez en la furgoneta, Jess permaneció sentado un minuto limitándose a observarla. Su mirada, posesiva y admirativa al mismo tiempo, era todo lo que Saber podía haber deseado. Le provocó un sofoco de excitación, un revoloteo nervioso de alas de mariposa en el estómago, mientras la boca se le secaba de pronto. Se humedeció los labios con la punta de la lengua y tragó saliva cuando la mirada de él se fijó en ese movimiento.

—Jesse —protestó ella, sin aliento.

—Bésame.

Su voz sonaba ronca a causa de la necesidad descarnada. Necesitaba su beso, el contacto de sus labios, su boca, pues todo su cuerpo ardía en deseo, anhelando su sabor meloso.

Mientras el cerebro de Saber protestaba, el cuerpo se inclinaba hacia él, anhelando el calor que llameaba entre ellos, deseando saborear una vez más lo prohibido.

En el momento en que la boca de Jess reclamó sus labios, comenzó el temblor. Sus dientes jugueteaban con su carnoso labio inferior, insistiendo en que abriera la boca. Obedeció vacilante, notando el fuego líquido precipitándose por las venas y provocando algo fiero y primitivo en ella que concordaba con aquella faceta salvaje de Jess.

Calhoun conquistó su boca con la lengua de la manera en que su cuerpo debería poseerla, con embate y dureza, atrapándola en un tango de copulación que continuaría eterno. El corazón, alma y cuerpo de Saber le pertenecían en ese momento, se fundían y fusionaban, en un esfuerzo de integrarse con él.

La falta de aire les obligó a separarse. Más que soltarla, las manos de Jess tomaron su cabeza mientras sus labios se perdían sobre cada centímetro de rostro y garganta. Saber gimió un poco, aferrándose a los músculos duros de sus hombros.

—¿Quieres quedarte en casa, pequeña?

Susurró aquellas palabras incentivas como un brujo, inclinado sobre ella para tentarla.

Saber exhaló una ráfaga acelerada y le miró fijamente, asombrada y complacida al mismo tiempo y a punto de acceder, más de lo que quisiera admitir.

—Nos estamos precipitando.

Era ella quien no se atrevía. Él, sin embargo, lo veía de otra manera. Con Saber se atrevería a cualquier cosa; renunciaría a cualquier cosa, incluso a su carrera profesional si fuera preciso. Tardó un minuto en controlar la respiración, para recuperar algo parecido al control de su cuerpo desenfrenado.

—Cielos, Jesse, tienes que dejar de hacer esto.

Saber se abanicó con la mano, sus ojos azules ahora tan oscuros que parecían violetas.

—Personalmente, preciosidad, me estoy aficionando bastante a «hacer esto». Puso la furgoneta en marcha con una sonrisita torcida, suavizando la curva dura de su boca.

Una sonrisa de respuesta revoloteó en los labios de Saber:

—Bien, no pienses que va a convertirse en hábito. Acabaremos provocando un incendio en el vecindario, en este estado inflamable.

Jesse alzó una ceja.

—Creo que no tienes una actitud abierta en esto, tesoro.

—Es cuestión de supervivencia —le informó.

Sus largas pestañas ocultaban la expresión de sus ojos.

Él le dedicó su sonrisa más depredadora.

—Exacto. Ahora captas la idea. Es cuestión de supervivencia.

No había risa en su voz.

Ella frunció el ceño y contuvo una respuesta atrevida, considerando más prudente permanecer en silencio. Sin duda no conseguía lo mejor de él. De hecho, tenía la sospecha desalentadora de que cedía terreno a toda prisa. Le deseaba con locura, más de lo que había deseado nada en su vida, más de lo que desearía algo jamás. Aun así, siempre estaría fuera de su alcance. Aunque sucediera un milagro y él estuviera de verdad enamorado de ella, nunca podría quedarse.

—Asombroso —bromeó él—. Saber Wynter se queda muda.

Ella miró por la ventana, negándose a responder a la provocación.

La risa de Jess se desvaneció al ver su malestar, estiró la mano por el espacio que les separaba para acariciar su mejilla con dedos delicados. Saber dio un brinco y volvió la mirada azul violeta hacia él. Ojos inquietantes. Fue Jess quien tragó saliva esta vez y apartó los ojos.

El club era relativamente pequeño, sugería intimidad. La mayoría de clientes se conocía; saludaron a Jess y Saber de inmediato. La chica permaneció al lado de Jess, cogida de la mano mientras avanzaban entre la multitud hasta su mesa. Jess pidió el habitual 7UP con zumo de naranja para Saber, y sin protesta alguna, una de las muchas cosas que apreciaba en él. Saber no probaba las bebidas alcohólicas y por lo general sus citas se hacían los ofendidos o la trataban como si fuera una cría que debía ser convencida. Jess aceptaba bien sus preferencias.

El grupo era bueno y tocaba una mezcla de *rock and roll* y melodías románticas lentas.

—Jess, me alegro de verte.

La voz llegó desde detrás de ellos, sorprendiendo a Saber. No fue consciente de que nadie se acercara, y eso la desconcertó. Por lo general, se percataba de todo. El corazón le dio un vuelco, luego empezó a latir con fuertes golpetazos acelerados en su pecho. Se volvió y vio a una pareja parada justo a su lado, tan cerca como para tocarles, demasiado cerca como para que le pasaran desapercibidos. No les había olido, ni había percibido su energía o ritmo, su radar no había dado señal alguna. Se desmoralizó, y sólo se le ocurría pensar que Jesse les protegía con su escudo.

—Ken. Mari.

Jess le tendió la mano al hombre.

Ken estaba completamente cubierto de cicatrices. Parecía que alguien le hubiera cortado en pedacitos. Su aspecto era duro como el acero, con ojos gélidos y alerta. Mari parecía pequeña a su lado, pero la manera en que se movía la delataba.

Eran Soldados Fantasma, no meros amigos de Jess. Calhoun había llamado a su equipo. Ella debería haber sabido que era consciente de que alguien les vigilaba, prever que él llamaría a sus amigos. Demasiados deslices, y ahora se encontraba prácticamente rodeada por el enemigo.

Jesse cogió su mano y tiró de ella hasta situarla a su lado, lo bastante cerca como para sentir su calor.

—Saber, son buenos amigos míos: Ken y Mari Norton. Están recién casados, así que no te extrañe que en cualquier momento se miren a los ojos y se olviden de que estamos aquí. Ken, Mari, ésta es mi Saber.

La joven forzó una sonrisa, estudiando a la otra mujer en un intento de ubicarla, de intentar deducir si alguna vez había coincidido en el mismo complejo militar. Whitney tenía varias instalaciones de entrenamiento y le gustaba reunir a las chicas, pero en grupos separados, para introducir técnicas de entrenamiento diferentes en un intento de encontrar las que funcionaran mejor. Nunca antes había visto a Mari, pero sin duda era soldado, era una Soldado Fantasma.

Saber ofreció su mano conteniendo el aliento en los pulmones, esperando. ¿Estrecharían su mano? ¿Lo sabían? Si Whitney les había enviado para capturarla, vacilarían o encontrarían alguna excusa para no tocarla, incluso temerían el contacto.

Mari estrechó su mano de inmediato con una sonrisa cordial en el rostro:

—Me alegro de conocerte.

Ken no sólo estrechó su mano, sino que se la cubrió con la otra. Si sabían algo de ella, eran demasiado buenos como para dar muestras de miedo.

—Así que eres la mujer que por fin ha bajado los humos a Jess.

Por un momento pensó que no había oído bien.

—No es eso... —empezó a protestar, pero Jesse estiró el brazo y soltó su mano de la de Ken para darle un beso en la palma.

Encontró su mirada y ella perdió el hilo de sus ideas.

—Ella lo ha conseguido —admitió Jess—. Lo negará, pero sólo porque es una mentirosa impenitente. Estábamos a punto de salir a bailar.

Ken se inclinó sobre él, fingiendo un susurro en la voz:

—Ha sido Mari quien me ha arrastrado también aquí; te entiendo bien.

Mari sonrió y negó con la cabeza.

—No sé bailar, en absoluto, en cambio a Ken le encanta.

Ken la rodeó por la cintura y la sacó a la pista. Ella se dejó atrapar en sus brazos. No bailaban exactamente, sino que se abrazaban y se balanceaban.

Los ojos negros de Jess ardieron posesivos concentrados en Saber. Se deslizó con habilidad hasta la pista y desde allí le tendió la mano. Saber esbozó una sonrisa lenta, sexy a su modo inconsciente, y pegó sus ojos azules en él. Se sentó sobre su regazo y rodeó su cuello con los brazos delgados, relajándose tranquilamente contra la pared que formaba su pecho, con la cabeza sobre el hombro. Jess deslizó una mano por su espalda y con la otra balanceó la silla siguiendo el ritmo lento y sensual de la música.

La piel de Saber era más suave de lo que podía soportar, ardía a través de la fina ropa que les separaba. Sus corazones latieron al unísono. Una fiera erección, demasiado obvia contra la parte posterior del muslo desnudo, dominó el cuerpo de Jess. Olía a frescor y dulzura, y no pudo resistirse a deslizar la lengua por el cuello, saboreando la piel suave y fragante. La mordisqueó tentativamente con los dientes y la estrechó un poco más con la mano sobre la espalda para experimentar cómo reaccionaba su cuerpo. Ella apoyó la cabeza en su hombro mientras marcaba el ritmo con la mano en la nuca de Jess.

Estaba perdida en la música y en la fuerza dura de su cuerpo. El calor les fundía, fusionaba las almas con una pulsación lenta y erótica de sangre e instrumentos musicales, cuerpo y mente. Duró una eternidad, por siempre; duró un instante, un momento.

Mientras el son de la suave melodía se desvanecía, el mundo real forzó su entrada en el santuario personal de ambos. Privada de los sonidos, alzó la cabeza con mirada arrobada, incapaz de controlar la respiración. Era como si le hubiera hecho el amor, y por un momento Jess la estrechó un poco más, casi olvidando dónde estaban.

Una pieza de ritmo animado hizo que las parejas se separaran. Ken dio una palmada a Jess en la espalda.

—Dejadlo ya —les reprendió—. Toca menearse un poco.

A su pesar, Jess permitió que Saber se levantara de su regazo, cerrando los ojos para reprimir su ansia salvaje mientras ella deslizaba sus redondas y firmes nalgas tentadoras sobre él.

—¿Es eso algún tipo de desafío? —replicó Jess con voz un poco ronca, sin haber controlado del todo la respiración aún, y guiñó el ojo a Saber.

Ken asintió.

—He oído que tú y Saber sois la bomba, al menos eso dice Max. —Guiñó el ojo a Mari—. Bien, tal vez estéis a punto de estallar.

—Muy gracioso.

Saber retrocedió, meneando las caderas al ritmo de la música, siguiendo el compás con los pies. No sabía quién era Max, pero era evidente que todos ellos habían hablado de ella como parte de la vida de Jesse, y aquello le agradó de un modo absurdo.

Jess sonrió y respondió al ritmo del cuerpo de Saber con un meneo lento y sensual, inclinando con habilidad la silla, balanceándose sobre ambas ruedas, moviéndose con ella y en torno a ella, haciéndole dar vueltas, acercándose y alejándose, sus miradas enlazadas en todo momento. El cuerpo de la muchacha fluía con toda la gracia de una bailarina y la fuerza de una gimnasta. Era salvaje, pura belleza, mientras la música cobraba vida de un modo misterioso.

Era obvio que estaban en un mundo propio, como si fueran las únicas dos personas en la pista de baile. Parecía como si cada momento estuviera coreografiado a la perfección, creando un remolino formado por hombre, mujer y máquina. La capacidad de Jess para dar vueltas, saltar y deslizarse con su silla de ruedas era fenomenal. Entre suaves risas inaudibles, el salvaje y diestro baileteo continuó durante varias canciones.

Ken y Mari, riéndose, se unieron a Saber y a Jess en su mesa.

—¿Así que somos los campeones? —preguntó Jess sonriendo a sus amigos.

—Me rindo —reconoció Ken—. Podéis conservar las coronas.

—Yo soy una negada para el baile —admitió Mari—. Ken consigue que no lo haga tan mal, pero tengo claro que no es lo mío. ¿Dónde has aprendido a bailar así, Jess?

Calhoun dio un trago a su bebida, con sus ojos fijos en la perfección del rostro de Saber.

—Con esta dama que tengo delante. Le encanta bailar y pone música a todas horas. No dejó de machacarme hasta que no me quedó otra opción.

Sonrió a Saber con ternura.

Lo tienes mal, Jess. Ken le mandó un pensamiento por vía telepática. *Sin duda es una Soldado Fantasma, pero Mari no la ha visto antes. ¿La has investigado?*

Jess intentó no reaccionar al débil deje de recelo en la voz de Ken. Si invirtieran los papeles, Norton también tendría sus recelos.

—Hum, te ha enseñado bien —dijo Mari, con timidez en la voz. Luego se volvió hacia Saber—: Bailas fenomenal.

Daba la impresión de que Mari no estaba habituada a las aglomeraciones. Ken le rodeó la cintura y se inclinó para rozar su sien con un beso rápido y tierno. Era obvio que no actuaban para ella; su matrimonio y enamoramiento no eran fingidos, y eso la tranquilizó. Tal vez Jess no había llamado a su equipo después de todo. Era lógico que sus amigos quisieran ver cómo se encontraba, que le visitaran para asegurarse de que le iba bien. Quería creer que Ken y Mari estaban en el club sólo para pasarlo bien con Jess.

—Es bueno, ¿verdad? —dijo Saber con orgullo.

Mari asintió.

—No he visto nada igual.

Había algo divertido en estar todos allí sentados en la misma mesa como si fueran sólo amigos —gente normal— en vez de asumir su realidad. Saber había aprendido a soportar la opresión de la energía que desprendían los demás, pero resultaba difícil hacerlo durante periodos más prolongados de tiempo. Por lo habitual evitaba las aglomeraciones. Mari tampoco era un anclaje y tendría los mismos problemas que ella en público. Provocó en Saber un sentimiento de afinidad.

—Me encanta bailar, y Jess siempre se ha mostrado dispuesto a bailar en casa conmigo.

En casa. A Jess le gustó la manera en que lo dijo. Él nunca pensaba demasiado en tener un hogar, era algo que daba por sentado, crecer en una familia cariñosa como la suya. Se preguntaba qué infancia habría tenido Saber. Sabía que la de Mari había sido extremadamente difícil. Jess buscó la mano de su pareja de baile y le acarició los nudillos con el pulgar.

—Disfruto bailando —dijo él con decisión—. Aunque creo que ella siempre teme que vaya a caerme hacia atrás.

—Eso es porque quieres asustarme a posta. —Saber se rió sin poder contenerse cuando él preparó las ruedas para hacer un salto repentino—. Para, sabes que detesto eso.

—Deja de lucirte ante tu mujer —ordenó Ken. *Se está riendo pero en realidad se preocupa.*

Jess lanzó a su amigo una mirada para hacerle callar, pero dejó de tomar el pelo a Saber.

—Lo hago todo el tiempo y nunca me caigo.

—Ya lo sé.

Saber dio un trago a la bebida y le dedicó una sonrisa.

Eso era precisamente el problema, decidió Jess, esa sonrisa. Como si se preocupara por él, como si velara por él, temerosa de que sufriera algún daño. Calhoun sabía dónde se encontraban todas las salidas y ventanas, sabía quiénes serían los hombres más peligrosos en la sala si hubiera una pelea. Conocía la marca y modelo de cada coche del aparcamiento y la manera exacta en que estaban aparcados. Sabía qué clientes llevaban armas y a quienes podría eliminar —a la mayoría— sin sudar una gota, sin moverse de la silla de ruedas. Sin embargo, Saber no le veía como alguien capaz de cuidar de ella.

Quería cambiar las cosas. Estaba cansado de fingir ser menos apto de lo que en realidad era. Pero no podía contarle la verdad porque era un arma de seguridad nacional de alto secreto. Y probablemente ella tampoco podía decir nada por el mismo motivo.

Como si leyera su mente, Ken sacudió un poco la cabeza. *Mari cree que está huyendo.*

¿De verdad estaba siendo tan transparente? Quiso inclinarse sobre la mesa y dar un beso a Saber. Ella se derretía cuando la besaba, y se olvidaba de la silla. Suspiró y buscó un tema seguro de conservación.

—¿Cómo está Briony? Debe estar a punto de dar a luz. —Buscó de nuevo la mano de Saber y entrelazó sus dedos, pues necesitaba tocarla—. Briony, la hermana de Mari, está casada con el hermano de Ken, Jack.

—Jack y yo somos gemelos —explicó Ken—. Igual que Mari y Briony. Briony espera gemelos.

—¿Cómo puede ser? —preguntó Saber—. Porque da miedo, así de claro.

Ken se rió.

—Es una maldición en mi familia. Siempre tenemos gemelos. Los hombres de nuestra familia encuentran mujeres que conciben gemelos idénticos. No sabemos si es una bendición o una maldición.

Mari le lanzó una miradita.

—A mí no me asusta. Pero a mi pobre hermana le aterroriza tener niños y con dos a punto de llegar no puedo culparla.

Saber estaba horrorizada.

—¿Dos? Nunca he cogido en brazos a un bebé.

—Yo tampoco —confesó Mari—. Ni Briony, pero le he ofrecido mi ayuda. Jack es muy bueno con ella, la verdad.

—Jack se ha comprado un montón de libros y siempre los está leyendo —dijo Ken con una mueca—, sobre el embarazo, sobre tener gemelos, sobre el parto, y ahora toca la paternidad.

—Y nos hace leerlos a todos —añadió Mari.

Saber sintió la amenaza de las lágrimas en sus ojos. Era algo inesperado no estar preparada para aquella emoción desbordante. Sus voces, decidió, contenían gran amor y cariño, eran una familia. Jack y Briony. Ken y Mari. Ahora los niños. De algún modo compensaban la locura que suponía la vida del Soldado Fantasma.

Quería preguntarles muchas cosas, pero al mismo tiempo no quería hacerse esperanzas. Porque si esperas algo y luego te lo arrebatan, la vida es mucho peor que antes. Se había escapado, pero Whitney la perseguía. Más tarde o más temprano daría con ella, y entonces estaría muerta, porque no estaba dispuesta a regresar a aquel cautiverio infernal. Antes prefería morir. ¿Cómo había escapado Mari? ¿Y Briony también era una Soldado Fantasma? ¿Por qué Whitney les había permitido escapar? ¿Por qué las dejaba en paz y a ella no?

Jess tiró de Saber para levantarla de la silla y acomodarla en su regazo.

—Baila conmigo otra vez, pequeña —dijo en voz baja.

La mirada en el rostro de Saber era desgarradora. Si alguna vez en su vida había considerado romper su confidencialidad fue entonces.

Saber le rodeó el cuello con los brazos y se relajó sobre él mientras Calhoun impulsaba la silla hasta la pista de baile. Encontró un rincón tranquilo donde las sombras creaban cierta intimidad. La música era suave y relajante. Saber se sosegó en sus brazos, con la cara enterrada en su cuello.

Jess distinguió a Logan Maxwell entre la concurrencia, y a Martin Howard en el bar. Se sentía mejor sabiendo que estaban cerca. Quien quiera que les vigilara no contaba con lo que le esperaba si daba un paso en falso contra Saber o él. Logan ejercía su poder con infinita habilidad. Ken era uno de los Soldados Fantasma más duros en el negocio. Martin era letal en cualquier situación. Mari era una desconocida para él, se había casado hacía bien poco con Ken, pero si era lo bastante fuerte como para estar con él, bienvenida fuera.

No iba a perder a Saber; sus días de huida habían terminado. Y en el caso de que todavía siguiera trabajando para Whitney, se ocuparía personalmente de hacerle saber quién era Whitney en realidad.

—¿Qué pasa? —le susurró Saber al oído, a la mente, deslizando sus palabras como una caricia sobre su piel.

Calhoun se obligó a respirar.

—Nada, pequeña. Me limito a disfrutar de tenerte en mis brazos.

La silla se balanceaba con la música. Sabía que los otros podían leerle la mente, que captarían el profundo alcance de sus sentimientos por Saber. Por regla general los hermanos Norton ocupaban los puestos de francotiradores, pero como el parto de la esposa de Jack estaba próximo y Ken era el único con pareja femenina disponible en el equipo, Neil se encargaba en esta ocasión de la tarea de cubrirles.

Las últimas notas de música se desvanecieron y Jess maniobró la silla a través de la multitud en dirección a la mesa. Saber continuó en su regazo porque quería aprovechar los últimos minutos con él. Les abrieron paso a lo largo de la pared y Saber rozó con las piernas a un hombre muy atractivo de fríos ojos azules, amplios hombros y brazos tan musculosos como los de Jess.

En el momento en que le rozó, una corriente eléctrica crepitó por todo su cuerpo y tuvo que obligarse a no alzar la vista. *Soldado Fantasma*. Maldición. Maldición, había tardado demasiado. Este hombre era un soldado reforzado, y si no se equivocaba era además un ancla-je, así que nadie estaba a salvo ahora. Tenía que sacar a Jess del bar lo antes posible y, tal vez, oh Dios —era increíble estar considerando aquello—, tal vez encontrar la manera de que Ken y Mari les acom-pañaran hasta la furgoneta. A menos que...

Se quedó sin respiración durante un instante, se le aceleró el cora-zón, pero era una profesional, y si Jess la estaba traicionando para en-tregarla a Whitney, mejor prepararse para cualquier cosa. Estaba ro-deada, pero no podía permitirles saber que ella lo sabía. Aunque, ¿le dejaría Jess acurrucarse de ese modo en su regazo si estuviera entera-do? Tenía que pensar. Tal vez disculparse e ir al aseo. Podría escapar en cuestión de segundos. Era experta en fugas. Habría un hombre o dos apostados fuera, pero lograría huir. Al final descubrirían sus in-tenciones. Suspiró. Si Jess de verdad corría peligro, ella le estaría de-jando en una situación vulnerable.

Jess supo de inmediato que Saber había identificado a Logan co-mo un Soldado Fantasma. Aunque ella no cambió de expresión, ni entró en tensión, por un instante se le cortó la respiración.

Ya está, Logan. Incluso con mi escudo, te ha detectado.

Lo he notado en el momento en que me ha rozado. Logan no dio muestras de asombro. *No me sorprende lo más mínimo. Lo extraordi-nario es que los dos lleváis tanto tiempo en la misma casa y ninguno sepa nada del otro.*

Saber rodeaba la nuca de Jess con los brazos, sus pieles estaban pegadas, y percibió la corriente de energía formando un arco en el aire, enlazando a Jess con el desconocido. Sintonizó automáticamen-te el biorritmo de Jess para captar su reacción a la corriente. La acti-vidad cerebral difundía una comunicación telepática. Supo con exac-titud qué parte del cerebro hacía qué cosa y de dónde procedían las pulsaciones. Estaba hablando con el hombre de los fríos ojos azules.

Saber mantuvo el mismo ritmo cardiaco constante. Su pulso no se alteró, ni siquiera cuando se le pasó por la cabeza que podían haberle tendido una trampa, con Jess como cebo... un cebo demasiado cons-ciente. Les conocía a todos y estaba hablando con ellos. Si se adapta-ba a su ritmo tal vez incluso captara la vía exacta y lograra oír algo.

No se atrevía a pensar que Jess la había traicionado —no en serio—, porque si fuera cierto no sabría qué haría. ¿Le mataría? ¿Podría matarle?

—Háblame, Saber —dijo Calhoun. Se estaba alejando de él, pero no físicamente. Si no la conociera tan bien no habría notado matiz alguno, pero percibía una nota discordante, como si ahora la energía de Jess en vez de amoldarse rebotara a causa del rechazo de ella—. ¿Qué pasa?

Saber sintió ganas de sacudirle. Detestaba los jueguecitos, pero no tenía otra opción.

—Nada. —Ahora sonaba enfurruñada, algo un poco incongruente. En el momento en que regresaron a la mesa, se levantó al instante de su regazo—. Nada en absoluto.

Incluso consiguió esbozar una sonrisa rápida y luminosa. ¿Quién sonreía antes de matar? Había hecho tests toda la vida, mentales, psicológicos, físicos y emocionales. Siempre era demasiado emotiva para el gusto de Whitney, que había estado a punto de rechazarla varias veces y relegarla a algún programa al que no sobrevivía casi nadie, pero para entonces había aprendido. Sabía que debía seguirle el juego y mejorar, porque en su mundo saber enfrentarse a la muerte significaba sobrevivir.

Mari indicó las bebidas que había sobre la mesa.

—El dueño nos ha puesto otra ronda.

Se habían acabado los sorbos a las bebidas o la confianza en la compañía, ni siquiera fingida. Observó a Jess beber y levantar la copa hacia el camarero. Ken tocó el vaso de Mari y luego el de Saber. Ella tuvo cuidado al acercar los labios al borde del vaso. Un poco de veneno podía matar al instante. Distraída en apariencia por las evoluciones de una bailarina, apartó la bebida, aún en guardia, y continuó marcando el ritmo con el pie.

—Qué música tan genial —dijo a nadie en particular, permitiendo que su mirada se perdiera por el gentío.

Era fácil distinguir a un hombre o a una mujer capaces de cuidar de sí mismos, su aire era característico. Se fijó en unos cuantos hombres candidatos en potencia, tipos desenvueltos que parecían saber pelear, que se movían con seguridad, fluidez, paso firme y músculos sueltos. No podía descartar tampoco a las mujeres como amenaza.

Mari era una soldado, Saber no tenía la menor duda. Se había sometido al mismo adiestramiento intensivo que ella, y su formación había sido completa. Seguramente sabía más maneras de matar a un hombre que la mayoría de individuos de esa habitación. Había superado pruebas psicológicas y emocionales, y recibido un estricto entrenamiento en armamento y lucha cuerpo a cuerpo. Pero sobre todo, había pasado un test tras otro para evaluar su capacidad de reacción en situaciones de crisis: cómo seguir calmada e indiferente, cómo mantener una frialdad gélida en una situación dada.

Por primera vez en su vida, se sentía agradecida por los años de formación, todas aquellas veces que la habían castigado por mostrar emociones. Jess la había traicionado, la había vendido a los otros Soldados Fantasma. Ahora le tocaba matarle, no había otra salida.

—¿Conocéis a Patsy, la hermana de Jess? —preguntó sin dejar de sonreír.

Ken asintió.

—Si, nos conocimos antes de que sucediera esto. —Se pasó la mano por las cicatrices de la cara—. Cuando volvimos a encontrarnos gritó al verme. Patsy es una mujer muy afectuosa.

—Yo no la conozco —dijo Mari—. Pero me gustaría. Tanto Jack como Ken hablan bastante de Jess y de su familia.

—Jess siempre nos invita de vacaciones —dijo Ken—. Su familia es muy maja.

Saber siguió inspeccionando la sala sin que se le notara. Seguro que había otros entre la gente. Si planeaban recuperarla, querrían un equipo al completo allí. Rechazó todo sentimiento, todo pesar. Escapar no sería fácil. Era pequeña, su fuerte no era la lucha cuerpo a cuerpo. Se le daban bien las armas, pero tampoco era su especialidad. Podía conseguirlo, lo haría porque tenía que hacerlo. Cuando no podías fallar, encontrabas la manera de lograrlo.

—Sólo conozco a Patsy, y me cae verdaderamente bien.

—Encuentra a Saber demasiado joven para mí —dijo Jess.

Se estaba alejando de él. Notaba cómo se retiraba, casi como si ya no estuviera allí. Algo próximo al pánico le oprimía el pecho, sin apenas dejarle respirar. Nunca en su vida había sentido pánico, ni una sola vez. Ni durante la instrucción, ni en combate, ni cuando le habían capturado y torturado. Pero el pánico le dominó hasta apenas poder pensar con claridad.

—Saber. —Pronunció su nombre en voz baja—. Mírame.

Ella ni siquiera volvió la cabeza hacia él. Continuó con esa leve mirada somnolienta en el rostro, una medio sonrisa, como si de verdad estuviera muy interesada en los bailarines.

—Te escucho.

Incluso la voz sonaba animada, maldición, pero él no se dejaba engañar. Conocía cada fibra de su ser. *¡Mírame ahora!* Fue una orden, brusca, firme y exigente.

Sorprendida, le miró a los ojos llena de consternación.

¿Sinceramente crees que te traicionaría? Mírame sólo a mí. ¿Crees que te he traído aquí para que ese hijo de perra de Whitney pueda separarte de mí?

Estaba furioso con ella, ¿cómo podía creerse una traición así? Y estaba dolido. Dios, cómo dolía. Quería sacudirla, tanto que ni siquiera se atrevía a ponerle las manos encima. La mesa vibró bajo las palmas de sus manos. Ken le dirigió una rápida mirada interrogante, pero Jess no hizo caso, aguantando la mirada de Saber.

Respóndeme, maldición, ¿es eso lo que piensas de mí? ¿Que te entregaría a Whitney después de vivir contigo casi un año?

Saber se humedeció los labios, fue su único gesto nervioso. Sin pestañear siquiera, le aguantó la mirada. Luego la desplazó sobre la multitud. El corazón de Jess dio un golpe en su pecho, una sacudida, y el estómago pareció recibir un porrazo.

Ken se movió un poco, para proteger mejor a Jess en caso necesario. Aquel gesto irritó a Calhoun. La maldita silla de ruedas otra vez.

No necesito protección y desde luego nadie tiene que protegerme de Saber.

La mesa no para de moverse.

La voz de Ken sonaba afable.

Piensa que la he traicionado.

Es una reacción natural. Ha detectado al equipo. Sabe que Mari y yo formamos parte de esto. No es estúpida, Jess. Si huye de Whitney, por fuerza pensará que esto es una trampa. ¿Qué posibilidades habría de que fuera una coincidencia?

«Olvida el ego y concéntrate.» Jess se estremeció. Oyó el eco de ese pensamiento y agachó la cabeza, pese a mantener aún la mirada fija en Saber. Exhaló e intentó ver las cosas desde la perspectiva de ella.

—De acuerdo, pequeña. Veamos si puedo aclararte algunas cosas. Ken y Mari son parte de un equipo de la fuerza de Operaciones Especiales conocido como Soldados Fantasma. Mari huyó de unas instalaciones donde hacían experimentos, dirigidos por el doctor Whitney. Ken, Mari y unos pocos más han venido a echar una mano porque tú y yo hemos estado vigilados. No sé si has huido y Whitney te ha encontrado o si me vigila a mí, pero sea lo que sea, he pensado que necesitábamos ayuda.

Se hizo un silencio mortal mientras ella le observaba, espantada de que él hubiera desvelado tanto. ¿Se atrevía a creer lo que acababa de contar? Echó un vistazo a Mari, pero su mirada regresó de inmediato a Jess. Se le aceleró el pulso, incapaz de controlarlo, de repente había una esperanza. ¿Era posible que dijera la verdad?

Si me estás mintiendo, Jesse, juro que te mataré antes de que me atrapen.

Lo comunicó a posta a la mente de Jesse para dejarle claro que ella también tenía poder.

—Muy bien, Saber. Pero dime la verdad. He puesto las cartas sobre la mesa y espero que hagas lo mismo.

—¿Cuántos de tus hombres están aquí?

—Cinco. Y tengo un durmiente de reserva.

Ella inspiró bruscamente. Había llamado a todo su equipo. Cada uno de estos Soldados Fantasma tendría una habilidad diferente, todas letales.

—Tienes muchos amigos. —No podía confiar en liquidarlos a todos. No era esa clase de guerrera. Pronunció un pequeño ruego para que Jess dijera la verdad, luego miró el reloj en la muñeca de Calhoun—. Vámonos a casa. *Porque si vamos a hablar de esto, quiero que quede entre tú y yo. No me fío de nadie más y no me siento segura rodeada de tanto soldado mejorado.*

Jess le dedicó una breve sonrisa de ánimo. Al menos iba a dejarlo por el momento.

Se supone que están aquí para que te sientas segura.

—Pues no está funcionando.

—Se bajó de la silla y evitó acercarse demasiado a Ken. Era un hombre grande y resultaba obvio que fuerte.

—Os acompañaremos a casa —dijo Ken—. Y os dejaremos solos cuando esté todo en calma y la seguridad en marcha.

Jess asintió y siguió a Saber fuera del club sin decir palabra.

El regocijo le invadía. Estaba eufórico mientras ponía el reproductor de CD y se quitaba la ropa. Quería oír su voz, ese susurro sexy y ronco que recorría su piel y penetraba en su cuerpo. No era posible en este momento, pero la música serviría y al menos podría olerla. Se tendió entre sus sábanas y dio vueltas antes de levantarse para abrir los cajones de la cómoda. En el de arriba encontró su tesoro.

Sedosos tangas y sostenes de encaje de todos los colores. Seleccionó varios y los sacó junto con dos pares de bragas de lencería que dejarían al descubierto buena parte de las nalgas. Sosteniéndolos junto a su nariz, inspiró y se los frotó por el cuerpo. Ahora cada vez que la viera la visualizaría con estas sedas y sabría que él las había tocado, las había pegado a su cuerpo y se habría frotado la verga con ellas, hasta correrse una y otra vez. Se tendió y se puso manos a la obra, empleando las bragas azules casi transparentes para rodear toda su erección, con la música a tope y todo su cuerpo zumbando. La imaginó atada e indefensa, esperando sus atenciones después de que los otros propinaran una paliza sanguinaria a Calhoun. Tal vez la tomara allí mismo junto al cadáver. Se tomaría su tiempo, le haría pagar por ese beso del parque. Esta noche iba a ser perfecta. Arqueando el cuerpo, sacudió las caderas y observó con satisfacción la rociada de semen sobre todas las sábanas y la ropa interior.

Capítulo 9

No has dicho una sola palabra en todo el camino —dijo Jess—. Pensaba que íbamos a hablar.

—En el coche no.

Saber sabía que su tono era cortante, pero no podía evitarlo. Quería creer en él, pero la traición era una forma de vida en su negocio. Sonaba típico de Whitney ingeniar una manera de conseguir que ella se enamorara para que así se diera cuenta de lo inútil que resultaba alguien como ella intentando llevar su propia vida.

Jess le dirigió una mirada mientras metía la furgoneta en el garaje. Ella seguía tensa y apartada de él, como si fuera a romperse si la tocaba. De modo que no lo intentó, pese a lo que le costaba contener sus instintos.

Saber no va a ir a trabajar. Haré que llame a la emisora y se tome un día de baja. Gracias a todos.

Permanecieron sentados en la oscuridad del garaje cuando Jesse apagó las luces. Saber suspiró y se la jugó.

—Sé que cuando Whitney decide que te quiere, no hay escapatoria. Tiene muchísimo poder y dinero, y todos los artilugios más novedosos del mundo a su disposición. Tiene centros de investigación instalados en todas partes, y si alguno es descubierto se traslada al siguiente. Si no sigo huyendo, soy vulnerable.

—Hace poco asaltaron uno de sus centros. No es intocable, Saber.

—Sí, lo es. Ninguno de nosotros existe, Jess. Si quiere vernos muertos, estamos muertos y nadie se da cuenta. Nunca estaremos a salvo, ninguno de nosotros. Sé lo fácil que es matar a alguien. —Echó una ojeada al gran garaje con inquietud—. No quiero hablar aquí.

—Aunque él hubiera conseguido poner micrófonos dentro, la frecuencia quedaría bloqueada. —Saber no es que pareciera asustada, más bien... derrotada. Whitney había sido la única presencia adulta constante en su vida, le consideraba demasiado poderoso—. Vamos, te llevaré en la silla hasta el interior.

Sabía que no debía haberse ofrecido, ella no estaba lista todavía para depositar toda su confianza en él, pero parecía tan vulnerable y frágil que quería, no, necesitaba, consolarla.

Mientras él daba al botón del ascensor, Saber abrió la portezuela de su lado del coche, optando por bajar de un salto por su cuenta. En el momento en que sus pies pisaron el suelo supo que tenían problemas.

¡Jesse!

No pudo evitar lanzar la advertencia, pese a ocurrírsele al mismo tiempo en que tal vez él la había sorprendido con una trampa. No habría testigos si la secuestraban. Qué estúpida. Muy estúpida. Deseaba tanto creerle que había regresado sin rechistar a su casa, y ahora se encontraba atrapada en un espacio pequeño y sin ayuda.

Tres hombres, y además grandes, surgieron de las sombras con muecas enfurecidas, codo con codo, callados y amenazadores. Su silencio era una amenaza. Abrían y cerraban sus puños enormes como jamones, mientras ocupaban poco a poco sus puestos. Oyó el movimiento tras ella y supo que estaba atrapada entre los hombres y la furgoneta.

¿Cuántos, pequeña?

Su voz sonaba calmada y tranquilizadora, y la sosegó saber que él estaba de su lado; no había habido traición. Estaba entrenada para escuchar, para percibir el ritmo de la gente, y reconocía una mentira nada más oírla. Jess no mentía, estaba a su lado peleando, y eso que iba en silla de ruedas. Saber no podía salir corriendo, tenía que vencer, tenía que derrotar. Nadie podía quedar en pie para llevarse a Jess.

Tres delante, uno detrás de mí. Tenía que acudir al lado de Jess y protegerle. Oirían el ascensor descendiendo para bajarle de la furgoneta. *Saca la furgoneta de aquí y pide ayuda. Tu equipo tiene que estar aún cerca.*

¿Has perdido la cabeza? No te dejaré aquí sola. Ahora salgo.

Tenía que hacerse el héroe. Eso iba a complicar las cosas, intentar protegerle al mismo tiempo que peleaba para salvarse, pero reconoció que no había manera de oponérsele. Y los hombres estrechaban el cerco.

Espera, me meteré bajo la furgoneta y saldré por detrás. No atraigas la atención hasta que esté ahí.

Sin esperar respuesta, se lanzó bajo el «tren de aterrizaje» y rodó hacia la parte posterior del vehículo. Era lo bastante pequeña como para meterse sin sacrificar un brazo o una pierna al rodar bajo los neumáticos y la parte trasera de la furgoneta.

Despejado.

El ascensor hacía ruido y llevaba su tiempo. Un hombre apareció desde un lado rodeando la furgoneta y ella le dio con el puño en la garganta, bloqueándole con efectividad. El hombre cayó al suelo con fuerza, dándose tal golpetazo que ella supo que estaba muerto.

Y eso que no quería volver a matar.

Siguió corriendo, directa al segundo hombre, que ya la esperaba preparado, por lo que plantó un pie sobre un lado de la furgoneta y se elevó veloz por encima de su cabeza, para saltar, dando una patada, sobre el tercer hombre y alcanzarle justo en la sien. Apuntó con precisión, empleando el impulso hacia delante para multiplicar la fuerza del golpe. Percibió la fractura en el cráneo más que oír su sonido, y la víctima cayó antes de que ella aterrizara en el suelo.

El segundo hombre se volvió veloz hacia ella, estirando su brazo fornido para atraparla. Saber continuó en movimiento, rodando sobre la capota de su coche para poner el vehículo entre ella y él.

No están mejorados.

Jess surgió de la furgoneta dando impulso a las ruedas, acelerando para salir del ascensor y haciendo girar la silla para interponerse entre Saber y aquella amenaza.

Ponte detrás de mí. El otro se acerca por detrás.

¿Estaba de broma? ¿De verdad pensaba que podría enfrentarse a esas dos moles desde la silla de ruedas? Saber negó con la cabeza, el elemento sorpresa se había esfumado después de contar ya con dos hombres muertos en el suelo. Sus amigos no iban a ser tan amables con ella. Tenía que apartarles de Jess.

—¿Qué queréis? —preguntó—. No tenemos dinero.

—Perra. Has matado a Charlie.

—Él se ha dado contra mi puño.

—Le has dado una patada en la cabeza —protestó el hombre.

—Lamento la equivocación. —Se pegó al coche y lo rodeó sin perder al enemigo de vista mientras controlaba a Jess—. Ha sido el otro el que se ha dado contra mi puño.

—Se supone que debo machacar al tullido mientras nos divertimos un poco contigo. —Sacó deprisa una cámara de vídeo—. Quiere una pequeña filmación además. —Su sonrisa se desvaneció un poco—. ¿Cuántos años tienes?

—Catorce. ¿Quién quiere el vídeo?

El hombre maldijo.

—¡Qué puñetas! ¿Quiere que nos lo hagamos contigo, una cría, delante de la cámara?

¿Quién es este idiota, Jess? Está dispuesto a matarte y a violar a una mujer, pero no quiere hacer daño a una menor. ¿Está de cachondeo?

Los asesinos tienen sus principios, pequeña.

Jess sonaba divertido.

El atacante que se encontraba de pie delante de Jess sostenía un arma con aire petulante. Jess estaba callado, preparado. Saber percibía su energía convirtiéndose en algo poderoso y le sorprendía que nadie más lo notara. Las ventanas de la furgoneta, el coche de Saber y el garaje resplandecían. Notó el aire expandiéndose y contrayéndose como si respirara.

—Pégale un tiro, Lloyd —ordenó el hombre próximo a ella.

Saber notó un acceso de adrenalina mientras saltaba sobre la capota de su coche y caía contra Lloyd con el fuerte impulso de sus piernas estrellándose en el rostro del matón. De modo simultáneo, Jess lanzó una pierna desde la silla de ruedas, alcanzando con la planta anterior del pie la muñeca del hombre, con fuerza suficiente como para romperle los huesos. El arma salió volando mientras Saber alcanzaba con los talones la cara de Lloyd, arrojándole hacia atrás, lejos de Jess.

Intentó aterrizar de pie, pero no pudo esquivar el cuerpo y cayó sobre él. Lloyd cayó con fuerza sacudiendo los brazos y ella lanzó un golpe a esa cara que la miraba pasmada. Clavó los pulgares en sus puntos de presión para que no le echara las manos encima mientras se apartaba como podía de él e iba a por el arma.

El otro hombre intentó impedírselo, pero Jess estaba ahí y reaccionó como un ángel vengador, interponiendo su cuerpo entre ella y el atacante. Derribó al otro hombre con fuerza, clavándole los dedos a fondo en la tráquea.

—No te muevas o te liquido ahora —dijo entre dientes—. Voy a dejar de apretar lo justo para dejarte hablar, pero mejor que digas lo que quiero oír. ¿Cómo te llamas?

—Bill. Bill Short.

—¿Quién os manda?

—Un tipo nos pagó. Dijo que su furcia le estaba engañando, que quería ver muerto al hombre y que le diéramos a ella una lección. Además, quería un vídeo de todo. No nos reveló su edad.

Jess apretó con brutalidad la garganta del hombre.

—No me mientas. Habéis entrado aquí para robar secretos gubernamentales.

Saber se dio media vuelta, intentando no sonreír. ¿Quién podía creer que hubiera secretos gubernamentales esparcidos por casa de Jess? Cuando consiguió recuperar el control, el hombre parecía a punto de desmayarse. Farfullaba en un intento de desmentir aquello:

—No soy un terrorista. No miento. No soy espía de ningún país extranjero. ¿Y cómo ha hecho ella eso?

Es imposible que Whitney enviará a este hombre a por nosotros, informó Jess.

Saber le rodeó y de una patada apartó el arma a una buena distancia, sin cogerla.

¿Cómo llamo a los demás para que vuelvan aquí?

Entra en casa. Usa el teléfono de mi estudio. Le pasó el código con una mirada que la quemó por dentro. Estaba confiando en ella por completo y ambos lo sabían. Si quería traicionarle, éste era el momento. *Dile a quien lo coja «bandera roja». Enviarán a mi equipo y una cuadrilla de limpieza.*

¿Te las arreglarás?

Había dejado la silla y se encontraba despatarrado encima del hombre. Saber se agachó y enderezó la silla, dejándosela cerca.

Jess le lanzó una mirada de puro enojo, y ella se dio media vuelta para salir corriendo. La casa tenía códigos para todo; su sistema de seguridad era de los mejores que había visto, pero en el momento en que entró supo que lo habían burlado.

Jess, alguien ha estado dentro.

Este tipejo es imposible que pudiera evitar el sistema. Es posible que aún tengamos compañía.

Saber entró por la cocina, moviéndose en silencio a oscuras. Tenía una memoria fotográfica casi perfecta y si algo se había movido tan sólo medio centímetro, ese cambio era suficiente para advertirle mentalmente. Podía entrar una vez en una casa y dibujar una réplica exacta del plano en papel, un mapa de cada objetivo. En su propia casa, donde llevaba viviendo casi un año, supo que alguien había movido el termo de café que siempre se llevaba al trabajo. Lo habían desplazado apenas un par de centímetros sobre el mostrador de la cocina, pero sabía que lo habían levantado y lo habían vuelto a dejar.

Se deslizó en silencio por el suelo, manteniéndose apartada de las zonas abiertas, con cuidado de no activar alguna alarma que captara el movimiento. Si Whitney estaba implicado en esto de algún modo, el despacho de Jesse habría sido el primer objetivo, así que se movió en esa dirección.

¿Estás bien? No quiero que estés ahí sin apoyo. Voy a dejar a este tipo inconsciente e iré en tu ayuda, así que dame un minuto.

No quería que Jess entrara, no sin saber aún a qué se enfrentaban.

Esto parece vacío. Trato de averiguar por dónde ha ido, pero primero llamaré al equipo para que vuelva. Quédate ahí, me resulta más fácil así.

Porque crees que la silla de ruedas te obligará a ir más despacio.

¿Había un toque de amargura ahí? Eso la conmocionó. Jess nunca había sonado así, nunca se quejaba. ¿Le molestaba que quisiera protegerle?

Eso son bobadas y lo sabes. Siempre he trabajado sola y para mí es más fácil operar como siempre lo he hecho.

Eso lo entendería. Un equipo no incorporaba a un nuevo integrante en medio de una misión planeada, al menos no sin asumir un terrible riesgo. Ya se encontraba en el despacho.

«Sí, alguien ha intentado entrar aquí, pero no parece haberlo conseguido.» Pasó los dedos con suavidad por la puerta para comprobar si había trampas.

Lo intentaron con tu despacho, Jess. El tipo que tienes ahí fuera tal vez no supiera en qué se metía, pero era una distracción: alguien le ha usado para tenernos ocupados en caso de que regresáramos antes de que se hubiera largado de aquí.

¿Consiguieron entrar en la oficina?

Creo que la seguridad funcionó. Los códigos están intactos. Estoy entrando ahora, comprobando si hay explosivos y micrófonos.

¿Con qué?

Saber no contestó. Por lo general podía detectar un micrófono, pero no explosivos, no el cien por cien de las veces. Las pulsaciones de los transmisores y receptores eran bastante sencillas de detectar para ella, y el despacho parecía limpio. Dudaba que el intruso hubiera conseguido entrar.

Tu despacho parece limpio, pero tendrás que hacer un barrido en toda la casa. El resto de habitaciones están plagadas de pequeños dispositivos.

¿Puedes percibir un transmisor? Había excitación en su voz. Respeto. *Qué talento tan práctico tienes.*

Y los latidos.

No sabía por qué le decía esto. Quizá para advertirle. Para que retrocediera. Tal vez fuera juego limpio o autoconservación. Pero le dijo la verdad mientras cogía el teléfono.

—Bandera roja —dijo en voz baja y luego colgó sin más.

Vaya fanfarrona.

Había un respeto burlón en su voz que animó a Saber.

En el despacho había una fortuna en equipo de alta tecnología. De verdad. Sabía que estaba mirando cientos de miles de dólares. Jess no estaba retirado, en absoluto, no con este tipo de material electrónico a su disposición. La mayor parte de aquello ni siquiera había salido al mercado todavía.

Bonito montaje.

Gracias.

Voy a recorrer el resto de la casa. Tu equipo debería llegar aquí en un par de minutos.

Detestaba dejarle ahí solo y se debatió... Quien hubiera entrado en la casa ya se había ido; estaba segura, bien, casi segura, pero debía comprobarlo por si la posibilidad fuera real.

No. Jess mantuvo la voz calmada. *Te necesito aquí. Lloyd se está recuperando. Y no está demasiado contento. No me encuentro en una posición óptima. Mejor no dejamos que a estos dos se les ocurra algo.*

No quería en absoluto que ella estuviera sola en la casa; no donde él no pudiera protegerla. Jess ya había cometido un error al quitar el arma a su atacante de una patada, y más tarde o más temprano ella caería en la cuenta. Tenía vista —y memoria— para los detalles.

No le importaba implorar si eso la traía de vuelta a su lado. No tenía ni idea de si la casa estaba segura. Ella todavía vacilaba.

Tendrás que ayudarme a volver a la silla antes de que lleguen los demás.

Vale, eso era ruin, pero funcionaba: notó su reacción al instante. Satisfacción y afecto al mismo tiempo. Ella le quería, tal vez no estuviera dispuesta a admitirlo pero le quería.

—¿De qué te ríes? —le preguntó Saber recelosa mientras entraba en el garaje. Estaba sentado en el suelo al lado de la silla de ruedas, de cara a Bill, quien aún le observaba con miedo. A escasa distancia, Lloyd se balanceaba hacia delante y hacia atrás gimiendo—. No me parece que necesites mucha ayuda.

Pero se acercó a él y le agarró por detrás del cinturón cuando tomó impulso con los brazos para auparse a la silla.

Jesse vaciló. Era un hombre grande y de ningún modo quería que ella se lastimara, no cuando podía subirse él sólo a la silla.

¿Estás mejorada físicamente además de psíquicamente?

Saber asintió.

Lo suficiente. No tengo la fuerza muscular de los demás, pero lo bastante como para ayudar.

—Deja que aúpe mi peso con los brazos. —Sin apartar la vista de Bill, Jess se aseguró de que los frenos bloquearan la silla antes de subirse al asiento. Percibió el empuje de Saber y su cuerpo menudo rozándole mientras Calhoun la atraía hacia delante con su peso—. Peso mucho, ¿verdad?

—Te estás riendo de mí. —Ella tardó un momento en retirar los dedos del cinturón. Se inclinó hacia él e inhaló su aroma—. Creo que te lo pasas muy bien con todo esto.

—Tal vez. Hace bastante que no disfruto de un poco de acción.

Ella estudió su rostro.

—¿Me dices la verdad?

—Estoy en una silla de ruedas, pequeña, es real, maldición. No van a mandarme de misión a menos que Ken o alguno de los otros cargue conmigo a hombros.

Saber le había visto dar una patada al atacante, no tenía dudas y ahora él tenía que mentir… o dar explicaciones. Otro experimento, otra parte de él artificial. Estaba mejorado genéticamente, le habían reforzado las habilidades físicas y psíquicas. Y ahora era biónico. No quedaba demasiado del verdadero Jess Calhoun. Una vez que ella supiera la verdad, el miedo haría aparición, porque era mucho más peligroso de lo que había sospechado nunca. La silla de ruedas había sido su señuelo, su atractivo.

—Pero trabajas para ellos.

Saber seguía hablando en voz baja, sin mirarle.

—Ya te lo he dicho. Invirtieron mucho tiempo y dinero en mí y en mi entrenamiento, preciosidad. No van a dejar que me largue sin más.

Ella volvió un momento la cabeza y sus miradas se encontraron.

—O que me largue yo. Es eso, ¿verdad, Jesse? No van a permitir que me largue tan fácilmente.

—Ellos no dejarán que te largues, desde luego que no, Saber. Pero hay varios «ellos»: tenemos los tipos buenos y los tipos malos, y vas a tener que escoger un bando.

—¿Por qué? Yo ya lo he dejado. Que venga él a buscarme.

—Él nunca descansa y más tarde o más temprano te encontrará. Tiene un sistema de seguimiento para cada uno de nosotros. Puedo imaginarme lo contento que le tendrás después de haberte escapado...

—Estoy enterada de los dispositivos de seguimiento que usa. Nos ponía los chips en las caderas, pero algunos de los que escaparon se los quitaron, así que ahora usa un sistema diferente. No es eso lo que me preocupa, pues no puede usarlo conmigo. —Había humor en la sonrisa de Saber—. Whitney se cree superior a todo el mundo, y ésa es su perdición.

—No va a parar nunca, Saber. —Intentaba ser amable, pero quería que ella entendiera las consecuencias—. Tienes que unirte a nosotros.

Los ojos de la chica centellearon.

—No, no voy a hacerlo, Jesse. ¿No era ése el propósito de nuestro entrenamiento? ¿Lograr la libertad de la gente? Yo tal vez no haya tenido padres ni una casa, pero soy una persona, y quiero ser libre.

—Eres una depredadora, pequeña, igual que yo. Vivimos en la sombra y salimos de caza.

Ella parecía joven y frágil ahí de pie mientras él pisoteaba sus sueños. Estiró el brazo pero Saber retrocedió y sólo le tocó la muñeca con las puntas de los dedos.

Pero no estás sola, Saber. Estoy aquí y te apoyaré. Todos te respaldaremos contra él.

Saber se dio media vuelta cuando la primera oleada de Soldados Fantasma irrumpió en el garaje con las armas preparadas y los rostros serios. Logan Maxwell y Neil Campbell entraron cada un por un lado.

—Dos muertos —informó Logan después de agacharse y tomar el pulso a los hombres—. Dos vivos. —Miró a Jess—. ¿Estáis bien los dos?

—Saber tiene una magulladura en la cara, pero por lo demás, estamos bien. Ha inspeccionado la planta baja pero no el piso de arriba.

Ken y Mari están en el tejado.

Logan le envió la información a Jess mientras sacudía a Bill para que se incorporara.

—Vas a venir dar un paseo con nosotros.

—Quiero un abogado —exigió Bill.

—¿Te parezco un poli? —contestó Logan—. No me cabrees más de lo que lo estoy por tu culpa.

Neil tiró del hombre.

—¿Así que te gustan las niñitas?

—¡No! No sabía que tenía catorce años. No nos había dicho eso.

—Vámonos.

—Pero, mis amigos. Han matado a los otros.

—No te han matado a ti ni a tu colega. Te han guardado para nosotros. De modo que mejor nos lo cuentas todo —ordenó Neil, indicándole la salida del garaje para que se pusiera en marcha.

Qué tío tan duro. Logan se burló. *Este idiota no tardará ni un minuto en cantar. Coge también a ése.*

Tiró de Lloyd sin importarle que el hombre tuviera la mandíbula dislocada y la nariz rota.

—Salid de aquí.

Saber observó al equipo moviéndose con eficiencia, tomando la casa mientras ella permanecía quieta, sin querer atraer la atención.

Jess le rodeó la mano y estrechó sus dedos, calmando un poco el ritmo de su corazón.

—Entremos. Tendrán que llevarse los cadáveres y limpiar aquí. Quiero comprobar otra vez mi despacho.

—No tenemos la casa inspeccionada —advirtió Logan.

—Estaremos en el despacho. Habréis hecho un barrido ahí primero —dijo Jess—. Y ahí no han entrado.

—No en el despacho, pero han puesto micrófonos sofisticados en el resto de sitios. —Logan le tendió uno. Echó una ojeada a Saber—. Tienes que ser Saber Wynter, la compañera de piso de Jess.

Ella asintió. Sus ojos le recordaron los de un halcón, penetrantes e inquietos, a los que nada se les escapaba. La hizo sentirse más vulnerable que nunca. Logan bajó la mirada a su mano, cogida de la de Jess. Por instinto ella quiso soltarse, pero Calhoun estrechó más sus dedos.

—Estaremos en el despacho, Logan —dijo.

Mándala a ella primero.

La mirada de Jess se desplazó veloz al rostro de Logan.

—Saber, ¿me abres la puerta, por favor?

—Claro.

Se movió sin vacilación, cruzando el garaje y volviéndose un poco al llegar a la puerta de la cocina, con la mano en el pomo, para dirigir un vistazo al parabrisas de su coche. Se produjo una transferencia de algo que no pudo determinar, pero sin duda Logan le pasó un objeto a Jess y éste lo metió en la bolsa que siempre llevaba en la silla de ruedas. Ella apretó la boca, pero siguió andando.

Maldito sea. Y luego hablaba de incorporarla al equipo. Estaba loca si pensaba que podía hacerse un sitio aquí. Básicamente cambiaba la persona que manejaba los hilos de los títeres. Porque si trabajaba para el jefe de Jess, fuera quien fuese, más tarde o más temprano la mandaría al campo de batalla a hacer justo lo que Whitney quería de ella, algo con lo que no podía vivir.

Sentada sobre el escritorio balanceando las piernas, dio una larga mirada a su alrededor. Era un despacho enorme, mayor que su propio salón en el piso de arriba. Había una foto enmarcada en la que aparecía ella abrazando a Jess. Él tenía la cabeza inclinada de tal modo que le permitía mirar hacia atrás a Saber, y los dos se reían. Recordó aquel día, él jugando con una cámara digital que no conseguía que funcionara, para finalmente lograrlo.

Volvió la cabeza para ver a Jess entrar con la silla por la puerta. No tenía ni una mota de polvo en el cuerpo.

—Falso, dijiste que la cámara no funcionaba.

Indicó la fotografía sobre el escritorio.

—Era la única manera de conseguir una foto tuya. Ven, déjame que eche un vistazo a tu cara. Te está saliendo un morado.

Recorrió con manos amables la osamenta delicada de su rostro.

—¿Te duele algo más?

—No. Pero no pienses que no he advertido el corte de antes en tu cabeza. Sé que tu orgullo masculino es muy frágil, pero pinta peor que mi morado.

Él alzó la ceja.

—¿Es esto una competición?

—No. —Ella agachó la cabeza—. Me diste un buen susto, Jesse, te enfrentaste a un enemigo que llevaba un arma.

El corazón se le había subido a la garganta y había sentido terror por él, pero sabía que convenía escoger mejor las palabras. Era el tipo de hombre que creía que correspondía a los varones proteger a las mujeres. Y que a ella le preocupara que fuera en silla de ruedas no iba a sentarle bien.

—Y tú le pateaste.

—¡Eh! —La voz de Logan llegó desde el pasillo del piso superior—. Jess, te necesitamos aquí un momento.

—Ahora mismo —respondió Jess mientras giraba la silla.

Saber se tragó su protesta y bajó del escritorio.

—Iré contigo.

Tal vez hubiesen encontrado ya su equipo de campaña. Lo había escondido bien, pero no lo suficiente. No era el fin del mundo. Él ya sabía que era una Soldado Fantasma. Sólo tendría que encontrar explicaciones convincentes para justificar parte de su material.

Subió en el ascensor, agarrada de la mano a Jess, intentando encontrar la manera de explicar los productos químicos que había en su bolsa. Un grupito de hombres estaba reunido en el umbral. Un débil aroma almizcleño le avisó de que tal vez no fuera su bolsa de campaña lo que habían encontrado. El silencio repentino hizo que Jess se le adelantara, bloqueando el umbral entre la silla y Logan. Jess se puso tenso y ella notó cómo vibraba la casa de rabia.

Saber evitó el brazo estirado de Jess y empujó hacia un lado a Logan para entrar en su habitación. Horrorizada, se quedó mirando a su alrededor. Tuvo un acceso de ira, pero lo contuvo. Que alguien hubiese invadido su habitación con tal violación, pero hacer esto... El cuarto apestaba como si los ocupantes hubieran celebrado una orgía. Habían cortado sus ropas en tiras y todos los retazos de ropa interior estaban tirados por el cuarto, la mayoría con vomitivas manchas blancas. La cama estaba hecha con esmero, pero uno de los limpiadores había apartado las colchas y descubierto más ropa interior impregnada de semen.

Saber se apretó la boca con la mano, conmocionada al percatarse de cómo temblaba. Percibía el respaldo de los presentes en la habitación, y agradeció que los hombres no la miraran. Volviéndose con brusquedad, salió airada del dormitorio.

—Logan —empezó Jess.

—Estamos en ello. Ha dejado ADN suficiente como para identificar un ejército. Es un hijo de perra enfermo, Jess. Ella no está a salvo. Si tenía algún tipo de conexión con Whitney, a estas alturas este degenerado se ha desmandado. Whitney no aprobaría esto, es demasiado... científico. Aborrecería esto.

—Es extraño dónde marca los límites la gente. A veces me pregunto a dónde va ir a parar el mundo. —Hizo una pausa y miró a su alrededor, a la cuadrilla de limpieza—. Quiero que retiréis de esta habitación todo lo que él haya tocado. Separad las huellas de Saber para que sólo salgan las del intruso. No quiero alertas en ningún ordenador remoto al que pueda tener acceso Whitney.

Logan hizo un gesto con la cabeza a su equipo y se fue por el pasillo al lado de Jess.

—Whitney sabe que ella está aquí, Jess. Puedo olerle. Esta chica tiene problemas graves.

—Sí. Lo he captado.

—Y lo tiene todo preparado para huir. Él se ha acercado demasiado esta vez, la va a pescar.

—Oigo un matiz en tu voz que no me gusta, o sea, suéltalo sin más preámbulos.

—A menos que él la haya infiltrado.

Jess dio impulso a las ruedas y entró en el ascensor. Logan se metió también, a su lado. Las puertas se cerraron y Jess se frotó las sienes.

—Él no la ha infiltrado.

—Entonces, ¿cómo demonios ha conseguido encontrarte? Eres el Soldado Fantasma encargado de llevar a cabo una investigación de nuestra cadena de mando. Dime cómo acabó ella en la puerta de tu casa. Cuando no dabas con sus antecedentes te dije que era otra Chaleen. Se acercan a ti porque eres un buen tipo, y eso te hace vulnerable. Piensas lo mejor de la gente, sobre todo si son mujeres.

—No pensé nada cuando Chaleen apareció, al menos no con mi cerebro. Me estudiaron y enviaron a alguien programado para ser lo que yo esperaba. Tú te diste cuenta porque no te acostabas con ella. —Las puertas se abrieron y Jess dejó pasar a Logan para luego salir él disparado del pequeño espacio con un ataque de mal genio—. Fui un estúpido, lo admito, pero me percaté bastante rápido.

—Te rompió el corazón.

—No me había conquistado el corazón. Me destrozó el ego, pero nunca me alcanzó el corazón. Saber, por otro lado, podría arrancármelo del cuerpo sin duda, de modo que mejor que no sea una maldita espía de Whitney.

—¿Serías capaz de matarla? —La voz de Logan sonaba grave, afectuosa incluso, pero mantenía la mirada fría y firme—. Si tuvieras que defenderte, ¿serías capaz de matarla?

Jess se quedó callado.

—Durante un instante, allí en el club, cuando Saber se ha percatado de que estaba rodeada, he visto cómo te miraba, Jess. Pensó en liquidarte allí mismo.

Jess se tragó su respuesta inicial: negación. Cuernos, sí, Saber lo había pensado. No estaba seguro de cómo creía que iba a conseguirlo, pero había pensado en eso.

—Lo sé —admitió—. Y estaba en su derecho. Porque si ella me hubiera traicionado, yo la habría estrangulado con mis propias manos.

Pasó un instante. Y otro. Logan suspiró.

—No me has contestado, Jess. Querer no es lo mismo. No voy a dejar que te mate. Si da un paso en falso...

Jess negó con la cabeza.

—No soy un suicida, Logan. Nunca lo he sido. Perdí las piernas, no la cabeza. Soy más rico que la mayoría; todo lo demás funciona bien. Y estoy avanzando en otras cosas, lo bastante como para pensar que hay esperanzas. Pero si resulta que trabaja para Whitney, no sé si sabría cómo afrontarlo, no sé siquiera si podría permitirte que la liquidaras. No lo sé. Y es una putada estar hablando de esto como si ella no tuviera ya bastante con su situación.

Logan se encogió de hombros y se alejó para dejar a Calhoun con ganas de golpear algo. Al final, se fue en busca de Saber. No estaba en la cocina ni en el dormitorio de Jess. Sabía que no saldría al exterior. No se sentía a salvo. En su casa —en su propia casa— no se sentía a salvo. Quiso gritar a alguien, golpear algo. Preferiblemente a Logan. Porque Logan tenía razón y él se equivocaba. Y, maldición, eso era una mierda.

Llamó a la puerta del baño.

—Sal de ahí. Quiero echar otro vistazo a ese morado en tu cara.

Hubo un silencio.

—Estoy bien, Jesse —respondió al final—. Sólo necesito un minuto a solas.

—Ya has tenido ese minuto.

Saber abrió la puerta y le fulminó con la mirada.

—Soy yo la víctima, rey dragón, de modo que deja ese enfado.

—Estoy enfadado porque un Soldado Fantasma me ha encontrado en mi propia casa, ha vivido aquí y ni siquiera lo he sospechado en meses. Normalmente detecto a un Soldado Fantasma en cuestión de segundos. A veces incluso antes de conocerlo.

—Por la energía.

—Exacto, se percibe.

—Bien. Entonces yo también estoy furiosa, porque no sabía nada de ti. ¿Cómo lo has descubierto tú?

—Tuviste un desliz y hablaste por telepatía.

Se puso en jarras.

—No fue un desliz. No cometo errores así. —Desde que conocía a Jess no paraba de cometer errores. Nunca había sentido tal atracción física por un hombre ni tampoco, a medida que pasaba el tiempo, un vínculo emocional tan fuerte. Él se hacía querer. Y que Dios la ayudara porque estaba enamorada de él.

—Lo cometiste.

Ella se mordió el labio inferior dando golpecitos al suelo con su energía inquieta.

—¿Por qué no dijiste nada?

—Por el mismo motivo que tú no lo dijiste.

—De acuerdo, eso puedo aceptarlo —admitió la chica.

Jess suspiró.

—Sabes que no puede ser una coincidencia que estés aquí, Saber.

Ella cerró los ojos un momento. Sabía que la conversación regresaría de nuevo a Whitney.

—¿Cuántas vidas supones que ha arruinado Whitney en su búsqueda del soldado perfecto?

—Demasiadas. Por lo tanto, sabes que eso no puede ser una coincidencia mística —dijo Jess—. Él debía saber que mirabas anuncios de trabajos en emisoras de radio locales y pequeñas. —Su garganta se comprimió y el pecho le dolió al percatarse de todas las implicaciones y a dónde iba a parar aquello. Y tenía que estar en lo cierto—. Él organizó ese accidente. Mató a tres de mis empleados para dejar una vacante para ti.

—El novio de Patsy. —Saber se hundió hasta el suelo y alzó la vista con aflicción—. Mató al novio de Patsy para situarnos en el mismo lugar. ¿Cómo podía saber que ibas a alojarme aquí?

—¿Cuánto conoces de sus experimentos?

—De los que hacía en nuestros laboratorios, bastante, pero en otros lugares, no demasiado. Sé que entrenaba a soldados, que ése era el objetivo final. Hacía un trabajo tremendo de investigación psíquica, y parecía muy preciso con sus tests.

—Estamos bastante seguros de que tiene alguna capacidad psíquica. De otro modo, ¿cómo podría saber qué bebés elegir, qué niñas? Mirando sólo es imposible, tiene que lograrlo mediante el contacto físico. Tiene un programa de reproducción, Saber. Con sus experimentos refuerza las feromonas en sus soldados de diferente sexo para emparejarles.

—¿Estás diciendo que me he sentido atraída por ti a causa de algo que hizo Whitney?

La idea la puso enferma. Por una vez en la vida había encontrado algo libre de la influencia de Whitney y sus interminables pruebas y observaciones. Alguien bueno y decente.

—Hay evidencias de que hace eso, sí. En nuestro caso, no podemos saberlo seguro, pero tendría sentido. Planeó juntarnos y dejar que su trabajo hiciera el resto.

Saber se apretó los ojos con los dedos, intentando hacer acopio de cuanta disciplina le habían inculcado para no ponerse a gritar y lanzar cosas. Ni siquiera esto, ni siquiera su amor por Jess Calhoun había sido voluntario.

Captó un movimiento y levantó la cabeza cuando Logan apareció detrás de Jess.

—Me cuesta asimilar todo esto. Creo que Logan quiere hablar contigo. —Por una vez agradeció la interrupción, porque no quería tener una crisis emocional delante de todo el mundo—. Necesito ir a algún sitio tranquilo, nada más, y pensar en esto.

—Saber… —Jess esperó a que le mirara—. Hiciera lo que hiciera él, no importa. Te quiero por quien eres, no por cómo reacciona mi cuerpo al tuyo. Y eso es algo que él no puede lograr. Recuerda eso, por favor. ¿Lo recordarás mientras piensas? Estaré en el despacho.

No podía hablar con las lágrimas que inundaban sus ojos y la atragantaban, por tanto se dio la vuelta y regresó al único santuario que le quedaba: el cuarto de baño de Jess.

Maldición. Maldición. Maldición. Tenía que seguirles. Tenía que sacarlos de la carretera, impedir que esos dos idiotas fueran interrogados y dieran su descripción. Quiso gritar y acribillarlos a todos con una Uzi. Eliminarlos. Joderles a todos. Joder a Whitney. No tenían derecho a interferir en sus planes.

Capítulo 10

*S*aber se quedó muy quieta y temblorosa en medio del cuarto de baño. El baño era grande, con baldosas frescas y amplias puertas abiertas que permitían a Jess entrar con la silla de ruedas hasta la ducha. El jacuzzi era enorme y pensó en meterse y llorar un rato ahí sentada. Tal vez ella misma había provocado esto con su voz. La había empleado a propósito en un intento de sacar de las sombras a su acosador, y tal vez lo había logrado.

Recorrió un rato el cuarto y luego intentó sentarse. Al final los limpiadores se marcharon junto con la mayoría de Soldados Fantasma. Sólo se quedó Logan, que entró en el despacho para hablar con Jess. Dejaron la puerta entreabierta. Estaba casi segura de que Jess quería enterarse de si ella iba arriba, pero no tenía intención de subir. No podía estar en esa habitación. En vez de ello pasó junto al despacho sin hacer ruido y entró en la cocina.

Allí el aroma era reconfortante y especiado, los olores lograron que se sintiera un poco mejor. Preparó una taza de té, pero era incapaz de estarse quieta, se encontraba demasiado afectada, le preocupaba demasiado que alguien hubiera conseguido entrar en la casa, que se hubiera acercado tanto a ella… a Jess. Las ropas no eran lo único que había hecho trizas; había alcanzado a ver la foto de Jess en su mesilla, el vidrio roto, el marco hecho añicos, la fotografía rasgada.

Un hormigueo de advertencia se deslizó bajo su piel y penetró en su mente. Respiró hondo y exhaló despacio. Alguien vigilaba la casa. ¿Era el equipo de los Soldados Fantasma? ¿La tenían bajo control? ¿Protegían a Jess? Se quedó quieta y sosegó su mente intentando percibir si la vigilancia era amiga o enemiga.

La inquietud incesante le dio la respuesta: la presencia que ella captaba ahí fuera no era amistosa. Se apresuró a subir las escaleras sin hacer ruido. Con suerte Jess pensaría que se había quedado dormida y trabajaría con Logan un rato. Era más que probable que los Soldados Fantasma hubieran interrogado a los prisioneros y ahora estuvieran en contacto con Jess para pasarle la información. Eso debería concederle el tiempo necesario.

Una vez en su cuarto de baño, Saber se restregó la cara para lavarse las débiles líneas de los ojos y en torno a la boca. Ponerse maquillaje la hacía un par de años mayor, nada dramático, y la sombra de ojos suprimía la mirada de niña descarriada que siempre tenía. Al mirarse en el espejo se le contrajo el corazón, los labios le temblaron mientras la imagen se emborronaba con recuerdos en los que nunca quería pensar.

«Una niña tan guapa —había dicho él acariciándole la mejilla mientras ella le miraba—. Una niña tan guapa y tan mortífera, tan letal; uno de mis mayores logros. Siéntate ahí y ahora repite el juego con la pequeña Thorn. Rodéale el tobillo con la mano y nota su pulso. Así, así. Lo percibes, ¿verdad? Su corazón, palpitando, el ritmo constante. Igual que el perrito. Sin necesidad de apretar. Para lograrlo, no pueden saber que estás ahí.»

«Pero el perrito se murió. Yo no quería. Ha sido un accidente.»

Las lágrimas aparecieron sin poder detenerlas.

Al instante él adoptó un gesto ceñudo, con expresión severa.

«¿Qué te dije acerca de llorar? ¿Quieres volver a la oscuridad? ¿Bajo tierra, donde tienen su sitio las niñas malas?»

Se esforzó por contener las lágrimas, sacudiendo la cabeza, de pronto muy asustada. Estiró la mano para rodear el tobillo de Thorn. La niñita estaba profundamente dormida, con el pelo esparcido por la almohada, tan blanco que parecía seda de una mazorca. No tenía más de tres añitos, y Saber a sus ocho años se sentía muy maternal con ella. El corazón le latía demasiado acelerado por la expectación. Tenía que tener cuidado, no poner en peligro a Thorn, mantener el control. El doctor quería que diera muestras de control. Se humedeció los labios mientras absorbía y asimilaba el ritmo del cuerpo de Thorn.

Obligó a su cuerpo a relajarse, a limitarse a captar el sonido y la sensación de ese corazoncito. Palpaba levemente para que Thorn no se despertara. Fue un pequeño golpe, pero lo notó con fuerza. Reconoció las vías exactas en el cuerpo de Thorn, las venas y arterias, cada línea que alimentaba o era alimentada por ese único órgano.

Respiró por las dos, el aire entraba y salía de los pulmones de ambas. Por un momento experimentó una euforia extraña, como si fueran la misma persona, con la misma piel, corazón y mentes en absoluta sintonía. Y luego introdujo el pequeño latido irregular. Un ruido sordo. Espera. Otro ruido.

Thorn se agitó con el dolor crispando su rostro. Agitó los ojos hasta abrirlos y miró directamente a los ojos a Saber. El conocimiento estaba ahí. Entendimiento. Thorn siempre había sido inteligente, mucho más de lo que Whitney se imaginaba; o tal vez él estaba al corriente y la temía.

Saber soltó la mano del tobillo de Thorn.

«Lo he hecho, y esta vez sin complicaciones.»

Su voz sonaba triunfal, sin matices desafiantes. Pero no volvería a tocar a Thorn. No habría un segundo experimento porque estaba empezando a sospechar que el doctor se habría alegrado si la hubiera matado. Se alegró cuando murió el cachorro. Lo había visto en sus ojos pese a la mirada de severidad.

Se hizo un largo silencio. Ella mantenía la cabeza baja. Al final el doctor bajó la mano para apoyarla en lo alto de su cabeza.

«Buen trabajo, Winter. Eres muy buena chica.»

Saber tuvo que pestañear para volver a enfocar su rostro en el espejo. Ahora estaba pálida, deshecha por el recuerdo. Thorn. Durante años no se había permitido pensar en ella ni en sus sacrificios, pero si había una chica, una mujer que pudiera burlar a Whitney, ésa era Thorn. «Mantente viva —le decía en voz alta—, sigue con vida.»

Se contempló en el espejo buscando defectos. Tenía un cutis terso, sin arrugas, una piel preciosa y suave, ojos muy grandes. Parecía muy joven con su cuerpo menudo y carita de niña. Nadie sospecharía que había hecho algo mortífero. Enderezó los hombros y endureció la boca. Tenía habilidades y las emplearía para proteger a Jess. Quien deseara su muerte iba a tener que enfrentarse a ella. Si se trataba de Whitney, bien, siempre había sospechado que la encontraría algún día, y no iba a permitir que lastimara o matara a Jess. Si era un chiflado obsesionado con su voz, iba a eliminar esa amenaza de una vez por todas.

Apartando a un lado el tocador, se agachó para retirar la rejilla de la pared. La tubería se curvaba hacia atrás, y tuvo que meter bien la mano para sacar el equipo de campaña. Tras abrir el estuche de cuero, inspeccionó sus opciones. Mientras estudiaba las alternativas, se alisó hacia atrás el cabello empleando un gel espeso, luego se colocó un ceñido casquete. Tras desvestirse con rápida eficiencia, se puso un mono tan fino y ceñido que parecía una segunda piel. Actuaba como sellador, impidiendo dejar rastro de células cuando eliminaba un objetivo. Lo siguiente era la ropa, alguna sin nada de particular, que cualquier adolescente podría llevar. Se puso unos vaqueros y una camiseta sobre el mono.

No cogió armas, pero se embadurnó las manos con una solución que rellenaba todas las líneas de las palmas y los dedos, dejándolas perfectamente lisas, para no dejar huellas o células, pero de todos modos podía establecer contacto piel-con-piel. Era un invento milagroso, uno de los mejores logros de Whitney, que no obstante no lo había pasado al gobierno. El único uso encubierto lo hacía él. En un principio, ella había sustraído varios frascos con la idea de poder enviarlos de forma anónima a un centro de investigación, confiando en que lo duplicaran, pero resultó imposible saber con qué instalaciones estaba él asociado.

Saber no era un anclaje, por lo tanto la muerte de las víctimas, sobre todo si era brutal, tenía efectos debilitantes en ella. No podía permitirse desmayarse mientras hacía su trabajo, así que añadió una pequeña ampolla de líquido a su arsenal. Si esta noche volvía a matar a alguien, sólo tendría que tomar esa droga y confiar en que hiciera su efecto hasta encontrarse sola en algún lugar.

Tenía que burlar el sistema de seguridad de Jess para salir sin que él se percatara. Seguía en el despacho con su amigo Logan, mirando algo que no quería que ella viera. Por lo tanto debía localizar a sus Soldados Fantasma, que sin duda estaban ahí fuera, protegiendo la casa y a Jess. No podían verla salir ni regresar.

Abrió la trampilla del desván y se agarró de un brinco al marco para balancearse y auparse. Cerró con cuidado la portezuela tras ella, asegurándose de que quedaba ajustada a la perfección, con aspecto intacto. Había puesto a prueba esta ruta un centenar de veces y era capaz de recorrer a oscuras el reducido espacio que llevaba hasta la buhardilla donde se encontraba la rejilla de ventilación. Siguió el conducto de la calefacción, evitando dar un mal paso y también el material aislante, pisando con la mayor ligereza posible mientras contaba los pasos hasta la pequeña abertura.

El respiradero de lamas era un cuadrado de unos treinta centímetros de lado. Ya había preparado la rejilla, por si acaso, aflojando todos los tornillos excepto uno. Había dejado allí su mochila de emergencia, escondida junto con todas sus herramientas. Sacó a toda prisa el último tornillo y se limitó a esperar en la oscuridad sosteniendo la rejilla mientras percibía la noche.

Había alguien en el techo. No era enemigo; al menos no era enemigo de Jess. Ken Norton se hallaba ahí tendido con un rifle en las manos, y Mari tenía que estar cerca. Una vez más, Saber ignoró la oscuridad opresiva y la manera en que le afectaba, hasta encontrar la posición de Mari. Ni sonidos ni movimientos, ningún Soldado Fantasma se delataba; más bien se percibía un salto de energía, como si la electricidad estuviera viva y se hallara arriba sobre el tejado.

Desde el propio tejado era difícil ver la buhardilla, ningún Soldado Fantasma tendría motivos para mirar si ella actuaba con suma lentitud y no atraía la atención. Saber tiró de la rejilla hacia dentro, con cuidado de no raspar el marco. Ahora venía la parte peliaguda: tenía que salir a través del pequeño espacio hasta el exterior sin que nadie se enterara.

El movimiento siempre atraía la atención de los Soldados Fantasma, poseedores de un sexto sentido infalible. Con paciencia terrible, fue saliendo del desván al aire exterior. Cuando se encontró colgada a tan sólo unos centímetros del inclinado tejado, estiró una mano y colocó la rejilla en su posición original. Sólo una vista muy aguda detectaría que el respiradero estaba levemente torcido. Se soltó y cayo en cuclillas, sin hacer ruido con sus piececitos al aterrizar.

Permaneció quieta una vez más y esperó, pues sabía que esos primeros instantes eran cruciales. El tejido especial de la mochila de campaña reflejaría su entorno y fundiría a Saber con el espacio circundante. Era uno de los muchos trucos que ayudaban a hacerla invisible. Mantuvo la energía lo más contenida posible, cambiando el biorritmo para dejar poco rastro y no alertar a Ken y a Mari de otra presencia.

Supo el momento exacto en que mostraron su primer recelo, la adrenalina se precipitó por ambos salpicando su energía. Continuó quieta respirando con regularidad y mantuvo el corazón pausado y constante, pese a ampliar automáticamente su ritmo para incluir a la pareja de Soldados Fantasma. Era capaz de captar un latido próximo y operar con él, sin necesidad de contacto físico siquiera, aunque no fuera tan fácil ni preciso. No podía trastocar el ritmo, pero sí podía sosegar y calmar.

Previamente había alcanzado a ambos individuos y había memorizado sus ritmos. La actividad bioeléctrica de cada persona era única incluso en fase invertida. Saber afinaba extremadamente su pulso electromagnético cuando quería aprovechar el campo generado por su propio cuerpo. Era tan fuerte que debía mantener el biorritmo muy bajo en el interior de viviendas y cuando estaba con gente si no quería perturbar los equipos sensibles, tanto humanos como artificiales.

Era fácil perturbar la onda cuando tocaba a su objetivo, pero aunque no hubiera contacto podía enviar impulsos para lograr orientar un ritmo en la dirección deseada. La clave era mantenerlo tan leve que pareciera natural. No podía permitir que la energía se elevara a su alrededor y delatar su presencia a los soldados mejorados psíquicamente.

Esperó a que Ken y Mari recuperaran sus ritmos normales y luego empezó a avanzar por el tejado sorteando a los dos Soldados Fantasma. Se había entrenado contra soldados mejorados durante años, moviéndose por zonas de seguridad donde las cámaras, detectores de movimiento y todo adelanto tecnológico de seguridad operaban contra ella. La última línea de defensa la formaban perros y soldados mejorados con órdenes de disparar a matar.

Ni se estremeció al pasar poco a poco junto a Mari, en la dirección del viento, manteniendo el ritmo bajo para no disparar las alarmas naturales. Estaba tan cerca que podría haber estirado el brazo para tocarle la pierna mientras se deslizaba. Avanzó poco a poco por el extremo del tejado y pasó al garaje anexo. Si hubiera podido, habría elegido una vía diferente, pero era la única manera segura de bajar sin arriesgarse a hacer ruido. El más leve sonido se propagaba con facilidad de noche en la zona donde estaba ubicada la casa de Jess, pues había poco tráfico y ninguna casa cerca.

Tenía que bajar del tejado lo antes posible. Ken peinaba la zona, dividiéndola en secciones una y otra vez. Aunque no captara su presencia, su radar tenía una sensibilidad extrema. O era el guardián más concienzudo del mundo o estaba más tenso de lo que ella quería. Acababa de alcanzar el canalón justo antes de que él reapareciera. Su corazón casi deja de latir.

La marea de adrenalina casi supuso su perdición. Se esforzó por controlar la reacción del cuerpo mientras aguantaba colgada en el aire. La punta del zapato de Ken rozó sus dedos mientras permaneció en pie inspeccionando la zona de bosque situada frente a la propiedad Calhoun. Continuó colgada directamente debajo de él, con el cuerpo camuflándose en las sombras del garaje, y rogó para que Mari no observara con demasiada atención a su marido.

Sólo cuando Ken se fue para el otro lado se permitió un pequeño suspiro de alivio mientras se dejaba caer al suelo. Aterrizó en cuclillas y permaneció quieta, pegada al suelo, mientras «percibía» la noche a su alrededor. Abrirse paso a través de las líneas enemigas sin ser detectada requería una paciencia infinita, pero Saber había aprendido a esperar con los años.

Se estiró sobre el terreno descubierto y empezó a cruzarlo sin escatimar lentitud, como una tortuga, arrastrándose sobre los codos y las puntas de los pies hasta llegar a la alta valla. Se encaramó a su punto más elevado y contó despacio en su cabeza. Éste era el tramo más vulnerable, aunque, dado que había elegido la zona de entrada menos probable, las posibilidades de que alguien centrara ahí la atención en ese preciso momento eran escasas. La suerte era a veces la perdición de un gran asesino.

El punto más alto de la valla se hallaba en la zona más descubierta del terreno. Pocos intentarían entrar por ahí porque serían detectados con facilidad y la valla era difícil de trepar. No tenía intención de hacerlo. Se echó cuerpo a tierra detrás de unos arbustos de escasa altura y excavó concienzudamente una pequeña cavidad. Empleando su fuerza reforzada, dobló la parte inferior de la valla lo justo para poder escurrirse por el hueco. Tenía que pegar el cuerpo al suelo cuanto pudiera, moviéndose en todo momento lo más despacio posible, como una tortuga, para no atraer la atención de Ken o de Mari. Cuando regresara, resultaría fácil volver a llenar de tierra el hueco y enderezar aquellos centímetros de valla, así que nadie sospecharía que había salido de la propiedad.

Una vez al otro lado de la valla, se metió en el bosque y avanzó en silencio. La luz de la luna era escasa, eso iba a su favor. La zona estaba cubierta de arbustos crecidos y bayas, lo cual hacía más difícil que la detectaran.

Dejó que su ritmo saliera de su mente, concentrándose en encontrar el de otra persona. En algún lugar por ahí, alguien vigilaba la casa de Jess y emitía energía. Percibía una amenaza en esa energía. Su mejor capacidad psíquica consistía en interpretar la energía y el aura. No podía leer los pensamientos mediante el tacto, como sí hacían algunas de las otras mujeres, pero ella percibía el peligro a kilómetros de distancia. Mientras se abría paso a través del bosque, la impresión de una amenaza aumentó de modo significativo.

Debía tener en consideración la posibilidad de que Ken o Mari repararan en la presencia del intruso y viniesen a investigar, y eso significaba tener que estar alerta en todo momento. Olió el humo de cigarrillos y ralentizó la marcha, descendiendo hasta el suelo para avanzar hacia el coche oculto entre los arbustos, justo al lado de un estrecho sendero transitable.

El vehículo estaba aparcado detrás de varias plantas muy frondosas. Era imposible verlo desde la carretera y desde luego no se distinguía desde la casa de Jess, lo cual significaba que quien vigilara no podía hacerlo desde dentro del coche. Saber se quedó quieta, esperando un sonido, cualquier cosa, que revelara dónde estaba ubicado el observador.

La brisa cambió un poco, y ella arrugó la nariz. Humo de cigarrillo y perfume... y reconoció el perfume. Chaleen.

Saber permaneció quieta, a escasos metros del vehículo, respirando hondo para mantener el cuerpo relajado, sin apenas generar energía. La idea de que la antigua novia de Jess estuviera espiándole la enfureció, pero no podía permitirse delatar su posición con una oleada de adrenalina que atrajera a Ken y a Mari corriendo hasta aquí.

Chaleen se encontraba de pie sobre una roca grande junto a un árbol. Permanecía lo bastante cerca de las ramas como para pasar desapercibida a primera vista como parte del follaje. Llevaba un traje azul oscuro y tacones increíblemente altos. Su calzado quedaba ridículo aquí en el bosque. Sostenía un par de gemelos junto a los ojos y estudiaba la casa de Jess con el ceño levemente fruncido.

Con un leve suspiro de impaciencia, dejó caer los gemelos, quedando colgados de la correa que le rodeaba el cuello. Se bajó de la roca con cuidado de no echar a perder los tacones, abrió el móvil y se fue andando en dirección a una zona más despejada del camino en un intento de buscar cobertura telefónica. En ningún momento dejó de observar la casa.

Cuando se llevó el teléfono al oído, su chaqueta se abrió revelando una funda de pistola debajo del brazo donde llevaba el arma. Vestía pantalones estrechos y al andar el tejido se alzaba lo suficiente como para revelar también su arma de reserva. Saber habría apostado a que llevaba otra en la espalda sujeta a la cintura, justo donde la chaqueta le quedaba lo bastante holgada como para disimularla.

Chaleen empezó a caminar de un lado a otro mientras hablaba por teléfono, claramente agitada. La energía crecía en torno a ella y se multiplicaba. Ken y Mari percibirían la amenaza y vendrían a echar un vistazo. O ahora o nunca.

—Te lo digo, nunca nos enteraremos de nada así. Es imposible. ¿Crees que Jess va a explicar todas sus confidencias a una antigua novia que además le traicionó? Es listo. Siempre lo subestimáis.

Saber reptaba a través de la maleza, acechando a su enemiga. Chaleen ya había traicionado a Jess una vez, no iba a darle la oportunidad de hacerlo de nuevo. Colocó su cuerpo para tener a Chaleen a su alcance mientras seguía caminando y hablando por el móvil. Necesitaba que diera otro paso y se detuviera. Ella ya había comenzado a adaptar el ritmo de su cuerpo al de su adversaria. El corazón, el flujo y reflujo de la sangre, el pulso constante... hizo de esas cosas su mundo. Una sinfonía de sonido, de música interpretada dentro de su mente, grabando notas en su cerebro donde discernía con claridad el esquema importante y la mejor manera de interrumpirlo.

Chaleen suspiró y dio otro paso, una vez más deteniéndose para retener la débil señal.

—¿Eso importa? Tiene otra novia. La seducción no funcionó antes y no va a servir ahora. Déjame decirte algo: no todos los hombres se dejan convencer para traicionar a su país. Deberíais haber aprendido eso cuando fue capturado y torturado. No entregó a la gente que estaba bajo su protección, ni siquiera cuando perdió las piernas. No. Desde luego que no. Sí, creo que Jess Calhoun continúa en activo, sin duda, pero no podéis utilizarle. Aceptadlo de una vez y pasad a otra cosa, maldición.

Saber rodeó con la palma el tobillo de Chaleen sin tan siquiera tocarlo. Podía sentir el calor ahora. La vida. La sangre en movimiento y la electricidad mientras ponía en práctica las órdenes del cerebro. Con paciencia infinita colocó sobre el pulso las puntas de los dedos, muy ligeras, casi como si no existieran.

Entonces cerró los ojos y absorbió el ritmo, los latidos constantes y el flujo de sangre a través de las arterias y las venas. Exhaló en el momento exacto en que Chaleen lo hacía, permitiendo renovar el aire de sus pulmones. Durante un instante experimentó la extraña euforia que acompañaba esta mezcla de ritmos corporales. Compartir la misma piel, el mismo aliento, el mismo pulso, era algo único e increíble, una sensación indescriptible. El momento más difícil llegaba con esa conexión. No podía reaccionar al regocijo, tenía que mantener el ritmo constante para continuar como un mismo ser.

—Sí fui a verle, pero no hubo oportunidad de entrar en su despacho. He observado a miembros de su equipo por aquí; son sus amigos.

Aunque mantenía la concentración en Chaleen, el sistema de alarma de Saber empezó a mandar llamadas de advertencia. Ni un sonido. Los Soldados Fantasma rara vez se delataban con ruidos, pero la energía que le llegaba era muy agresiva y se acercaba rápida hacia ella. Se le agotaba el tiempo. O ahora o nunca.

Saber introdujo una mínima nota en el ritmo constante. Chaleen reaccionó llevándose la mano al pecho.

—Mira, te digo que es una pérdida de tiempo. Jess Calhoun es un patriota y ha dedicado casi toda su vida a su país. No formaré parte de algo así, ni hablar. Se supone que estamos en el mismo bando, Karl.

Saber cerró los ojos y soltó un suspiro. Chaleen tal vez trabajara como agente para alguien, pero no iba a matar a Jess. No tenía mejoras genéticas ni nada que confirmara la conexión con Whitney. Poco a poco, con tremendo cuidado, levantó los dedos de su tobillo. Su corazón seguiría latiendo con normalidad, no se detendría, y Chaleen nunca sabría lo cerca de la muerte que había estado.

—Sugiero que pongas las manos donde yo pueda verlas —dijo Ken Norton en voz baja, pero tan amenazador que un escalofrío recorrió la columna de Saber.

Chaleen cerró de golpe el teléfono móvil y se giró en redondo para plantar cara al Soldado Fantasma, casi pisándola.

—No me apuntes con la pistola. Ya sabes quién soy y para quién trabajo.

Saber retrocedió hasta encontrar refugio entre la espesa maleza. Si Ken se encontraba aquí, Mari le estaría cubriendo la espalda, y eso le dejaba una vía abierta para regresar a casa.

—Pensaba que la CIA había dejado de acosar a Jess en la época en que perdió las piernas. ¿No fue entonces cuando tú le dejaste porque ya no te servía?

—A mí nunca me sirvió.

—No, apuesto a que no era el más indicado para conversaciones íntimas en la cama. Lárgate, Chaleen.

—Que te den, Norton —respondió ella.

Saber se arrastró cuan rápido pudo a través de la maleza hasta encontrarse en el bosque más denso. Corrió pegada a las sombras, deseando haber oído más de la conversación, pero consciente de que Jess iría a buscarla en cualquier momento.

Tardó menos de un tercio del tiempo en regresar, pues sabía que los Soldados Fantasma estaban ocupados con Chaleen. Se aseguró de ir agachada, camuflada en la noche para no atraer la atención de Mari, sin desprender energía, ni siquiera al correr, evitando activar el sexto sentido de los vigilantes.

Saber saltó al techo del garaje, que empleó como trampolín para acceder al tejado de la casa, y reptó hasta la buhardilla. Resultó algo más peliagudo dar el salto y alcanzar la cornisa, y retirar la rejilla con una mano, pero había practicado y consiguió entrar en el ático antes de que Ken regresara.

Soltando un suspiro de alivio por no haber tenido que matar a Chaleen, se encaminó con sigilo de vuelta a su salón y se cambió a toda prisa.

—Estás tremenda, Lily, falta poco para el alumbramiento, ¿verdad? —saludó Jess alzando la vista a la imagen en su monitor de la doctora Lily Whitney-Miller, hija de Peter Whitney, el hombre que había iniciado los experimentos psíquicos.

Lily permaneció sentada en la silla, con rostro serio y pálido, y los ojos llenos de preocupación.

—Cumplo dentro de un par de semanas, Jess. Y no tengo claro que pueda quedarme aquí después del parto, lo cual quiere decir que perderemos la poca ventaja que tenemos. No es seguro quedarse.

—Entiendo.

Por supuesto que entendía. Lily vivía en la casa que Peter Whitney había construido, con laboratorios secretos y ochenta habitaciones más túneles subterráneos incluidos. El equipo sofisticado situado en su interior era creación del doctor y contaba con un acceso secreto que le permitía revisar furtivamente todo lo que hacía su hija. Sin conocimiento del padre, Lily había vuelto las tornas y encontró la manera de acceder a los ordenadores del doctor, así pues la realidad era que se observaban el uno al otro.

Lily vivía básicamente en una pecera donde su padre podía monitorizarla a voluntad, pero ella a su vez podía transmitir los datos que los Soldados Fantasma le dejaban desvelar, y así intentaban seguir la pista del científico. Una vez que naciera el bebé, pensaba que el niño no estaría a salvo a menos que se trasladaran a otra ubicación donde Whitney no fuera capaz de secuestrarlo y emplearlo en sus experimentos.

—Copié un expediente de una niña llamada Winter del ordenador de mi padre y he preparado una copia impresa para ti. En una de las entradas de hace un año él anotó que la chica había cambiado la grafía por Wynter, así que estoy convencida de que tu Saber es esta chica. Tras leer este archivo, Jess, no puedo arriesgarme.

Jess tragó saliva mientras observaba las fotos esparcidas por encima de su escritorio. Las lágrimas formaron un nudo en su garganta.

—Dios mío, era un bebé. La entrenó para asesinar y la utilizó antes de que creciera incluso.

La imagen de Lily reflejaba su propio horror.

—Es peor que eso, Jess. Ahora él concibe un mundo diferente, en el que descarta los defectos de nacimiento y convierte a los humanos en seres superiores. Los llama soldados superiores, pero en realidad quiere una fuerza elitista de genios, videntes y humanos genéticamente superiores. Es un megalómano tan fanático que ha perdido de vista la realidad. Accedí a los expedientes de una de las niñas que empleó para experimentar con Winter; se llama Thorn, una niña que no consideraba importante porque no la creía apta para su plan final. Parece que aún la considera prescindible.

—Ahora sabemos qué les sucede a las niñas que no están al nivel que él exige. Se quedan en el otro lado de los experimentos.

Lily no se molestó en ocultar las lágrimas.

—No sé cómo vas a impedir esto, Jess, la verdad, lo desconozco. Es multimillonario y tiene centros de investigación por todo el mundo. Tiene acceso a escuelas, laboratorios y hospitales. Cuenta con muchísimos amigos en varios gobiernos, y la verdad es que, por mucho que lo condenen públicamente, quieren que continúe con su trabajo. Nadie más puede darles lo que él ofrece.

—Eso son sandeces, Lily.

—Ojalá lo fueran. Es mi padre, pero hay que destruirle; ha superado todos los límites. —Se frotó las sienes, con rostro fatigado y marcado por las arrugas. Tenía ojeras—. En algún momento descendió de la grandeza a la locura. Es una completa locura lo que hace.

—Lo lamento, Lily —dijo Jess, y hablaba en serio.

Lily ya había sufrido suficiente. Podía percibirlo, irradiaba de ella cada vez que la tenía cerca.

—Una niña asesina, Jess, formada cuando aún andaba a gatas. Capaz de introducirse en una habitación y matar con el mero contacto de la mano, y nadie se enteraría jamás de que ella era la asesina. Un ataque al corazón, sin un solo pinchazo en el cuerpo. Era un arma asesina perfecta. ¿Qué gobierno no daría el brazo derecho por tenerla? Logan me pasó la foto que mandaste. No te preocupes, me la entregó en mano, y luego la destruí, pero intenta aparentar más edad de la que tiene.

—Me he dado cuenta de eso.

—La entrenaron sobre todo para misiones encubiertas. Una bonita escuela en la que aprendió todo lo necesario para introducirse y salir de cualquier sociedad, cualquier cultura, sin dejar rastro. Se funde y pasa desapercibida. Es uno de sus puntos fuertes. Se convierte en lo que haga falta para lograr su objetivo. Es letal, Jess. Un contacto, puede matar sólo con un contacto.

—Lo capto, Lily.

No era culpa de Lily. Tuvo que recordarse que estaba cabreado y que quería una víctima. No podía ser Lily. Ya había sacrificado demasiado de sí misma para ayudar a los Soldados Fantasma, pero maldición, no quería oírla hablar de Saber como si fuera imposible rescatarla. Todos ellos eran asesinos, hasta el último del equipo.

—Mi padre ha estado siguiéndole el rastro mediante sus trabajos en emisoras. La están vigilando, intentando determinar si pierde habilidades fuera del complejo militar y lejos de su instrucción. Pero lo más importante, Jess, es que lo organizaron para que llegara a ti.

Calhoun suspiró y se pasó la mano por el pelo.

—Entonces, provocaron el accidente de coche que mató a mi equipo.

Y al novio de su hermana. ¿Cómo la iba a mirar otra vez a la cara? Si habían empujado el coche de David por el precipicio, el accidente de Patsy era ¿también un intento de asesinato? Pero, ¿por qué?

—Sí. —Lily sacudió la cabeza—. Lo lamento, Jess. Para él es como una partida de ajedrez. Somos meras fichas sobre su tablero y nos mueve según le convenga.

Jess se apresuró en hacer una llamada a la unidad de seguridad para poner vigilancia a su hermana antes de esparcir las fotografías de la infancia de Saber sobre su escritorio con una perceptible oleada de rabia. Mientras el aire se cargaba, las paredes respiraban como si intentaran calmarle.

—Ya veo cuál es su idea de diversión intelectual. Mira las cosas que le hizo. La obligó a matar animales. Intentó que matara a otras niñas. La encerró en pequeños espacios oscuros con su cuerpecito contorsionado en posturas retorcidas durante horas. ¿Has visto ésta, Lily?

Sostuvo una imagen de Saber tirada boca abajo. No podía tener más de trece años. Varios hombres la rodeaban con cigarrillos encendidos. Le habían tocado la piel repetidas veces con ellos.

—Él quería que no se moviera ni gritara fuera cual fuese el malestar —leyó Lily en su copia del expediente—, éste es el término que emplea en el informe: sea cual sea el malestar, el asesino debe permanecer quieto y esperar hasta el momento perfecto para atacar.

Jess quiso golpear a alguien, preferiblemente a Whitney.

—Siempre lleva camisetas sobre el traje de baño.

No podía dar rienda suelta a su rabia del modo que quería al ser muy consciente de las lágrimas de Lily en aquel momento. Las estaba conteniendo, horrorizada, indignada y asqueada por las cosas que su padre hacía.

—Entiendes por qué no quiero quedarme en esta casa, ¿verdad, Jess? —dijo Lily—. No puedo arriesgarme a que ponga las manos encima de mi hijo.

—Por supuesto, tú y el niño debéis poneros a salvo, Lily. Has hecho por los Soldados Fantasma más de lo que te correspondía, y todos te estamos agradecidos.

—Tenemos que encontrar la manera de detenerle. Pensaba que se trataba sólo de las chicas del laboratorio donde yo estaba. Pero las tiene desperdigadas por todas partes.

—Eso tendría sentido. Si descubren o destruyen a un grupo, tiene otros para seguir trabajando.

Lily se frotó la cabeza como si le doliera.

—No puedo encontrarlas a todas. Ni siquiera sé cuántas estoy buscando. —Indicó el expediente sobre el escritorio de Jess—. ¿Lo has leído?

—Aún no —dijo Jess—. ¿Empleó feromonas con nosotros?

Lily suspiró.

—Sí. Lo lamento. Siempre te sentirás atraído por ella físicamente, pero eso no quiere decir que no vayas a enamorarte nunca de alguien.

—Estoy enamorado de ella.

Lily sacudió la cabeza y se inclinó hacia delante para mirar fijamente la pantalla.

—Estás enamorado de la imagen que ella presenta. Mira qué infancia, Jess. Ha llevado una vida regimentada, de instrucción y disciplina. Es una asesina. Nacida y criada para eso.

—No, no nació para eso ni se crió para eso —soltó Jess—. Se la llevaron de niña, básicamente la secuestraron y la hicieron prisionera, y la sometieron a tortura. Aprendió a ser lo que es para poder sobrevivir, Lily. No es lo mismo, y si no sabes distinguirlo...

Una cabeza masculina se inclinó para aparecer en la pantalla.

—Ya basta —interrumpió el capitán Ryland Miller—. Ha empleado una frase errónea; no veas más de lo que hay.

Jess se tragó su rabia. Sí, Lily se había equivocado y el mal genio de Jess era conocido por todos. Tenía que mantenerlo a raya. Sólo que aquella foto era tan descorazonadora. Whitney había documentado la transformación de una niña en asesina y lo había hecho evidentemente con orgullo. Si había existido algún hombre que mereciera morir, ese era él.

Como si le leyera la mente, Lily volvió a hablar.

—Entenderás que él no podría poner en marcha una operación de esta magnitud si no tuviera autorización y mucha ayuda, ni siquiera con todo su dinero, contactos y lealtades. No lo está haciendo solo. Son demasiados proyectos. Tal vez él conciba las ideas, pero otros se encargan de los experimentos y los llevan a cabo.

Jess retrocedió en su silla, esta vez pasándose ambas manos por el pelo. Necesitaba ver a Saber, tocarla, saber que estaba bien. Se sentía hundido y herido tras ver una pequeña parte de su infancia. Él había crecido en una familia encantadora, con padres maravillosos y una hermana que le adoraba. No podía imaginar cómo habría sido la infancia de Saber.

—¿Qué más tienes para mí, Lily?

—No va a gustarte.

—No lo pongo en duda.

Hasta ahora nada le había gustado. Sí, Whitney contaba con ayuda, alguien que, fuera quien fuese, intentaba enviar a los Soldados Fantasma a misiones suicidas. Y a él le correspondía encontrar una fuga en la cadena de mando y suprimirla.

—Estaba ahí, cuando te operamos las piernas, él estaba ahí.

Jess notó la agitación en su pecho. La idea de Whitney entrando en el hospital y observando la operación con guardias de seguridad apostados en todas partes era terrorífica. Lily estuvo allí, y Ryland siempre le ponía vigilancia.

—¿Estás convencida?

—Conseguí acceder también a tu expediente, y tiene todas las notas con sus observaciones y conclusiones. Estimó que Eric y yo hicimos un trabajo brillante. Dice que aunque trabajas muy duro en la recuperación física, descuidas justo lo que haría que la biónica funcionara, y afirma que ni Eric ni yo hemos pensado en ello. No está contento con esto. Piensa que estamos demasiado centrados en otras cosas, yo con el bebé y Eric intentando hacer de médico con los Soldados Fantasma.

—¿A qué se refiere?

Porque lo cierto era que Peter Whitney era un hombre brillante y, si a ellos se les escapaba algo sobre la biónica, él lo sabría.

—Mencionó tus habilidades psíquicas. Estás empleando las capacidades físicas para curarte, pero no las mentales. Advierte que deberías hacer ejercicios y visualizaciones para crear las vías neuronales que tracen las conexiones entre tu cerebro y las piernas.

—He empleado la visualización. Fuiste tú quien me enseñó a trabajar así. Whitney está lleno de mierda.

Por primera vez, Lily le dedicó una débil sonrisa.

—Dice que tus facultades como vidente son potentes y que tienes el cerebro muy desarrollado, por consiguiente deberías ser capaz de formar las vías neuronales más deprisa mediante la visualización. Y estoy conforme con él. Estás empleando la parte normal del cerebro así como la terapia física, y estamos descuidando una parte vital que podría propiciar una curación más rápida. Además —vaciló y echó un vistazo a su marido— en su opinión deberíamos haber empleado corrientes eléctricas para estimular las células.

—No estoy seguro de si me gusta el tono especulador de tu voz.

Jess estiró el brazo y cogió el expediente de Saber para hojear las fotografías de su vida. Parecía tan joven, tan inocente y vulnerable… Era incomprensible que no hubiera tocado la fibra protectora de Whitney. ¿Cómo podía mirarla y no querer cuidar de aquella niña tan guapa?

—Jess —dijo Lily—. Tal vez sea un monstruo, pero deberíamos considerar su opinión médica en esto.

—¿Quieres darme una descarga para ver si mis nervios responden?

—Bien, la estimulación eléctrica produjo de hecho resultados en los lagartos que no regeneraban con normalidad la cola.

—Oh, por el amor de Dios, Lily —dijo Jess.

Se salieron varias fotografías de la carpeta y cayeron al suelo, escapándose hasta donde Calhoun no podía alcanzarlas. Suspiró y se inclinó a recogerlas. La mano de Saber llegó antes. Era la foto en la que aparecía con el perrito color chocolate: antes y después de que ella lo hubiera tocado.

Capítulo 11

Saber contuvo la respiración mientras observaba la fotografía que sostenía en la mano. Un extraño estruendo retumbó en sus oídos. Su corazón latía con violencia, imposible detener la oleada de lamentable humillación. Ahí estaba, con ocho años. Ya entonces tenía ojeras. Podía verlas. Estaba sonriente en la serie de fotos, jugando con el perro. Pero al final aparecía llorando y el perro yacía sin vida sobre su regazo. Todavía se despertaba por la noche con el corazón acelerado y las lágrimas atragantándola y empañándole los ojos con el recuerdo de aquel horrible momento en el que se percató de que había eliminado aquella vida. Había matado con su contacto.

Por un momento fue incapaz de pensar o respirar. El estruendo en sus oídos aumentó hasta sentir dolor en los tímpanos. «Él había sacado a la luz la asesina que llevaba dentro.» Asesina. Criminal. Maligna. Llevaba la muerte en su mano. Jess Calhoun, la única persona que había amado de verdad en la vida, la veía tal y como era.

Jess atraía las emociones como un imán y las de Saber eran abrumadoras. Se sentía muy vulnerable, muy avergonzada, y también repugnante… como si no tuviera derecho de pisar la misma tierra que él. Que nadie. Despreciaba lo que podía hacer, lo que había hecho, y el hecho de que él lo hubiera visto —que lo supiera— era más de lo que podía soportar.

Era vagamente consciente del contacto telepático de Jess intentando calmarla, tranquilizarla. Sólo era una niña entonces. Whitney era el monstruo, no ella. Whitney la había obligado a obedecer, sólo él era el responsable de cualquier muerte.

Saber retrocedió dos pasos. Quiso salir corriendo, pero estaba paralizada. Incluso su mente parecía paralizada. Alzó la mirada para mirar a Jess. Esperaba su desprecio, tal vez miedo, pero no lástima. Y eso la enfadó. Más que enfadarla, se sintió enfurecida por la traición.

—Maldito seas. No podías dejar esto en paz, no podías ¿verdad?

Jess oyó la mezcla de rabia y vergüenza en la voz. La mirada de Saber se desplazó al monitor situado detrás, y Calhoun lo apagó, dejando entre ellos dos lo que tuvieran que decirse.

—Saber, comprenderás que tenía que investigarte.

Se esforzó por mantener a raya las emociones, las de él y las de ella. La chica parecía a punto de hacerse añicos, romperse en millones de pedazos.

—Pues espero que hayas descubierto lo que creías necesitar saber. —El pecho le oprimía tanto que amenazaba con implosionar. Le temblaba la mano que sostenía la foto, y la arrojó al suelo delante de la silla de ruedas—. Todo el mundo se ha ido. —Se esforzó por mantener la voz calmada y uniforme—. Pero aún quedan un par de tus amigos vigilando ahí fuera, por lo tanto estarás bien si hay algún enemigo cerca. Me largo. No puedo quedarme aquí.

Y lo cierto era que no podía... ahora que él sabía lo que era.

—Saber, para. —Lo dijo en voz baja, sin desafío, sin amenaza. Desplazó el cuerpo en la silla, tan sólo un leve movimiento como si cambiara de posición—. Esto tenía que salir. No puedes seguir escondiéndote.

Ella alzó la barbilla.

—No me escondo, lo vivo. —Alzó la palma, con los dedos extendidos—. ¿Qué quieres que diga, Jesse? ¿Que mato con el contacto de la mano? ¿Que de niña me obligaron a matar animales? ¿Que él intentó hacerme matar a otras niñas?

Calhoun se tragó el nudo de amargura en la garganta.

—¿Llegó tan lejos?

—Me obligaba a experimentar. Si no las tocaba, él iba a hacerles algo espantoso. Aprendí enseguida a ir con cuidado, y tal vez ése era el propósito desde el principio; pero con la misma facilidad podía haber cometido errores, como con los perros. No siempre conseguía mantener el control. —Cerró los ojos un instante y luego le fulminó con la mirada—. No quería que se enterara nadie. Tenía derecho a guardármelo.

—Whitney no va a rendirse nunca.

—¿Crees que no lo sé? ¿Piensas que no sé que en el instante en que un gobierno pille ese expediente vendrá también a por mí? No soy estúpida, Jesse, lo que pasa es que no estoy dispuesta a matar más.

Ni por Whitney, ni por el gobierno. Casi había matado a su antigua novia, ¿qué le parecería eso?

—Pero no puedes huir el resto de tu vida.

Una pequeña sonrisa sin humor curvó su boca:

—Eso es exactamente lo que puedo hacer.

—Quiero que te quedes conmigo.

Ella le lanzó una mirada centelleante. Dolor. Traición. Rabia.

—Has conseguido que eso sea imposible ahora. Quien esté al otro lado de la conexión, sea quien fuere, sabe de mí. Compartiste esa información, les enviaste mis huellas e hiciste preguntas, diste la alarma. Eras consciente de que yo estaba huyendo, pero lo hiciste de todos modos.

Jess se estremeció al oír la cruda acusación en la voz.

—Sabes muy bien que todo lo que hago esta clasificado, maldición. Sería de lo más negligente por mi parte no investigar a una mujer sin pasado que está viviendo en mi casa.

—Llevo casi un año viviendo aquí, Jesse. ¿Por qué ahora? ¿Por qué de repente?

—No actué antes porque pensaba que huías de un marido que te maltrataba. Pero te comunicaste por telepatía, y no me quedó otra opción. Whitney tiene gente por todas partes, tiene tantos contactos que puede colocar a alguien en el sitio que quiera… hasta en la Casa Blanca. No podía arriesgarme a que trabajaras para el enemigo.

—¿Sabes qué? Que no importa.

Tenía que salir antes de que se echara a llorar. Una vez que empezara no podría parar. Jess había representado la esperanza, un hogar. El amor, una oportunidad. Todo esfumado en un instante.

Retrocedió para salir de la habitación, incapaz de soportar la visión de esas fotografías, incapaz de soportar que él permitiera que alguien más las viera. Incapaz de soportar incluso que existieran.

—Por supuesto que importa. —Jess la siguió, arrojando el expediente a un lado e impulsando con fuerza las ruedas de la silla para deslizarse y mantenerse a su altura—. Protegemos a los nuestros, Saber. Nadie más va a tener acceso a ese expediente. Tal vez haya incluso una manera de destruir los datos del ordenador de Whitney.

Saber echaba humo cuando le miró por encima del hombro:

—Tiene montones de copias repartidas, y te garantizo que a estas alturas tu amigo también. Querrán estudiarme, Jess, para deducir cómo lo hago y si se puede repetir. Viví un infierno y no voy a volver a pasar por lo mismo. Ni por ti ni por nadie más.

Avanzaba más deprisa que él en dirección a la parte posterior de la casa. No iba a recoger sus cosas. Si permitía que se fuera, si no la detenía en ese mismo instante, se desvanecería sin dejar rastro.

—Saber, no hagas esto.

—No me dejas otra opción.

Empezó a correr, atajando por la sala de entrenamiento en dirección a la galería posterior.

Sólo tenía una opción para detenerla. Saber podía superarle en la silla de ruedas, pero no si usaba las piernas. Ahora o nunca, el momento más importante de su vida. Obligó a su cuerpo a incorporarse con piernas temblorosas, pero estaba decidido. Ella miró por encima del hombro y se quedó pálida. Se paró en seco mientras él daba un paso vacilante, luego un segundo. Jess se estrelló contra el suelo cuan largo era, dándose un buen porrazo.

Maldijo, la furia le ennegrecía la visión mientras se sentaba dándose con los puños en las piernas inútiles. Al otro lado de la habitación, Saber soltó un jadeo y regresó a toda prisa junto a él. Luego aminoró la marcha y se detuvo de nuevo negando con la cabeza.

—Maldición, Saber.

Jess lo vio en su rostro: iba a dejarle tirado en el suelo. Se marchaba de verdad. La chica se dio media vuelta y empezó a andar de nuevo en dirección a la puerta.

Decidido a no rendirse, Jess se incorporó, obligando a sus piernas inútiles a trabajar. Extendió el mapa en su cabeza tal y como los doctores le habían enseñado y envió una orden tras otra a los nervios y músculos que revestían su biónica. «Van a funcionar. Funcionad, maldición. No voy a perderla.» Notó un enjambre de pinchazos subiendo y bajando por las piernas y las chispas abriendo agujeros en el tejido. Esta vez no hubo pasos vacilantes: salió corriendo tras ella.

Saber agarró el pomo para abrir la puerta de par en par, pero le fue arrancado de la mano y la puerta se cerró de un portazo. Un poder henchía toda la habitación. La ventana también se cerró de golpe. No sabía que él pudiera hacer eso, mover los objetos sin tocarlos. ¿Qué sabía en realidad de él? Miró por encima del hombro y le vio llegar. Y entonces cayó en la cuenta: Jess estaba de pie.

Era grande, más alto de lo que había pensado. Y fuerte. Conocía su fuerza, sabía cómo hacía ejercicio a diario y levantaba el peso de su cuerpo con sus brazos una y otra vez. Nunca pensó que le vería en pie, e iba a alcanzarla en cualquier instante, pues cubría la distancia que les separaba con largas zancadas. Encontró su mirada y vio el fuego en los ojos, una furia que nunca había advertido hasta ahora, y una decisión cruel en el rostro.

La impresión de verle en pie la dejó sin aliento. Abrió la boca pero no surgió nada.

Puedes andar. Serás miserable, hijo de perra. Llevas sentado en la silla todo este tiempo engañándome, y resulta que puedes andar.

Tanta traición casi no le dejaba pensar. La pura rabia se disparó por sus venas, extendiéndose como un fuego descontrolado.

—Hijo de perra asqueroso. Eres un mentiroso manipulador, infame y miserable. No eres mejor que Whitney.

No pudo decir nada más pues las piernas dejaron de sostenerla por el raudal de potencia en la habitación, obligándola a caer cruelmente sobre la gruesa estera. Jess la cogió antes de llegar al suelo y rodó para llevarse él el topetazo del aterrizaje. Se encontró sentada encima de Jess, con el cuerpo pegado a él y el rostro a escasos centímetros. La estrechaba con fuertes brazos, sujetándola para que no se moviera.

—Deja de forcejear, maldición. Estás enfadada y dolida, y te sientes traicionada. Y tal vez estás en tu derecho.

—¿Tal vez?

—Sí, tal vez, maldición. Ponte en mi sitio. ¿Habrías actuado de algún otro modo?

—Bien... —Se interrumpió y lo intentó una vez más—. No te habría traicionado. —Volvió a empujarle—. Me retienes en contra de mi voluntad. Suéltame y deja que me largue.

—Escúchame, Saber. Si después de hablar aún quieres marcharte, aceptaré tu decisión, pero no así. Al menos dame la oportunidad de explicarme.

—¿No tienes miedo? —dijo entre dientes, furiosa por no poder soltarse.

—¿Miedo de qué? ¿De ti? Nunca me harías daño, Saber, ni en un millón de años.

—No estés tan seguro.

—Estoy del todo seguro. ¿Parezco asustado?

—Pareces un mentiroso. Fingías estar en esa silla de ruedas cuando podías andar todo este tiempo. Y fingías preocuparte por mí cuando me estabas traicionando todo el rato, vendiéndome a tus amigos.

—Sabes que no es así. —Retenía con el muslo las dos piernas de Saber, deteniendo su forcejeo con eficacia—. Para. No vas a ir a ningún sitio hasta que hablemos.

—No quiero hablar contigo.

Rodó y la inmovilizó debajo de su cuerpo de mayor tamaño, luego atrapó sus dos muñecas para poderla obligar a mirarle con la otra mano.

—Pues tienes que hablar conmigo, Saber.

Durante unos instantes la mirada de la chica pugnó con la de él, con gran tensión en el cuerpo.

—Winter —le espetó, probando a llamarla por su nombre.

Ella alzó la cabeza de súbito, con mirada ardiente.

—¿Cómo me has llamado?

Jess la agarró con más firmeza. Tenía la silla de ruedas en la otra habitación y si la soltaba desaparecería para no volver jamás, porque después de aquel estallido de fuerza había perdido la sensibilidad por completo. Ahora sus piernas yacían pesadas e inútiles.

—Pensaba que podría gustarte que te llamaran por tu nombre de pila.

—No me llames así, odio ese nombre. Me lo puso él y desprecio todo lo que representa.

—Muy bien. Porque Saber me gusta mucho más. Te pega.

Siempre pensaba en ella como Saber.

—No voy a regresar allí, Jesse. Nunca. Haré lo necesario para librarme de él.

—Desde luego que no vas a volver. —Encontró su mirada—. Voy a protegerte, te lo juro, Saber.

—No puedes detenerle, Jesse, nadie puede.

—Tal vez no como individuos, pero los Soldados Fantasma, como grupo, somos bastante buenos a la hora de defendernos. Y tú eres de los nuestros.

La chica soltó un resoplido de desdén.

—¿Quién diablos va a aceptarme? Sabes que tengo razón.

Jess se quedó muy quieto cuando lo comprendió. Toda la rabia, toda la furia, tan racional hasta el momento, ocultaba lo único que ella más temía. Saber se consideraba un monstruo al que no se podía amar, alguien a quien no se podía redimir. Quiso cogerla en sus brazos y estrecharla con fuerza, pero no se atrevía... todavía no.

Se inclinó un poco más.

—Pequeña, escúchame. Aunque no te creas nada más, créete lo que te voy a decir: éste es tu sitio y yo soy el hombre que puede aceptarte... y que te quiere.

—Deja que me levante, Jesse —dijo intentando aferrarse a la rabia que empezaba a desvanecerse. Estaba cansada de pelear, cansada de huir, cansada de tener miedo. Sobre todo, estaba cansada de despreciarse a sí misma—. Esto es una pérdida de tiempo a muchos niveles.

El calor del cuerpo de Jess empezaba a penetrar el frío ártico de Saber, fundiendo el hielo que envolvía su corazón. La caricia en su voz, la mirada de amor en sus ojos, provocó una espiral de calor en la boca de su estómago. No quería pensar en cuánto le quería ni en aquella sonrisa tan encantadora. Ni en el calor que transmitía su cuerpo. Quería odiarle. Ni siquiera eso. No quería sentir nada en absoluto.

—¿En serio piensas que alguien va a aceptarme en su vida? ¿Tu equipo? ¿Tu familia? No querrán saber nada de mí.

Jesse no pudo evitar acercarse un poco más para inspirar su fragancia y rozar brevemente con la nariz el calor de su cuello.

—Eres tú la que no te aceptas a ti misma, Saber. Estoy acostumbrado a los diferentes dones psíquicos de los Soldados Fantasma, y no te equivoques, eres una Soldado Fantasma.

Las lágrimas humedecieron las pestañas de Saber, y apartó la mirada de sus ojos pese a la firmeza con que él sujetaba su barbilla para que siguiera mirándole.

—Soy una aberración, un monstruo, una asesina de niños. Por el amor de Dios, Jesse, has leído el expediente. Maté por primera vez a un ser humano con tan sólo nueve años. No soy como tú ni como los demás, soy una máquina humana de matar. Si Whitney lograra que me invitaran a cenar a la Casa Blanca, podría acercarme al presidente lo bastante como para matarle delante del servicio secreto sin que nadie se diera cuenta. Igual que si tuviera un ataque al corazón. Incluso podría aparentar intentar ayudarle, y ni él ni sus guardaespaldas sabrían nunca que le estaba matando. Explícame cómo puedo ser de los vuestros con eso.

Jesse le soltó las muñecas y tomó su rostro con las manos.

—Eso te hace exactamente igual al resto de nosotros... exactamente. ¿Piensas que ninguno de nosotros ha matado antes por accidente? Tenemos poderes que supuestamente no deberíamos tener y hemos aprendido a controlarlos. Todos nosotros sabemos lo que es tener miedo a lo que somos y a lo que podemos hacer.

Saber abrió la boca para contestar, pero entonces calaron las palabras de Jess. No había pensado demasiado en los demás y lo que podían o no podían hacer. No lo sabía. Jess había cerrado la puerta de golpe desde el otro lado de la habitación. ¿Qué más podía hacer? ¿Qué podían hacer Mari y Ken? ¿O Logan? La habían mantenido apartada de otros como ella porque los asesinos no formaban parte de ningún equipo, eran solitarios. Operaban en secreto cuando realizaban una misión. Nunca había tenido un amigo de verdad, con la excepción de Thorn, y ni siquiera se veían a menudo.

—Deja que me levante, Jess.

No podía razonar con su cuerpo tan cerca y quería mantener la mente centrada en la supervivencia.

Se retorció, el cuerpo de Saber se restregó contra él como una tentación, y Jess cerró los ojos absorbiendo el contacto y su forma.

—Si dejo que te levantes, perderé la ventaja que tengo. En cualquier caso, pienso que me has dejado desinflado con ese codazo; no puedo moverme.

Su cuerpo estaba duro como la roca, no iba a intentar disimular su excitación. Se movió seductor acunándola entre sus caderas.

Un rubor cubrió los pómulos altos de Saber.

—Ya veo que te mueves muy bien, de modo que levántate de una vez.

—De hecho, no puedo.

La estrechaba con brazos posesivos, saboreando con la boca la piel perfumada en el hueco de su cuello.

Su lengua realizó un raspado aterciopelado, moviéndose sobre su pulso, dejando pequeños dardos de fuego precipitándose sobre su piel. El cuerpo de Saber, motu proprio, se fundió con él, flexible, como si no tuviera huesos, echando a arder con el contacto, aunque el cerebro le aullaba que no reaccionara así.

—Me has traicionado.

La acusación sonó desesperada porque se sentía desesperada. Jess Calhoun era su enemigo porque era la única persona que podía impedir su huida.

—Saber, te han entrenado tan bien como a mí. Conozco a Whitney lo suficiente como para saber que te ha enseñado lo necesario sobre autorizaciones de seguridad y acceso a información sólo necesaria. Trabajas en operaciones clandestinas, encubiertas, y sabes a la perfección qué significa eso. Yo trabajo para el gobierno. En lo que a seguridad nacional se refiere no corremos riesgos. Lamento que te parezca una traición, pero no puedo comprometer a mi país porque esté enamorado de ti.

Ella volvió a forcejear.

—Si no me sueltas, vas a sufrir algún daño.

—¿Quieres que te suelte, Saber? Si de verdad piensas que te he traicionado, si realmente crees que no soy mejor que Whitney, entonces hazlo... mátame ahora.

Ella dejó de moverse, sin expresión alguna en el rostro, pero Jess se negó a apartar la mirada. La sacudió un poco.

—Hazlo. Sé que puedes, sé que oyes mis latidos. —Tiró de su mano y le colocó la palma sobre el pecho, reteniéndola ahí—. De un modo u otro, vas a arrancarme el corazón, por lo tanto hazlo bien.

—Déjalo, ya sabes que soy incapaz. —Las lágrimas brillaban en sus ojos—. Sé que no eres como Whitney, no fuerces tanto la situación.

—Estás asustada, Saber. Te resistes a mí, a nosotros, porque te da miedo salir malparada, entregarte y que yo acabe traicionándote. Traicionándote de verdad. Te asusta entregarme el corazón porque temes que vaya a hacerte más daño que nadie. ¿Por qué tienes que pensar así, Saber? —Le sostuvo el rostro obligándola a mirarle, pues ella quería apartar la mirada de la verdad—. Te diré por qué. Es porque me quieres, me quieres tanto que te da miedo. ¿Y adivinas por qué lo sé? Porque te quiero de igual modo. Todo en ti, cada parte de ti, desde la pobre niña obligada a matar a la hermosa mujer valerosa que intenta con tal esfuerzo no volver a asesinar. Te quiero, Saber. Te quiero. Y, si me abandonas, poco importa que me mates antes de irte, porque estaré muerto sin ti de todos modos.

—Para, Jesse. Para. Tienes que dejarlo.

—Puedes huir el resto de tu vida, pero ¿para qué? ¿Qué clase de vida tendrás? ¿Sola? ¿Sin mí? ¿Huyendo? Quédate conmigo, Saber... No puedo prometerte que él no te persiga, pero te prometo que no vas a tener que enfrentarte sola a él cuando suceda.

Llevaba tanto tiempo sola... hasta Jess. Entonces había encontrado un hogar, una vida. Tenía el mejor amigo del mundo, que le hacía reír. Con él podía mantener una conversación inteligente sobre cualquier tema. Tenía un hombre que la hacía sentirse hermosa aunque no lo fuera. Y sexy. Nunca se había sentido así hasta que él abrió la puerta y ella vio ese fuego arder despacio en sus ojos.

¿Cómo podría soportar renunciar a él y volver a las sombras? ¿Fingiendo? Notó la boca de Jess caliente contra su cuello, los labios suaves y firmes. Deseaba esto, la fuerza dura de sus brazos, las exigencias excitantes de su cuerpo masculino, la pura magia aterciopelada de su boca exploradora. Los labios dejaron un rastro llameante desde el cuello hasta un lado de su boca temblorosa. Sin pensamientos de resistencia… ¿cómo podría haberlos?

Saber se encontró acariciando con sus dedos sensibilizados la definición de sus músculos, avivando su propio fuego y el de Jess. Se estaba fundiendo, se sentía cada vez más elástica, dominada por una fiera excitación y un ardor húmedo.

Jess desplazó su peso y la colocó debajo de él, pegando a continuación la boca con ansia a sus labios y devorando con urgencia esa dulzura. Extendió la palma de la mano sobre su garganta y percibió su pulso revelador, el calor satén de su piel. Separando los dedos siguió la línea de la clavícula, acariciando luego la suave prominencia de sus pechos. La boca de Jess no daba tregua y exigía la respuesta tímidamente ardiente de Saber.

Deslizó la otra mano hacia arriba por el contorno de su cadera y la estrecha caja torácica, apartando el tejido de la camiseta que se interponía entre ellos. Encontró su marcada cintura, tan delgada, y apoyó ahí la mano posesivamente, deslizándola seguidamente por la espalda deseoso de explorar cada centímetro de su piel perfecta. Tocó con la punta de los dedos una elevación circular rígida y luego encontró una segunda.

Saber entró en tensión al instante, apartó la boca de sus labios y empujó con fuerza los músculos marcados de sus hombros. La mirada negra de Jess estaba fascinada con su rostro transparente, captando el barullo de emociones confusas, un matiz de desesperación, miedo e incluso repulsa. El deseo ardiente y sensual se desvanecía poco a poco de sus ojos obsesionados, pero los labios retenían la marca que había dejado su boca.

Jess levantó los brazos para abrazarla.

—Deja de forcejear, Saber —le ordenó con aspereza.

—Suéltame. No puedo hacer esto. De verdad que no. Lo lamento, pensaba que podía pero...

Saber se echó a un lado justo cuando sintió que Jess aflojaba el asimiento. Sabía que él suavizaría la presión, siempre era consciente de su fuerza y tenía cuidado de no hacerle daño. Jess maldijo mientras ella se tiraba sobre la estera y luego gateaba para poner una distancia segura entre ellos. La atrapó por el tobillo, para que no se alejara.

—Jess, suelta. Tengo que salir de aquí.

Se sentó jadeante, con el rostro pálido de desesperación y un ruego en su voz próximo al terror.

El corazón de Jess reaccionó y cada nervio de su cuerpo respondió a esa desesperación, pero por otro lado era consciente de que la retenía con tanta fragilidad o fuerza como sus dedos pudiesen rodear el tobillo.

—Cálmate, pequeña —dijo bajito y con dulzura—. Siéntate aquí, Saber, porque no voy a soltarte. Ni ahora ni nunca. Nos pertenecemos el uno al otro, tú lo sabes.

—¿De verdad crees que esto va a tener un final feliz como en los cuentos de hadas? —Se secó las lágrimas del rostro—. Ni siquiera he leído esos cuentos, Jesse. Cuando te conocí y me los mencionabas para tomarme el pelo, te mentí y dije que tenía algunos favoritos, pero nunca en la vida he leído ni uno.

—Pues yo sí creo en los finales felices —le contestó—. Mis padres llevan juntos muchos años y aún siguen enamorados. Quiero una familia, Saber... contigo.

El rostro de la joven empalideció visiblemente.

—No digas eso.

—¿Que no diga eso? ¿Que te quiero? ¿Que te quiero como esposa y madre de mis hijos? ¿Que veo posible compartir la vida juntos? Tengo una amiga casada con un Soldado Fantasma. La criaron en un manicomio. Provoca fuegos fortuitamente cuando la energía aumenta a su alrededor. Ella no pensaba que pudiera tener su propia vida y, créeme, Whitney la perseguía. Consiguió salir adelante. No puede estar con mucha gente al mismo tiempo, pero ella y su marido, Nico, tienen un hogar maravilloso y una buena vida. Nosotros podremos también, si lo deseamos lo suficiente. Yo lo deseo con locura. Sólo tienes que quererlo tú también.

Saber clavó la mirada en los ojos de Jess, su azul casi púrpura y las lágrimas incrementando el efecto. Un hombre podría ahogarse en esos ojos. Poco a poco, centímetro a centímetro, Jess se incorporó hasta sentarse. La veía tan afectada que quería cogerla en brazos, pero no había vencido, aún no. No aflojó el asimiento en su tobillo.

—Ven aquí y enséñame qué es eso que tienes en la espalda para entrar en pánico de este modo.

Los ojos de Saber se agrandaron de la sorpresa. Negó con la cabeza.

Se escurrió alejándose de él por la estera, pero Calhoun tiró de la pierna. Perdió el equilibrio y se cayó, despatarrada boca abajo justo al lado de Jess, que colocó su peso encima para mantenerla quieta.

Apartó el tejido de la blusa sin contemplaciones, dejando expuesta su delgada espalda. Todo en él se paralizó, se congeló, su corazón, los pulmones, la sangre e incluso su cerebro. Luego la rabia candente le dominó y consumió, le devoró. Ni siquiera haber visto las fotografías le había preparado para la visión de esa espalda marcada.

Con dedos delicados siguió el contorno de cada cicatriz redonda y elevada.

—Te quemaron con cigarrillos.

La voz sonaba calmada, incluso grave, pero algo asesino y feo creció en él, algo que no sabía que existía. Las paredes se expandieron y contrajeron. El suelo vibró mientras él respiraba intentando mantener el control.

Saber se quedó quieta bajo sus manos, con lágrimas contenidas que a Jess le desgarraron el corazón. Se inclinó para llevar el calor de la boca a su piel, para seguir con la lengua cada contorno, marcándolo con un centenar de besos.

Percibió el estremecimiento en ella y se quedó quieto, con los labios sobre una de las cicatrices, mientras la tensión se relajaba, hasta notar que Saber movía las caderas con una leve sacudida involuntaria, pero lo suficiente para hacerle saber que no quería que él parara. Le apartó por completo la blusa y retiró el sujetador color carne.

Acarició con ambas manos los costados del cuerpo, las suaves curvas de los pechos debajo de los brazos, la caja torácica y la cintura. Continuó moviendo la boca sobre su espalda, rozándola como una pluma, con un contacto curativo, relajante y en cierto modo erótico que despertó su cuerpo y le dio vida pese a todas las órdenes que intentaba mandar su cerebro para salvarla. Jess bajó las manos hasta las caderas enfundadas en los vaqueros y a continuación pasaron a la parte delantera del pantalón para bajarle la cremallera.

Saber contuvo el aliento y cerró los ojos en un intento de contener el vértigo de sensaciones, con los pechos apretados contra la estera, pero los pezones erectos y sensibles de repente. Jess enganchó la cinturilla con los dedos y le retiró los pantalones. Ella se quedó quieta, con el rostro enterrado en el hueco del brazo, cubierto de lágrimas, y el cuerpo animado por una repentina necesidad que no paraba de crecer.

Le deseaba, siempre le había deseado, desde el primer momento en que le abrió la puerta. Entonces había sido una atracción puramente física, su cuerpo había reconocido el de Jess de un modo primario, pero ahora, ahora, el amor por él la abrumaba y la consumía hasta el punto de engullir su instinto de autoconservación. Sólo él le importaba, sólo Jess. Estar con él, quererle, perdonarle.

Y a Jess no le molestaba que ella llevara la muerte en el tacto. La tocaba con cariño, con un contacto curativo y sexy, todo lo que siempre había deseado y nunca se había atrevido a soñar.

Jess también se quitó la ropa. No estaban en el dormitorio, ni siquiera sobre la gruesa alfombra situada delante de su chimenea, pero era donde iba a suceder, donde iba a hacer el amor a Saber Wynter con pasión y plenitud. Palpó el músculo firme de sus nalgas, sin dejar de mordisquear con los dientes, lleno de dulzura. Se apretó contra su muslo, para que ella pudiera sentir el calor intenso de su gruesa erección. Buscó con la boca de nuevo la piel desnuda. Se tomó su tiempo, pues quería explorar cada centímetro, cada rincón secreto, cada sombra. Estudió la forma de las piernas acariciándolas con las manos.

Saber gimió un poco cuando él deslizó la mano por el interior del muslo y presionó el sofocante calor húmedo.

Con suma delicadeza, Jess la puso boca arriba y se limitó a observar su rostro surcado de lágrimas durante un largo momento antes de inclinar la cabeza hacia ella y saborearlas con la lengua, para recorrer con los labios el rostro, el cuello, la garganta, y volver a la boca.

Rodeándole el cuello con los brazos, Saber separó los labios para aceptarle, atrayéndole hacia su tierna y sedosa boca. Permitió que Jess se la explorara e imitó su ejemplo, con contacto eléctrico, inocente pero tentadora. Él podría permanecer ahí siempre, con su blando cuerpo pegado a ella, explorando con las manos, excitándola, acariciándola en todo momento mientras ella movía la boca y las lenguas se acariciaban en un pequeño tango de necesidad creciente.

Saber bajó las pestañas cuando los labios dejaron la boca y recorrieron rostro y cuello. El cuerpo de Saber ardía con fuegos descontrolados y necesidades a las que no podía resistirse. Cuando Jess llevó su boca al pecho, una fuerza irresistible y poderosa propagó un fuego líquido de beneplácito.

—Jesse.

El nombre surgió como un suspiro, una rendición, mientras buscaba con las manos los músculos definidos de su espalda.

—Lo sé, pequeña. Todo está bien. Estamos bien.

Murmuró las palabras contra sus senos, alternando los lametones con pequeños mordiscos y dulces raspaduras, y meneando la lengua sobre sus pezones hasta dejarla jadeante y sin aliento.

Jess continuó con sus investigaciones sobre cada centímetro de piel, descendiendo más y más sobre el estómago plano. Se encontró sonriendo al toparse con el triángulo de sedosos rizos azabache en la unión de sus piernas. Salvaje, dulce fragancia.

Saber gritó y se agarró a su pelo mientras él bajaba la cabeza para saborear con un lametón lento y prolongado.

—Jesse.

Sacudía las caderas y meneaba la cabeza mientras la sensaciones rompían contra ella y la inundaban. No logró decir nada más que su nombre, y no estaba segura de que él entendiera lo que decía.

Calhoun la acarició con la lengua y encontró el punto más sensible, jugueteó y torturó, adentrándose cuanto podía, volviendo a la superficie, hasta que ella fue incapaz de pensar o respirar por la tensión que iba en aumento. Le necesitaba. Necesitaba algo. Pero rápido. Ahora. Un minuto más e iba a ponerse a suplicar.

Jess no fue capaz de esperar. Su fuego, su calor húmedo, el contacto de su piel de satén le provocó un ansia profunda y desconocida. Siempre mantenía el control, esta vez no obstante bordeaba los límites. Quería ir despacio, tener cuidado, asegurarse de que era un momento inolvidable, que trastocara su vida. Con cuidado, le separó las rodillas y se colocó encima, buscando su mirada azul.

—Nunca antes he hecho esto —admitió con voz temblorosa.

—Lo sé.

Pero ella le estaba entregando algo más que su primera vez, algo más que su cuerpo, y ambos lo sabían. Presionó con el amplio capullo de su verga y empezó a introducirse centímetro a centímetro.

Saber soltó un resuello al sentir cómo la invadía y estiraba. Su cuerpo retrocedió instintivamente, agarró las muñecas de Jess.

—Relájate, cielo, déjame hacer, seré cuidadoso —prometió.

Su cuerpo era un túnel de terso terciopelo y calor increíble, pequeño y ardiente. Jess se estremeció a causa del esfuerzo de controlarse y esperó a su pequeño gesto de consentimiento. Le sujetó las piernas por encima de sus brazos y la acercó un poco más, levantándola mientras la penetraba más a fondo. Ella clavó los dedos en la estera buscando apoyo y contrayendo la vagina.

Podía sentir la fina barrera de protección, y se movió de nuevo, esta vez con una embestida más fuerte, al tiempo que se inclinaba hacia delante y apagaba su gritito con un beso. Una vez más se quedó quieto, concentrándose en su boca, en dejar que el cuerpo de Saber se acostumbrara al suyo. La notaba tan ceñida, tan ardiente, que necesitaba desesperadamente moverse, pero la besó hasta que ella empezó a relajarse otra vez, hasta ver la confianza en sus ojos.

Entonces Jess se movió con largas y suaves penetraciones, para mantener esa hermosa mirada sensual en sus ojos. Los grititos entrecortados incrementaban la oleada de excitación.

—Dios, qué hermosa eres —dijo, muy en serio.

Era su primera vez, y pese a todas las mujeres del pasado, se sentía también como si fuera la primera ocasión para él. No era sexo. No era deseo. Pura magia. Cuerpo, alma, mente, seda ardiente, fuegos vivos, no quería que acabara jamás. Nunca. El cuerpo de Saber se aferró con convulsiones, como terciopelo líquido y candente, y él gritó todo su amor, su vida y su futuro, con la llamada ronca de su nombre.

—Así es como tiene que ser, Saber.

Era consciente de cómo se tensaba su propio cuerpo y el calor subiendo por sus piernas para derramarse por todo el cuerpo. Dios. La quería. La amaba con todo su ser, todo lo que era.

No deseaba detenerse, quería permanecer dentro de ella, piel con piel, y los corazones latiendo al unísono. Esto era amor, este puño de deseo agonizante que sometía su cuerpo sin soltarlo. Y era amor, el mismo puño que envolvía su corazón y lo estrujaba con tanta fuerza y emoción. Así debía ser la unión con una mujer, el frenesí del hambre y la ternura. No había creído posible que un hombre como él amara a una mujer y deseara formar una familia; pensaba que su necesidad de combate desbancaría cualquier sentimiento por una mujer. Pero ahora estaba convencido de que si Saber se lo pedía, dejaría el ejército y renunciaría a todo por lo que había trabajado en la vida, a cambio de estar con ella.

La acercó más y se inclinó para encontrar sus labios. Largos besos, bocas unidas, una y otra vez, Jess se dejó perder en su calor aterciopelado. Quería que se sintiera tal como él, que notara el calor y el fuego, pero sobre todo, que se percatara de la verdad abrumadora: estaban hechos el uno para el otro, se pertenecían. Saber se movía debajo de él, su cuerpo se aferraba a su verga con músculos tensos por la proximidad del orgasmo, arrastrándole también a él con lo que le pareció una implosión desde dentro hacia fuera.

Saber sintió que explotaba en fragmentos mientras los movimientos sísmicos sacudían su cuerpo, con colores y luces destellando sin control. Se agarró a Jess, su anclaje seguro en una tormenta feroz de pura sensación. No tenía ni idea de haber proferido sonido alguno, pero su voz se fundió con la de Jess en el silencio del gimnasio.

Calhoun se apartó para echarse a su lado, aún con un brazo curvado posesivamente en torno a su cintura. Olía las fragancias combinadas de su amor, una dulzura almizcleña que parecía reforzar la sensación de alegría, de plenitud, que dominaba su cuerpo. La notó estremecida y se percató de que no podía levantarse e ir a buscarle una manta, pues sus piernas habían vuelto a su habitual estado inútil.

Jess se apoyó en un codo para estudiar la perfección delicada de su cuerpo. Era pequeña, pero su figura tenía curvas y líneas increíbles. Inclinó la cabeza, pues necesitaba saborear otra vez su piel, y su boca anhelaba toda su dulzura.

—Era nuestro destino, Saber. Whitney y sus feromonas pueden irse al infierno. Éstos éramos nosotros dos, tú y yo amándonos.

Saber volvió la cabeza, las largas pestañas se alzaron para estudiar el rostro de Jess con atención. Él entrelazó sus dedos.

—No tenía ni idea de que iba a ser así —susurró bajito, un poco asombrada.

—Lo siento si te he hecho daño.

Abrió la mano sobre su estómago porque tenía que tocarla, ver los dedos sobre su piel, sentir lo suave que era.

—Sólo un segundo —le tranquilizó ella—. Gracias por tu delicadeza.

Nada volvería a ser igual. Ni ella volvería a ser la misma.

—Te he hablado en serio, Saber. —Rozó con las puntas de los dedos la sedosa uve entre sus piernas, tocando un rizo tieso—. Te quiero. Deseo que te quedes conmigo.

La simple sensación de los dedos sobre ella provocó una oleada de intenso placer, una descarga de humedad. A su lado, también despertaba a la vida el cuerpo de Jess, que lo consintió e inclinó la cabeza sobre un duro pezón tentador. Tendría todo el tiempo del mundo para hacerle el amor; no iba a arriesgarse a dejarla más irritada de lo que ya iba a estar. La excitación, la libertad de tocarla eran increíbles.

Alzó la cabeza al notar que ella temblaba otra vez.

—Ven, ángel mío, te mereces un buen baño. Vas a enfriarte aquí tumbada —dijo y se inclinó otra vez para besarle la punta de la nariz y luego la comisura de los labios.

—Tendrás que ir a buscar mi silla. Está en la otra habitación.

Detestaba pedírselo, necesitar de ella para que la fuera a buscar.

Saber frunció el ceño.

—Pero antes te he visto correr, Jess. Con mis propios ojos. Y diste una patada al hombre en el garaje. ¿Cómo has podido, si necesitas la silla de ruedas?

—Es una larga historia.

Iba a tener que admitir que había aceptado someterse a la operación de biónica… y que por el momento no había funcionado como esperaban. Era la primera vez que respondía con cierto grado de éxito. Representaba una dosis de esperanza, pero en aquel preciso instante, en vez de calambres, espasmos y pinchazos, no sentía nada.

Saber suspiró.

—Y me la vas a contar.

—No va a gustarte.

—Probablemente no.

Le cogió el rostro y le besó antes de ponerse en pie.

Saber recogió las ropas con cierta inestabilidad y buscó por costumbre la camiseta para taparse la espalda.

Cuando regresó con la silla, Jess no sintió la menor vergüenza al auparse sobre ella totalmente desnudo. Saber le miraba con una mirada tan sensual y tierna que se sintió el mejor amante de todos los tiempos.

Ella le siguió hasta el baño principal donde se hallaba el enorme jacuzzi. Jess apenas podía apartar la vista del cuerpo de Saber y acabar de llenar la bañera. Se metió primero porque era más fácil maniobrar si tenía más espacio.

Saber se introdujo en el agua caliente y humeante.

—Quédate quieta —le indicó Jess con voz ligeramente ronca.

Con suma delicadeza y un paño suave, le limpió la sangre y el semen de entre las piernas. Sus manos acariciadoras y seductoras produjeron un acceso de calor, una espiral de excitación.

Se metió en el agua al lado de Jess con un pequeño jadeo cuando los chorros revolucionaron las burbujas como un millar de lenguas lamiendo eróticas su cuerpo sensible.

Jess la atrajo hacia él y la instaló entre sus piernas, con el pequeño trasero redondo presionando, pegado a su fiera erección. Con la espalda de Saber perfectamente acomodada a su torso, empezó a acariciar con las manos los pechos que flotaban medio sumergidos, medio por encima de la línea de agua. Pasó los pulgares como plumas sobre los pezones erectos y tomó la carne cremosa en sus manos, con la boca jugueteando en el lado vulnerable del cuello de ella.

—Te he deseado tanto, siempre —admitió él mordisqueando su hombro con dientes juguetones—. Desde el primer momento en que te vi, supe que eras la elegida.

—Eso eran las feromonas de Whitney.

Jess apoyó la cabeza en su pelo.

—No creo que las feromonas pudieran hacerme sentir de esa manera, Saber. No, estábamos destinados el uno al otro. Estaba escrito.

Saber no contestó. Él sostenía con las manos el peso de sus senos, y los pulgares deslizándose acariciadores sobre los pezones tiesos la estaban volviendo loca. Ya no importaba qué les había juntado, fuera lo que fuese. Le había entregado su corazón, y el compromiso la aterrorizaba.

Enfurecido, golpeó con los puños una y otra vez la pared, hasta que las manos quedaron ensangrentadas. Fracaso. Con lo fácil que era, maldición. Fácil. Matar al tullido y follarse a la chica como correspondía y se merecía. ¿Tanto costaba? Pero no, tenían que cagarla, y ahora sus hombres estaban retenidos. Había intentado seguirles para matarles antes de que facilitaran su descripción, pero quienes se llevaron a aquellos idiotas como prisioneros le habían dado esquinazo.

¿Y qué iba a hacer ahora? ¿Qué? ¿Qué? ¿Qué? Dio un fuerte cabezazo contra la pared, echando escupitajos. No podía acercarse al lugar, no con toda aquella vigilancia. Tendría que pensar en otra ubicación: la emisora. Volvió a dar un puñetazo a la pared, furioso por tener que cambiar sus planes.

Capítulo *12*

*B*ien, creo que ha llegado el momento, mientras estoy tan calentita y aturdida, de que me expliques cómo has salido corriendo detrás de mí con tus propias piernas.

Saber inclinó la cabeza hacia atrás. No podía hablar de amor, no sin tener la sensación de que le arrancaban el corazón.

—Es información clasificada.

—¿No era broma? Qué bombazo, eres material clasificado, Jess. Yo también lo soy. Por supuesto que lo que te has hecho esta vez también está clasificado.

—Pero técnicamente tú no estás en el ejército porque en teoría no existes.

—Tienes mi expediente —comentó con un leve gesto de desdén—. Igual que tu amiguita.

—Lily. Lily Whitney-Miller.

Saber se apartó de él y se quedó mirando el agua burbujeante.

—La hija del doctor.

—No la tomes también con Lily. Ella me pasó el expediente, no fue al revés. Y está intentando encontrar a las otras chicas, las mujeres con quienes experimentó su padre. He acabado por conocerla bien, y sé que no está confabulada con él.

—Qué suerte tienes de estar tan convencido.

Jess alzó las cejas.

—Eso suena a sarcasmo.

—Ya puedes apostar que sí.

—Si te sirve de consuelo, ella tampoco se fía demasiado de ti.

Saber estalló en risas:

—De hecho, con eso me siento mejor. Si fingiera aceptarme de inmediato me inquietaría bastante. —Inclinó la cabeza hacia atrás para estrujarse contra el hombro a Calhoun—. ¿Qué te está haciendo? La hija del doctor Whitney y el otro, ¿qué están haciendo?

—El doctor Eric Lambert —apuntó él—. Eric y Lily me salvaron la vida.

—¿Y? —empujó ella.

Con un suspiro Jess pensó que si Whitney ya estaba enterado de lo de sus piernas, ¿qué importaba?

—Estoy en un programa experimental de biónica.

Ella se giró en redondo, salpicando agua en todas direcciones.

—¿Que qué? He visto lo que Whitney... —Su voz se apagó—. ¿Lily Whitney te pidió que hicieras eso?

—No, ella no estaba implicada al principio. Eric y yo consideramos la idea de aprovechar los experimentos de biónica externa que realiza el ejército. Eric hizo unos comentarios socarrones sobre un par de antiguas series de televisión y sobre cómo era en realidad posible la biónica interna. Dijo que ya se había probado una «funda inteligente» que captaba y registraba los movimientos de los músculos existentes, aprovechándolos para accionar movimientos en la parte adecuada, pero en teoría era posible regenerar y estimular los nervios existentes para que la biónica funcionara por completo con mi propio cerebro y cuerpo. La idea partió de ahí. —Jess le alzó la barbilla cuando ella apartó la mirada—. ¿Qué viste en el despacho de Whitney? ¿Qué ibas a decirme?

Saber cerró los ojos un instante, negando con la cabeza, sin querer que él se enterara, pero se percató de que no tenía opción. No si quería protegerle. Empezaba a comprender que amar a alguien era difícil de verdad. Se separó de repente por si acaso, pues iba a tener que confesar por haber planificado una ejecución premeditada. Si Jess la censuraba, si no lo entendía, no había esperanza alguna para ellos. Bajó la mirada al agua burbujeante.

—Whitney me dio órdenes de eliminar a un senador de Estados Unidos y a su esposa. Supe que tenía que escapar, pero él no iba a permitir que me largara, de ninguna manera. Al final iba a darme caza y entonces me mataría o volvería a retenerme, por lo tanto llegué a la conclusión de que era una asesina y que la mejor manera de salvar mi vida era matar a Whitney. Antes de escapar tendría que matarle.

Lanzó una mirada furtiva al rostro imperturbable de Jess, que esperaba en silencio sin dejar entrever qué pensaba o sentía. Saber se humedeció los labios y se obligó a continuar:

—Conocía sus horarios en la instalación, así que esperé a que regresara. Siempre entraba en el despacho para trabajar de noche. La seguridad era increíble y él tenía su propia guardia personal: soldados reforzados.

—¿Cuántos crees que recibían órdenes directas de Whitney?

—Tal vez diez. Tiene dos equipos, que mantiene a su lado a todas horas. Viajan con Whitney y responden ante él directamente, tanto sobre su protección como sobre el empleo personal que haga de ellos. Tiene más soldados, pero participan en misiones del gobierno. Los hombres que mantiene con él son por completo diferentes.

Jess inspiró con brusquedad.

—¿Por lo tanto, estás diciendo que aparte del equipo de Ryland y del nuestro hay otros?

—Al menos otros dos equipos que yo sepa con certeza, y luego están los guardias de Whitney. Los hombres de estos equipos no son vuestros enemigos, Jess. Se encuentran en la misma situación que vosotros. Son militares que participan en misiones encubiertas.

Calhoun asintió.

—Continúa. ¿Qué viste al entrar en su despacho?

—Tenía un par de expedientes encima del escritorio. Uno sobre biónica.

Jess cambió de postura, su mirada era penetrante y atenta.

—¿Y el otro?

—El senador y su esposa. Mis objetivos. En una foto aparecían marcados con un círculo rojo; se trataba de un expediente voluminoso.

El único sonido era el del agua que caía de los chorros y el tic tac del reloj de pared. Jess encontró su mirada:

—¿Pudiste leer los expedientes?

Hizo un ademán afirmativo con la cabeza.

—Sí. Pensé en esperar a que él regresara. Me coloqué debajo de su escritorio y pasé el rato leyendo. No regresó. Por lo visto había cerrado el despacho y se había ido de las instalaciones para ocuparse de otros asuntos.

—Saber. —Jess estudió su rostro con ojos de halcón, tan intensos que la quemaban, sólo que eran fríos y distantes—. Los expedientes del doctor Whitney están encriptados en códigos numéricos.

Saber soltó una exhalación mientras un escalofrío descendía por su columna pese a encontrarse sumergida en el agua caliente.

—No me crees.

Cruzó los brazos sobre sus senos, consciente de pronto de su cuerpo desnudo. Había tirado la camisa a un lado, estaba en algún rincón, pero... Miró a su alrededor con cierto aire indefenso.

—Cambia el código continuamente, pero siempre es numérico, siempre —insistió él.

La chica alzó la barbilla y apretó los dientes con fuerza, pero se obligó a respirar para contener su rabia. ¿Cuántas veces había pensado ella previamente que él era el enemigo? Después de hacer el amor, no, pero de todos modos...

—Pues estaba en inglés bien clarito y yo permanecí bajo ese escritorio unas cuatro horas leyendo ambos expedientes.

—Uno de los motivos por los que nos cuesta tanto enterarnos de lo que está haciendo es que tenemos que descodificar todo lo que hay en su ordenador. Lily le conoce bien y tiene un cerebro privilegiado para los números, pero aun así le lleva mucho tiempo.

Vale, ahora Saber sí que empezaba a perder la paciencia. Dio un manotazo en el agua sin poder contenerse, levantando un chorro contra la cara de Calhoun.

El agua se detuvo en medio del aire, quedó ahí suspendida y cayó de nuevo en el jacuzzi. Se hizo un pequeño silencio, pues ella sólo era capaz de observarle.

—Puñeta, Jesse —Había sobrecogimiento genuino en su voz—. ¿Por qué yo no puedo hacer eso? Es impresionante.

—No es tan práctico como crees. Requiere mucha concentración. Si estuviera sucediendo algo más, no podría hacerlo.

—Aparte de ser un anclaje, también eres un escudo, ¿verdad?

Calhoun alzó una ceja.

—Nos estamos apartando un poco del tema, ¿no crees?

Saber se encogió de hombros intentando aparentar despreocupación.

—¿De qué serviría? Es obvio que no voy a convencerte, por lo tanto cualquier cosa que diga será sospechosa, ¿verdad? Porque, ya sabes, tiene mucho sentido que Whitney mande un asesino para espiarte. Eso no sería malgastar un arma importante, ¿no es así?

Jess vio el dolor descarnado en los ojos de Saber, por mucho que intentara no mostrarse afectada. El corazón de Calhoun sí corría serio peligro. Maldijo en voz baja mientras comprendía de pronto lo que implicaba la pregunta.

—Saber, tú eres un escudo. Por eso nunca percibí que subiera la energía en todos estos meses que has vivido aquí. —Se dio con la mano en la frente—. ¿Cómo puedes ser un escudo pero no un anclaje?

Ella se aclaró la garganta.

—Whitney decía que su obra maestra no era perfecta.

Jess cerró los puños y mantuvo las manos ocultas. Ahora todo tenía más sentido, esa manera de matar de la que era capaz ella, sin sufrir repercusiones severas inmediatas. Un escudo era poco habitual. Podía pasar desapercibido para todo un equipo. Podía proteger zonas enteras de ataques con armas durante un breve periodo de tiempo. A Whitney no le interesaba que ella muriera. Pero si pensaba que tenía defectos...

—Querrá intentarlo otra vez, con alguien que realmente colabore con él —murmuró Jess en voz alta.

Saber rodeó el extremo del jacuzzi con los dedos, como si fuera a salir corriendo, pero se quedó donde estaba. Parecía más pequeña de lo que era, pero su mirada era desafiante, con el mentón firme y gesto obstinado.

Jess sacudió la cabeza y se pasó otra vez los dedos por el pelo.

—Te mandó aquí porque ahora quiere otra obra maestra. Preparó lo de la vacante en la radio y esperó a que tú picaras.

Saber se encogió de hombros.

—No me dices nada que no sospechara ya.

—Tiene un programa de reproducción, Saber. Quiere bebés. Soy escudo y anclaje, tú también eres escudo. Sabe que nos atraeremos físicamente porque se aseguró de ello mientras modificaba nuestro código genético y potenciaba nuestras capacidades psíquicas. Está jugando a ser Dios una vez más.

Bajo el agua burbujeante, Saber se llevó la mano al estómago como si intentara detectar una nueva vida ahí.

—No estoy segura de lo que intentas decir.

—Estoy diciendo que tienes razón, que a él no le interesa que regreses, no antes de que te quedes embarazada.

—¿Quiere que tenga un bebé?

—Mi bebé. Quiere que tengas un hijo mío. Estará convencido de que nuestros rasgos van a manifestarse en el niño, posiblemente con más fuerza que en nosotros mismos.

Saber se apretó aún más la tripa.

—No hemos usado protección, Jess. Ni siquiera pensé en ello. Es una grave irresponsabilidad, ¿verdad?

Sonaba al borde del pánico, y Jess estiró la mano para atraerla hacia él.

—Pensé en ello, pero no me importaba. Si tienes un bebé mío, me parece bien.

Saber sacudió la cabeza.

—Esto es una locura. ¿Ves lo que él acaba de lograr? Nos deja sin opciones. No quiero quedarme embarazada y preocuparme a cada segundo de que vaya a arrebatarme el bebé.

—Siempre va a estar presente en nuestras vidas, Saber. Whitney no va a desaparecer porque lo deseemos, tanto si estamos juntos como si decidimos tener hijos.

Jess la rodeó con los brazos. Temblaba, y él necesitaba consolarla, pese a decirle por otro lado la verdad tal y como la veía.

—Está ahí y siempre lo estará, hasta que muera. Incluso después de eso, es posible que queden otros que trabajen con él, desconocidos para nosotros.

Saber soltó un jadeo entrecortado, y Jess apoyó la barbilla en su cabeza.

—Y eso me lleva otra vez a los expedientes de su despacho, ¿por qué iba a dejar algo sobre su escritorio para que tú lo descubrieras, cuando ya sabía que te enviaba a mí? Si no estaba codificado, Saber, estaba ahí para que tú lo descubrieras y lo leyeras. Whitney no comete errores de aficionado. Jamás. Quería que tú leyeras esos expedientes.

—¿Sobre biónica? Podría repetirlo de cabo a rabo, cada detalle en ambos expedientes, pero no tengo ni idea de por qué iba a interesarle que yo te diera esa información médica.

—A menos que supiera que yo iba a someterme a la operación y él considerara necesario suministrarme esa información.

—¿Qué estás diciendo, Jesse? ¿Que intentaba ayudar? Y eso significaría que ya sabía meses atrás que ibas a someterte a la operación. ¿Cómo es posible algo así?

Sonaba asustada, y eso conmovió a Jess. Estaba bajo el agua, con los pechos flotando incitantes, los ojos casi violetas de inquietud. Jess deslizó las manos sobre sus brazos.

—Ven aquí, pequeña.

Quería abrazarla, consolarla, eliminar el miedo de sus ojos y cambiarlo por deseo. Le besó el cuello mordisqueando el hombro con cuidado y deslizó la mano por el brazo para intentar volverla hacia él.

Los ojos azules de Saber se oscurecieron. Excitados. Se humedeció el labio inferior.

—Jess. Debemos pensar qué estamos haciendo. Estamos atrapados en medio de una enorme telaraña. Estoy asustada de verdad.

—Ven aquí —dijo y tiró de sus brazos para acercarla.

Esta vez Saber cedió, aún un poco reacia, pero se movió para colocarse de frente a él. El agua no paraba entre ellos, las burbujas borbotaban feroces contra la piel, sumándose a la excitación creciente que se propagaba por el cuerpo de Calhoun. Reteniendo su mirada, Jess le separó las piernas y la acercó para sentarla a horcajadas encima de él. Saber apoyó las manos en sus hombros mientras Jess tomaba su trasero para apoyarlo sobre su cuerpo.

—Sé que temes a Whitney, preciosa, pero al final sólo importamos tú y yo. Siempre va a ser nuestro ogro, pero no podemos permitir que nos impida llevar nuestra propia vida. Es lo que hemos elegido, no dejaremos que nos domine ni nos atemorice. Viviremos nuestra vida.

A Saber le temblaban los labios, y Jess se inclinó para besarla reteniendo el labio inferior entre sus dientes, mordisqueando y estirando juguetonamente. En todo momento sostenía su trasero, lo masajeaba y sobaba mientras las burbujas estallaban contra la piel desnuda. Ella balanceaba las caderas con un movimiento deliberado o compulsivo que restregaba el amplio capullo de su verga. Cada vez que se deslizaba así sobre su miembro, el cuerpo de Jess se sacudía y la erección se endurecía aún más.

Calhoun se inclinó hacia delante para mordisquearle el cuello y luego jugueteó con el lóbulo de su oreja.

—Quiero que me rodees la cintura con las piernas, mientras continúas sentada así encima de mí.

Su voz sonaba áspera, casi ronca. La necesidad le dominaba deprisa y con furia, era una oleada de deseo brutal que parecía crecer mientras observaba las burbujas borbollando y rompiendo alrededor del cuerpo de Saber. Dejó un rastro de besos sobre su cuello y la protuberancia de los senos, provocando un estremecimiento mientras él le lamía un lado del pecho y seguía la curva con la lengua.

En todo momento las caderas de la joven se movían con ese ritmo lento y constante que no paraba de excitar el cuerpo de Jess. El aliento quedó atrapado en los pulmones de Saber, que se aferró con más fuerza a sus hombros al ver que sus piernas amenazaban con ceder.

Jess retrocedió un poco para encontrar la mirada de Saber. La deseaba tanto que no pensaba con claridad, no encontraba suficiente aire para seguir respirando. La necesidad aumentó con brusquedad y rapidez, pese a haberla saciado un rato antes. Así desnuda, su piel era tan suave que relucía como si la mañana la hubiera cubierto de gotas de rocío, igual que a los pétalos de una rosa. Sin apartar la mirada, se inclinó hacia delante y lamió su piel fragante, inspirándola al tiempo que empezaba a explorarla con las yemas de los dedos.

Saber soltó un jadeo y tembló bajo las cariñosas caricias. Tenía que ir lento, no sólo devorarla como quería. Era toda una mujer; aun así la experiencia era nueva para ella y, aunque respondía con ganas, detectaba una vacilación que le comunicaba que estaba un poco asustada. Nunca había sentido tal fiebre, una necesidad tan absoluta. Ella le destrozaba por dentro, de deseo por ella. Por primera vez en su vida, consideró de hecho que su autocontrol peligrara. Bajó la mirada a sus pezones, las duras puntas rosas, soltó una exhalación y se relamió con anticipación.

El cuerpo de Saber reaccionó con una sacudida convulsa. Sus músculos se fruncieron y agarró los hombros de Jess con más fuerza, sin dejar de balancear las caderas, deslizando la cálida y húmeda entrada sobre el amplio capullo de su verga. Calhoun se estremeció, y su corazón latió con fuerza como reacción. Eso tampoco había sucedido antes, esa reacción en cadena que consumía su cuerpo, su mente y su corazón, disolviéndolos en un deseo tan penetrante y rotundo que se transformaba en un dolor físico que exigía alivio con desesperación. Nunca había tenido una erección así, nunca había estado a punto de estallar como ahora.

El cuerpo de Saber estaba sonrojado, las elevaciones cremosas de sus pechos eran toda una invitación. Jess se inclinó hacia delante hasta rozar con su rostro la suave prominencia, hasta poder saborearla con un lametazo de su lengua. Ella soltó un jadeo, se les escapó un suave gemido de placer, desbaratando todavía más el control de Calhoun, que rodeó con la lengua el pezón, aplicando un raspado húmedo antes de cubrirlo con toda la boca y empezar a succionar, empleando los dientes para tirar y juguetear con delicadeza hasta que ella clavó los dedos en su espalda, arrojando la cabeza hacia atrás y arqueándose contra él.

Jess deslizó la mano por su muslo bajo el agua revuelta. La mirada de Saber, ahora empañada por la excitación, saltó a su rostro. Él trasladó la atención al otro seno, intercalando mordisqueos juguetones con las largas pasadas y giros de la lengua. Cubrió con la mano el excitado y expectante monte de Venus y entonces ella dio un brinco, su mirada oscureciéndose de deseo mientras se le escapaba un gritito.

—Mírame, pequeña —susurró al ver que bajaba las pestañas para esconder su expresión.

No quería eso, no iba a tolerarlo. Necesitaba ver su placer, precisaba ver el deseo.

Esperó y a continuación introdujo un dedo por su calor con la boca pegada a su pecho, hasta que ella abrió los ojos y pegó la mirada a la suya. Ahondó con el dedo en sus tersas profundidades y ella volvió a chillar, con ojos vidriosos ahora. Enroscó un segundo dedo en su interior, explorando el suave calor y describiendo círculos en torno a su punto más sensible, mientras las caderas empujaban con fuerza contra su mano. Jess introdujo un poco los dedos y los músculos los retuvieron, con pequeños gritos jadeantes que desataron una pulsación de fuego por todo el cuerpo de Calhoun que acabó directamente en su entrepierna.

Saber corría un gran peligro. Reconocía que Jess estaba enganchándola físicamente, corría peligro de volverse adicta, obsesionada con la necesidad del contacto. El placer la invadía por completo, y su cuerpo se tensaba mostrando su tremendo hambre.

Jess la agarró por las caderas y la sostuvo directamente sobre su verga endurecida. Ella percibió el amplio capullo alojado en la entrada ardiente y prieta. Un fuego descendió con furia por sus muslos y volvió a subir hasta su núcleo femenino. Todos sus músculos se contrajeron. Jess la mantuvo quieta.

—Me encanta cómo responde tu cuerpo al mío. ¿Te gusta esto?

¿Y cómo no? No parecía importar qué hiciera él; ella le seguiría por donde la guiara, porque lo quería todo: le quería a él y el placer ardiente que podía darle. Hasta entonces ni siquiera sabía que existía, pero, ahora, cada vez que le miraba, su cuerpo se inundaba de necesidad y ardor.

Sujetando quieta a Saber, la llenó poco a poco, penetrando a través de los músculos prietos y aterciopelados el canal ardiente que le retenía y dominaba más y más. Ella probó a moverse, intentó obligarle a llenarla, pero él la sostuvo con firmeza y se tomó su tiempo, observando el rostro y el aturdimiento de placer que asaltaba sus rasgos delicados.

—¿Sabes cuántas veces he tenido fantasías contigo así? —le preguntó con voz áspera, casi ronca de deseo—. Quiero dormir envolviendo tu cuerpo, con mis dedos dentro de ti y mi boca en tu pecho. Cuando estés en la cocina por la mañana sin nada más que mi camisa, quiero sentarte en el mostrador y devorar toda esa miel que bulle caliente y especiada justo ahí, esperándome a mí.

Ella echó la cabeza hacia atrás, dejando ir un suave gemido, pues las imágenes eróticas rebotaban claramente en su mente mientras él se clavaba en ella, ocupando su vagina. Los músculos de Saber se contrajeron todavía más, la vagina se comprimía y el cuerpo peleaba con dureza para lograr la liberación y cabalgar sobre él con potencia y velocidad. En todo momento las burbujas borbotaban como pequeñas lenguas lamiendo su sensible piel desnuda.

Jess se inclinó hacia adelante y tomó un pezón en su boca con un mordisco delicado que desató oleadas de calor. A Saber se le escapó un gritito mientras clavaba hondo sus uñas. Su fuego líquido inundó la polla de Jess que, sujetándola en aquella postura, la levantó y luego la impulsó hacia abajo para embestir con más fuerza. Ella jadeó al sentir su cuerpo llenándose de la verga que penetraba los suaves y prietos pliegues, con una fricción que creaba un tango ardiente de sensaciones en el nudo sensible de nervios.

Apenas podía respirar mientras su cuerpo se contraía y comprimía, ardiendo por todas partes.

—No sé qué hacer.

Porque tenía que hacer algo o iba a volverse loca.

—Cabalga sobre mí, pequeña, así... —respondió Jess marcándole el ritmo con las manos. Le levantaba las caderas para que sintiera mejor la polla, dura y caliente, deslizándose como acero cortando los pliegues de terciopelo. Con respiración jadeante, los músculos de los muslos de Jess se hincharon bajo la avalancha de pura sensación—. Oh, sí, ya veo que lo captas —la animó, deteniéndola justo antes de despegarse—. ¿Te gusta lo que sientes?

Era asombroso cómo se dilataba Saber, llenándola por completo mientras se movía en un lento descenso. Gemía suavemente mientras se empalaba en su gruesa verga con un movimiento lánguido, prolongado y oscilante que le provocaba tal placer que casi grita. Jess levantó las manos para tirar de sus pezones mientras la penetraba una y otra vez a través del calor sedoso. Cada vez iba más adentro, con más fuerza, disparando fogonazos que se propagaban por ella acelerados.

—Te gusta así, ¿eh?

La miraba con ojos centelleantes, oscuros con una mezcla de deseo y amor inconfundible. Ella podía ver cómo se hinchaban sus músculos y cómo apretaba los dientes para mantener el control, esforzándose por seguir con aquel ritmo lento y pausado mientras ella aprendía a obtener placer del cuerpo de su pareja.

Saber sólo podía asentir con la cabeza al tiempo que sus caderas se alzaban, aferrándose y comprimiendo los músculos. Jess iba a despedazarla y hacerla trizas antes de acabar. Descendió otra vez mientras él embestía hacia arriba, centímetro a centímetro, lento y atroz, matándoles a ambos con aquel derroche de sensaciones. Nunca se había sentido tan libidinosa como ahora. Arqueaba el cuerpo para conseguir un ángulo diferente, para sentir toda la longitud de la verga, tan dura como el acero, presionando contra el clítoris palpitante.

Adelantó los senos hacia él y Jess se apoyó para pasar los dientes sobre sus suaves curvas. La electricidad chisporroteaba, caliente y húmeda, desde los pechos hasta la vagina, como fuego líquido atravesando su núcleo femenino.

Jess enroscó la mano en su cabello y se abrió paso a besos de la garganta a los labios, y al llegar allí la mantuvo quieta una vez más. Ella se estremeció, contrayendo los músculos para sujetarle con fuerza, exprimiéndole con las paredes de seda de su canal, aunque él no la dejara balancear las caderas. Saber sacudió la cabeza con ojos aturdidos y oscuros de deseo.

—Qué hermosa eres —susurró él—. Así. Amándome. Eres tan hermosa, maldición, que duele mirarte.

Bajo su trasero, los músculos tensos de Jess se hinchaban, cada vez más marcados, y de repente cambió el ritmo, dominándola y penetrándola en profundidad con dureza y concentración exquisita, aumentando el calor hasta que ella perdió el control. Su aliento surgía en jadeos entrecortados mientras el placer penetrante crecía más y más, llegando a pensar que tal vez no saliera con vida. Sentía que la quemaba viva desde dentro hacia fuera, y si no dejaba de llenarla y dilatarla, si no hacía algo para saciar el fuego pronto, no sobreviviría.

—Por favor, Jesse.

El gritito se le escapó sin poder evitarlo. No parecía quedar inhibición ni recato. Ella sabía que estaba suplicando, rogando su liberación, pero el placer era excesivo, tenía que acabar pronto o iba a perder la cabeza. Su mente parecía bloqueada y el ansia por Jess Calhoun no conocía límites.

—Tranquila, Saber, es el amor, vívelo. Permítete volar. Córrete conmigo. Vamos, córrete conmigo.

Él agarró sus caderas y se hundió más, alojando su verga contra el fondo de la vagina, cada vez más hinchada, más larga que nunca en su vida, con los testículos prietos y duros y los muslos convulsos.

Volvió a moverse marcando un ritmo potente, con penetraciones profundas y largas que invadían y retrocedían, cada embestida más dura y fuerte que la anterior, sin dejar de moverse dentro de su carne caliente y húmeda. Su útero sedoso y ceñido le agarraba y exprimía, hasta que aquella tortura erótica casi le estrangula de placer. No pudo detener la explosión demoledora de huesos y músculos en tensión cuando alcanzó el clímax y el cuerpo de ella se fundió estremecido en torno a su miembro.

Saber gritó y el sonido vibró a través de la entrepierna de Jess mientras inundaba la funda tensa con los calientes chorros de su eyaculación, abalanzándose una vez más dentro de ella con un grito ronco que la emulaba. Ella se desmoronó contra él, cayó sobre su pecho mientras Jess se esforzaba por llenar de aire sus pulmones a punto de estallar. Saber se tendió a su lado con la cabeza recostada sobre un hombro de Calhoun, como una muñeca de trapo inanimada, con el corazón tan acelerado que era incapaz de controlarlo.

—¿Estás bien? —preguntó él con ternura.

—No. Nunca voy a recuperarme —dijo sin pretender exagerar—. Jesse, yo buscaba algo normal, no creo que esto lo sea. Esto es una obsesión, una adicción, algo alocado. Podríamos matarnos el uno al otro.

Jess le frotó el cuello con la boca.

—Aún queda mucho. Podría pasar días, semanas, enseñándote más.

—Y yo no sobreviviría —respondió ella, pues sabía que necesitaría tenerle una y otra vez. Y lo desearía todo—. ¿Qué me has hecho?

—Nada que no me hayas hecho tú a mí. —Le acarició el pelo y esperó a que dejara de temblar y las pequeñas sacudidas pasaran a ligeras ondas—. Lo que estás sintiendo, multiplícalo por mil, preciosidad, y es lo que yo siento. —Cerró los chorros—. El agua se está enfriando y vamos a quedarnos como uvas pasas.

—Bien —dijo ella rodeándole el cuello con los brazos—. No hemos resuelto los problemas del mundo, pero justo en este momento no me preocupa demasiado.

Porque si le hacía el amor de aquel modo, ¿quién podía creerse que iba a traicionarle? Le besó el cuello y le mordisqueó el mentón.

Jess la rodeó con los brazos pegándola a él.

—Has resuelto mis problemas más inmediatos, cielo. Estoy pensando que tendríamos que irnos a la cama. Casi va a amanecer, se nos ha pasado la noche.

Saber alzó la cabeza desde donde se encontraba ocupada siguiendo con la lengua la línea del marcado músculo pectoral.

—Ahora mismo no tengo una cama. No voy a dormir en esa habitación.

—Por supuesto que no. Estaba pensando en compartir la mía.

Se hizo un breve silencio y ella se echó hacia atrás para mirarle. Poco a poco, salió de su regazo para desplazarse a un lado del jacuzzi.

—Nunca antes he hecho esto, dormir con alguien. ¿No te hace sentir vulnerable?

—No sabría decirte. He mantenido relaciones con algunas personas, pero no duermo con ellas.

—Pensabas que ibas a casarte con Chaleen, ¿no es cierto?

Él se encogió de hombros.

—Estábamos juntos, pero no creo que pensara demasiado en el

futuro. Tal vez al principio creyera que podíamos estar juntos, pero tras cierto tiempo, no lo vi claro. Y no, no dormíamos en la misma cama. Yo siempre ponía alguna escusa y ella estaba encantada de aceptarla. Eso debería haberme dicho algo.

Saber alzó una ceja.

—¿Tú crees?

Él le salpicó.

—Puedes resultar muy petulante cuando quieres.

—Lo sé.

Detestaba la idea de darle la espalda para salir del jacuzzi, no porque le importara estar desnuda, sino porque aborrecía que se la viera. Por algún motivo, no podía superar la vergüenza, como si de algún modo ella hubiera permitido aquella tortura. Los hombres se habían asegurado de que ella no pudiera tocarles, pero de todos modos tal vez podría haberles asustado y hacerles creer que iba a tomar represalias. Ahora que era mayor, eso era lo que habría hecho, pero entonces estaba demasiado asustada, y lo que querían de ella era repulsivo. Se despreciaba a sí misma y aborrecía sus habilidades.

Esperó a que Jess se volviera primero hacia la escalera y luego se ubicara en la plataforma para salir del agua e ir a asegurarse de que la silla estuviera bloqueada para que él se aupara. Cogió la camisa de Jess y se la puso.

—Chaleen estuvo aquí anoche.

Calhoun se enderezó en la silla con el ceño fruncido.

—Lo sé, me lo dijo Ken, pero ¿cómo te has enterado?

Intentó no sonar petulante, ya que acababa de acusarle de eso un instante antes.

—Salí a hacer un reconocimiento y la vi. —Se estudió las uñas—. Burlé la vigilancia de tus supercombatientes mejorados, los Soldados Fantasma.

—¿Pasaste ante Ken y Mari? ¿Los dos?

—Fue un paseo por el parque.

Jess estudió su rostro. Era obvio que decía la verdad.

—Ken la mandó largarse.

—Si la CIA la ha mandado aquí, Jess, significa que sospechan que eres algo más que un SEAL, y si ellos piensan eso, ¿quién sabe quién más?

—¿Crees que un gobierno extranjero ha mandado espiarme?

Impulsó las ruedas con las manos, moviendo la silla a través de la casa en dirección al dormitorio.

Saber le seguía a un paso más reposado, sujetando los extremos de la camisa de Jess para que no se abriera.

—¿No crees que sea una posibilidad?

—Supongo que sí. Pero pienso que mi radar habría detectado algo.

Saber apretó el paso y se colocó a su altura para agarrar la silla y pararle. Esperó a que se volviera a mirarla.

—Jess, ¿y si está pasando algo aquí, algo que no tiene nada que ver con Whitney? Sí, creo que él organizó que nos juntáramos, pero ¿con qué propósito? ¿Sólo para atraparme? ¿Por qué tomarse toda esa molestia de mantenernos juntos durante casi un año entero? Si él propició la vacante laboral en la emisora y sabía que yo la ocuparía —¿quién más podría saberlo?—, ¿por qué no atraparme de inmediato antes de darte ocasión de llamar a los demás Soldados Fantasma? Whitney tenía que haber previsto ese paso, ¿correcto?

—Sí. No tengo la menor duda de que quiere que tengamos un hijo juntos.

—Bien, yo no tengo ni idea de por qué quería que yo leyera esos expedientes, pero de pronto no me suena al estilo de Whitney. Tal vez sea un megalómano, pero sigue su propia lógica. Se cree un patriota. No va a entregar supersoldados a otros países, por lo tanto, ¿quién filtra la información? ¿A quién le interesa confirmar que estás mejorado genéticamente?

Jess sacudió la cabeza con expresión pensativa.

—No es Chaleen. Su trabajo consiste en descubrir qué hago aparte de trabajar para el contraalmirante Henderson en el NCIS. Mi equipo ha participado en suficientes misiones como para despertar algunos rumores, sobre todo después del incidente del Congo. El senador Ed Freeman estuvo implicado en eso. Ocupa un lugar destacado. Tal vez todo tenga que ver con el Congo o el senador.

Ella asintió.

—Freeman era mi objetivo. Él y su esposa. Whitney quería verles muertos. Recientemente sufrió un accidente y se rumorea que está en coma.

Le dispararon en la cabeza y le llevaron a una ubicación no revelada. Mantienen su estado en secreto, pero puedes apostar a que todas las agencia de inteligencia de aquí al infierno están investigando, y no tardarán en saltar rumores sobre algún equipo de combate de elite. La CIA ya desconfiaba previamente, después de la desaparición del senador, y estoy seguro de que quiere respuestas. ¿Qué había en su expediente?

—Whitney le consideraba un traidor y quería verlos muertos, a él y a su mujer. De hecho, organizó mi asistencia a una cena oficial para que yo estrechara la mano del senador. El plan era provocarle un terrible infarto, y cuando su mujer se arrodillara a su lado para hacerle el masaje cardiopulmonar, yo la ayudaría, lo bastante como para provocar un coágulo en su sistema. Luego tendría que desaparecer supuestamente antes de que ella cayera también fulminada.

—¿Puedes hacer eso?

Aunque era muy pequeña, había mucho poder contenido en su cuerpecito. Y resultaba bastante desconcertante pensar que había estado en su casa varios meses, que se la había presentado a su hermana y a sus amigos, y que nunca había sospechado que pudiera matar con el tacto. La inocencia de sus ojos y los rasgos juveniles eran toda la tapadera que necesitaba en realidad. Nadie sospecharía nunca de ella. Al ser un escudo, ni siquiera Violeta, la esposa del senador, se habría enterado de que Saber era una asesina.

La muchacha se encogió de hombros.

—Ya te dije que sí.

La trascendencia de lo que decía caló en él.

Ha salido de la casa en modo asesinato, por completo.

—Despistaste a Mari y a Ken para matar a Chaleen, ¿verdad?

Ella había confiado en que se le pasara por alto aquella cuestión, pero no se le escapaban demasiadas cosas.

—Alguien te estaba vigilando ahí fuera, temía que su misión fuera matarte, por lo tanto, sí, pensé que podía hacer algo para protegerte, pero luego cambié de opinión.

—Llegó Ken.

Negó con la cabeza.

—Habría llegado demasiado tarde. Si hubiera querido cargármela, habría sido demasiado tarde. Casi me pisa.

Jess negó con la cabeza, aunque una mueca de admiración se le escapó poco a poco pese a saber que no debería sentir algo así.

—Como se entere, no le va a gustar.

—No se lo digas, no se lo digas a nadie. —Agachó la cabeza—. No quiero que sepan lo que soy.

—Al final tendrán que saberlo. Eres como nosotros; trabajamos en equipo.

—Los asesinos no trabajan en equipo, Jesse. Yo voy por mi cuenta. Las órdenes llegan y desempeño el papel encomendado, sea cual sea, salgo y vuelvo, y nadie sabe jamás si ha sido un ataque aprobado. Soy el arma que todo el mundo busca. Puedo eliminar a nuestros enemigos sin que nadie pueda demostrar nada.

—Eso no niega el hecho de que eres igual que nosotros. Todos tenemos capacidades diferentes, y mortales, Saber. Lo entenderán.

—¿De verdad crees que vendrán y me darán la mano como hacían antes? Estarán aterrorizados.

—A mí no me aterrorizas, Saber —dijo Jess.

Ella levantó las pestañas.

—Bien, tal vez debieras.

Una sonrisa suavizó poco a poco la línea dura de la boca de Calhoun, provocando un vuelco en el corazón de Saber. Qué sexy parecía. No era de extrañar que se hubiera enamorado... Lo habría hecho sin Whitney y sus feromonas.

—Ya lo has dicho antes: me gusta vivir peligrosamente.

—Estás como una cabra.

—Vamos, pequeña. Vámonos a la cama.

Le tendió la mano y, cuando ella la puso entre sus dedos, le besó la palma y luego se la llevó al hombro para empezar a maniobrar la silla a través del amplio pasillo hasta el dormitorio principal.

Saber entró andando con él.

—He estado pensando sobre esto de Whitney. Le tenemos a él y tenemos al chiflado que se masturbó en mi habitación. Tal vez estén conectados, tal vez no, pero me inclino más por la teoría de que se nos escapa alguna pieza aquí, Jesse. Algo que está justo ante nuestras narices.

No iba a descartar la intuición de Saber, porque él sentía lo mismo. Whitney no tenía nada que ganar con atrapar a Saber antes de quedar embarazada. No después de tomarse tantas molestias para organizar su encuentro.

El dormitorio era enorme y la cama de cuatro postes dominaba la habitación. Era baja, diseñada a medida para que le resultara fácil bloquear la silla y pasarse a la cama sin ayuda. El cuarto siempre estaba sorprendentemente ordenado. Jess tenía la costumbre de tirar la ropa sobre el respaldo de las sillas o la mesilla de noche, pero todo lo demás estaba en su sitio.

—Siempre me ha intimidado esa cama —dijo Saber deteniéndose nada más pasar el umbral—. Es enorme.

—No dejaré que te pierdas en ella. Sólo debemos asegurarnos de que Patsy no entre a entrometerse y te encuentre aquí, o nos veremos arrastrados a la iglesia y tendremos que casarnos antes de que acabe el día.

—No digas eso. A Patsy le encantaría pillarme en tu habitación. Sueña con que tengas diez hijos o más.

Él se rió.

—Mi hermana será la mejor tía del mundo.

—Necesita tener sus propios hijos. Y tú serías un gran tío.

A Jess se le desvaneció la sonrisa del rostro.

—Estaba muy enamorada de David. No sé cómo decirle que David murió por mi causa. Nunca pensé que mi trabajo o mis decisiones repercutirían en mi familia.

—Oh, Jesse. Oh, Dios. —Saber se llevó la mano al cuello y luego la estiró para apoyarse en la pared—. Patsy.

Él se puso tenso al oír su tono de voz, de hecho se detuvo antes de pasarse a la cama.

—¿Qué sucede? ¿Cuál es el problema?

—Tenemos que ir a casa de Patsy ahora mismo.

—Saber, son las cuatro de la madrugada. ¿Por qué?

Ella se mordió el labio frunciendo el ceño.

—Cuando Patsy estuvo antes aquí, no me gustó cómo se comportaba su corazón.

Jess se enderezó de inmediato.

—¿A qué te refieres con que no te gustó?

—No sé. Su ritmo era irregular.

Se puso serio, con expresión enfadada.

—¿Algo le pasa al corazón de mi hermana y no me lo dices?

—Intenté que fuera a ver al médico. Como pensaba que tú no conocías mis capacidades y temía decir algo, planeaba comunicártelo en una carta, cuando me marchara, para que la llevaras al médico.

—¿Por qué comprobaste su ritmo cardiaco?

Su tono le provocó un escalofrío en la columna. Saber agarró la jamba de la puerta.

—Alguien le había puesto un micrófono en el bolsillo de la chaqueta; desprendía un leve campo energético que capté cuando se acercó a mí.

—Vayamos entonces —dijo Jess—. Tardaré unos minutos en vestirme.

Saber se apresuró a coger unos vaqueros y una camiseta. A Jess no le había hecho gracia que permitiera marcharse a Patsy sin decir nada, pero tampoco la había censurado por ello. Por lo visto Saber no paraba de pedirle que aceptara más cosas de ella. Tendría que advertir a Patsy de todos modos. Le caía muy bien y nunca se habría marchado de aquella casa sin asegurarse de que Patsy supiera que tenía algún problema de corazón.

La culpabilidad no desapareció mientras iba corriendo hacia la furgoneta. Jess ya estaba en el garaje, metiendo la silla de ruedas en el elevador para entrar en el vehículo. Le cogió la mano que le tendía para saltar y subir con él.

—Lo lamentó, Jess. En realidad no sé si es algo leve que nunca le perjudicará, pero no está bien.

—Lo entiendo.

Bloqueó la silla para que se quedara fija y le dirigió una mirada para asegurarse de que ella se había acomodado.

—La cuestión, cielo, es que Patsy lo es todo para mí. Si le sucede algo...

Su voz se apagó y arrancó el motor de la furgoneta.

—Lo sé y lo lamento. Debería habértelo dicho antes.

Se sentía fatal por la vergüenza y la culpabilidad que la abrumaban.

Les había perdido. Perdidos. Todo se estaba desmoronando. Tenía que reagruparlos; aún podía salvar esto. Bajó las escaleras hasta el sótano y cruzó la sala de espera. Allí estaba su habitación. Una vez la tuviera allí en su sitio, su voz sonaría sólo para él, sólo hablaría cuando él se lo permitiera y diría cosas sólo para sus oídos.

Las esposas colgaban del techo y de la pared. Lo tenía todo dispuesto, listo para ella. Y ella acabaría amándole, deseando las cosas que él podía hacerle. Y sabría que él era su señor, y que había nacido para complacerle. Sería lo que él quisiera, viviría sólo por él, a su antojo, a su gusto. Inspiró y contuvo la respiración. Le faltaba tan poco. Nadie encontraría este lugar, desde luego no el tullido, ni los supersoldados, y por supuesto tampoco el hijo de perra de Whitney.

Capítulo 13

*L*a lluvia les recibió mientras salían de la calzada privada para conducir en dirección a la propiedad de Patsy. Los abuelos de Jesse y Patsy habían dejado a sus nietos en una posición acomodada, y Patsy vivía a tan sólo unos kilómetros de su hermano, en unos terrenos conectados en la parte posterior con la misma zona densa de bosques. Un mes después de que Jess sufriera el percance en sus piernas, la hermana compró la propiedad contigua e invirtió en la emisora. De hecho, se tardaba más en llegar en coche, que andando por el bosque, ya que el trazado de la carretera daba más vueltas.

—¿Qué vas a decirle? —preguntó Saber.

—Aún no se me ha ocurrido, pero pensaré en algo.

Saber tragó saliva, mirando por la ventanilla la lluvia incesante. La tormenta avanzaba deprisa. El hombre del tiempo llevaba varios días anunciando una tormenta importante y por fin estaba aquí, la gruesa cortina de niebla espesa tapaba la luna y las estrellas, los relámpagos veteaban la parte inferior de las oscuras nubes amenazadoras arremolinadas sobre ellos. La inquietud descendió por la columna de Saber.

—Lo lamento, Jess. Debería haber encontrado la manera de decírselo a Patsy sin desvelar mis habilidades extrasensoriales.

—No estoy molesto contigo, Saber, sólo me irrita la situación. Desconozco qué voy a decirle a Patsy a las cuatro de la mañana, pero tengo que hacerlo. Noto cierta sensación de urgencia. Será una tontería, supongo, pero no puedo correr riesgos con su vida.

—Es tu familia. Y creo que es mejor contárselo de inmediato y llevarla al hospital. —Bostezó—. Estoy cansada, de hecho, aún está oscuro y estoy cansada. Asombroso.

Él estiró el brazo para pasarle un dedo por el dorso de la mano. A ella se le contrajo el estómago. Era el primer gesto de afecto o ternura que demostraba desde que le había revelado que Patsy podía tener algún problema de corazón, y al instante se sintió contenta. Era extraño preocuparse por otro ser humano. El afecto y la necesidad de proteger la arrastraban, quisiera o no, incluyendo en aquel momento también a la hermana de Jess.

—Me hacía ilusión dormir contigo. Me encanta la idea de despertar contigo en mi cama, envuelta en mis brazos, que tu rostro sea lo primero que vea —dijo Jess.

No era justo oír cosas así y que su cuerpo se pusiera a cien, pensó Saber. Pero todavía era menos justo la manera en que las palabras conseguían que se desviviera por Jess, su alma y corazón corriendo y buscando alcanzarle. Le necesitaba. Qué irónico, considerando lo independiente que ella había sido siempre, o cómo había luchado por su libertad. Y ahora Jess la retenía igual que si la metiera en una jaula.

Los relámpagos centellearon en el cielo y unos segundos después se oyó el estruendo de un trueno. El limpiaparabrisas casi no podía con la lluvia que caía a cántaros. Por lo general disfrutaba con las tormentas, pero esta vez tenía el corazón alterado y la boca seca.

Jess siguió la carretera serpenteante que discurría por el denso bosquecillo que separaba su finca de la de su hermana.

—No lamentes amarme, Saber.

Ella dio un respingo.

—No digas «amar», rey dragón. Todavía no estoy acostumbrada a eso. Estoy dejando que mi mente se acostumbre poco a poco.

—Estás loca por mí.

—Estoy loca, en eso te doy la razón. El resto…

Su voz se apagó, fue algo deliberado, y esperó a oír el sonido de su risa.

Le encantaba el sonido de su voz, la manera en que parecía inundar su cuerpo, llenarla de calor y de una sensación de paz… y necesitaba paz en este momento. La tormenta parecía afectarla de verdad, notaba su cuerpo cada vez más tenso, la respiración entrecortada y el pulso acelerado.

Jess le dirigió una rápida sonrisa, pero no consiguió aplacar el temor que crecía en ella. Bajó la ventanilla e inspiró con brusquedad, esperando percibir la noche a su alrededor.

—Aminora la marcha.

La sonrisa de Jess se desvaneció mientras hacía lo que le pedía.

—¿Qué pasa, pequeña?

—No sé, pero creo que deberíamos parar.

—Estamos a escasos metros de la entrada —comentó Jess, pero redujo la marcha de todos modos hasta apenas moverse.

Ahora Saber tenía el corazón acelerado y un hormigueo recorría toda su piel. Percibió el sabor del miedo en la boca.

—Alguien transmite un miedo tremendo. Oigo un corazón aporreando en mis oídos y no... no va bien.

Jess maldijo:

—Patsy. Es Patsy, ¿verdad? —Aceleró—. Le ha dado un infarto.

Saber le puso la mano en el brazo.

—No, no es eso. Aparca y apaga las luces. ¿Nos han seguido Ken y Mari?

Se volvió en su asiento en busca de unos faros.

Jess hizo lo que le decía y bajó también la ventanilla para intentar percibir la irradiación de energía que determinaba que algo iba mal. Fuera lo que fuese, se encontraban a cierta distancia; Saber tenía que ser muy sensible para percibirlo.

—Voy a entrar. Lleva la furgoneta hasta la parte posterior y espera con el motor en marcha y las puertas abiertas. Vendremos juntas.

—Qué disparate, Saber. Ni siquiera sabemos qué está sucediendo. Esperaremos a Ken y a Mari y entraremos a saco.

Saber se tragó el nudo de temor en su garganta.

—No creo que sea buena idea. Les necesitamos aquí lo antes posible, pero entretanto tengo que intentar ir junto a Patsy, algo no va bien. —Se llevó la mano a la garganta. Cada vez le costaba más respirar—. Tengo que ir, Jess.

Calhoun le cogió la muñeca.

—No, Saber.

Ella le miró a los ojos.

—Creo que no está sola.

—Esperaremos a Ken y a Mari.

—No tenemos tiempo. —Le temblaban las manos—. Está aterrorizada, Jess. Tienes que confiar en mí, en mis habilidades. Soy capaz de entrar y salir de lugares sin ser detectada. Puedo hacerlo.

—No es cuestión de confianza, Saber. No voy a ponerte en peligro, no puedo hacerlo.

Ella alzó la barbilla.

—No les dirías eso a Ken o a Mari. Tú no puedes entrar sin ser visto y lo sabes. Yo sí. Patsy me necesita y voy a entrar.

Estiró la mano intentando zafarse.

—Estoy en una puñetera silla de ruedas. ¿Qué pasará si te pillan?

—La silla de ruedas nunca ha importado. Si algo sucede, nos sacarás, sé que lo harás. —Los ojos azules encontraron su mirada—. Confío en ti por completo.

Jess maldijo con mirada de enfado, furia incluso, pero asintió con la cabeza. Luego tiró de Saber para acercarla y, sujetándole la nuca, darle un beso. Pegó la boca con fuerza a sus labios.

Ella saboreó la potente mezcla de miedo, rabia, fiera necesidad protectora, impotencia..., pero percibió sobre todo al depredador que llevaba en él. Le devolvió el beso, intentando transmitir seguridad y amor al mismo tiempo.

Jess apoyó la frente en ella, rodeando su nuca con los dedos.

—Mantente en comunicación conmigo en todo momento. Soy un telépata potente. Te oiré.

—Lo haré.

—No, Saber, prométemelo. Pase lo que pase, no permitas que tu miedo o necesidad de protegerme te impidan comunicarme lo que está sucediendo ahí dentro. Necesito todos los datos para planificar la acción.

—Lo prometo.

Y hablaba en serio. Porque pese a todo Jess Calhoun era mortífero, y si le necesitaba, encontraría el modo de llegar hasta ella.

Jess estiró el brazo para apagar la luz interior del vehículo.

—Iré hasta la parte posterior de la casa, pero antes tú tienes que asegurarte de que está despejado. Si tienen vigilancia ahí detrás, una vez que entre por la calzada, con luces o sin ellas, sabrán que queremos entrar en la casa.

—Me libraré de la vigilancia.

Jess sacó una pistola y un silenciador del compartimento oculto tras la guantera.

—Lleva esto y el cargador de repuesto.

—¿Y tú?

—Voy armado. Tú ten cuidado. —Volvió a besarla, esta vez con ternura y dulzura, pues deseaba que se sintiera querida—. Me cabrearé mucho si te sucede alguna cosa.

—Enseguida vuelvo contigo —dijo Saber mientras abría la puerta con decisión.

Saltó al suelo y echó a correr hacia la parte más profunda del bosque que rodeaba la casa de Patsy, sin mirar atrás. Había consumido un tiempo valiosísimo convenciendo a Jess de que le permitiera entrar sola, y también sabía lo que había supuesto para su orgullo. Si en vez de Patsy fuera otra persona la que corriese peligro, él habría intentado detenerla; y una parte de su ser encontraba aquello emocionante. Nadie se había preocupado nunca por ella.

Los relámpagos iluminaron de nuevo el cielo, esta vez con un fogonazo recortado. Y de inmediato un trueno estalló con tal fuerza que los árboles y la espesa maleza se estremecieron. Saber se quedó empapada en cuestión de instantes nada más salir de la furgoneta, y el frío penetró su fina ropa. Se movió con rapidez hacia la casa; sólo había estado una vez con anterioridad.

Llevaba ya unos cinco meses viviendo en casa de Jesse cuando Patsy quiso asegurarse de que su hermano estaba bien con ella. Así que le había pedido a ella que no le comentara nada a él sobre su encuentro, y lo había hecho; pero intentar ocultar algo a Jess era casi imposible. Parecía tener ojos y oídos en todas partes, y se había enterado del encuentro de Patsy y Saber antes de que acabara. Por supuesto a él no le había gustado que su hermana intentara protegerle, pero en cambio a Saber ella le había caído bien al instante por este mismo motivo.

Ahora se deslizaba entre los árboles más cercanos, aproximándose a la casa por un lado. La lluvia caía a raudales entre las hojas con una pauta tan inconfundible que cuando surgió una nota discordante, Saber se hundió otra vez entre los arbustos próximos a las ventanas y esperó. Alguien vigilaba el perímetro de la casa.

Esperó agachada, absorbiendo el miedo absoluto que irradiaba Patsy desde el interior de la casa. Ni siquiera la tormenta brutal podía mitigar la energía de la violencia, por el contrario, parecía alimentada por los fuertes vientos y los fogonazos de los relámpagos dentados, hasta el punto de notar la protesta en su estómago. Rogó para que Jess se encontrara lo bastante alejado de la casa y no captara el terror de Patsy o nada le retendría en la furgoneta.

Cuando el vigilante se acercó, Saber se agachó a cuatro patas. El guardia era un hombre bajo y fornido, con amplios hombros y andares confiados. Sabía defenderse, y eso no interesaba. Entonces deseó que se detuviera, con la esperanza de poder ponerle la mano encima, pero él continuó avanzando, inspeccionando la calzada de acceso y todos los caminos que llevaban a la casa. Un miedo empezó a dominarla, inundando de adrenalina su sistema, y supo que Patsy se encontraba al borde del colapso.

Combatiendo las oleadas de náusea, esperó a que el vigilante se encontrara casi sobre ella y entonces salió rodando de la maleza, hasta situarse justo a sus pies, y apretó el gatillo del arma en su mano para alcanzarle en el centro de la frente. Continuó rodando mientras él se derrumbaba en el suelo boca abajo, sobre un pequeño charco de agua procedente del parterre de flores. Saber aterrizó junto a varios árboles ornamentales, mientras una energía violenta estallaba sobre ella, perforando su cráneo como un millar de puñales.

Intentó bloquearla, apretándose la cabeza con las manos, pero ya estaba dentro, donde no tenía filtros. No había manera de escapar a aquel dolor, a los martillos neumáticos que golpeaban su cráneo, al estruendo de la muerte, al grito silencioso de la víctima. Rodó por el suelo con aquel tormento, cerrando los ojos e intentando dominarse con la respiración. La protesta de su estómago, por completo revuelto, casi le impide ponerse de rodillas.

Tenía que recuperar el control, se sentía extremadamente vulnerable, pero Patsy necesitaba ayuda con desesperación. Por desgracia, incluso protegida por un escudo, si alguien estaba torturándola —y Saber empezaba a temerse eso—, la energía violenta penetraría el escudo y la debilitaría, tal y como acababa de suceder. Sólo un anclaje podía neutralizar la energía violenta de un modo más permanente, el escudo sólo servía para impedir que su propia energía alertara a otros de su presencia.

Por regla general, cuando mataba se aseguraba de que el objetivo fuera destruido deprisa y con el menor dolor posible, sin darse cuenta. Introducía medios naturales en vez de cargarse una vida con brutalidad. Nunca mataba empleando armas aunque fuera una experta, y no estaba preparada para la reacción que comportaba.

Se puso en pie a duras penas, tambaleante, aún con un terrible dolor de cabeza. Cada movimiento le hacía apretar los dientes a causa de los fragmentos de vidrio que atravesaban su cráneo; esto no iba a ser fácil. Rodeó tambaleante un parterre para acercarse a la ventana, y entonces el dolor se alivió inesperadamente, desapareciendo por completo a continuación. Sin necesidad de volverse supo que no estaba sola.

¡Jess!

El alivio y el temor se entremezclaban. Se giró en redondo en busca de enemigos. Con la silla de ruedas Jess no podía escapar corriendo ni ocultarse. Pero sin aquel dolor, ella podía pensar con claridad e interpretar con mucha más facilidad la situación.

Calhoun la acercó a él para examinar si se encontraba bien.

No puedes entrar ahí sola, no después de eso.

Su voz sonaba alterada, incluso furiosa, pero le acariciaba el pelo con ternura.

Tengo que entrar, Jess. Algo está sucediendo.

No iba a entrar por gusto; ahí dentro sucedía «algo». Era violencia. En el momento en que pusiera un pie en la casa, se convertiría en el blanco de esa energía. Con Jess cerca, sería mucho más fácil soportarla, pero aparte de rescatar a Patsy, también tendría que protegerle a él.

No deberías estar aquí.

No importaba que deseara que él estuviera allí, era demasiado peligroso.

Pongámonos manos a la obra. Estaré en la parte posterior de la casa. Tú intenta entrar por el sótano, y si no lo consigues sube al tejado. Eres especialmente buena en eso, ¿verdad? Te cubriré. Tú sácala de ahí, Saber.

La joven asintió y regresó a la ventana. Estuvo a punto de entregarle el arma, pero vaciló. Por espantosa que hubiera sido su reacción, emplear el arma podría ser la única manear de salvar la vida a Patsy. Quienquiera que estuviese en la casa se había hecho fuerte, y el vigilante tampoco era un aficionado. Vaya lío.

Comprobó la ventana. Por supuesto estaba cerrada. Patsy tenía un buen sistema de seguridad, eso ya lo sabía, pero considerando la presencia de intrusos en la casa imaginó que podría estar desactivado. No tenía tiempo para finuras. La habitación estaba vacía, por lo tanto colocó bien el codo y esperó al siguiente trueno. Cuando llegó, rompió al vidrio y luego metió el brazo para retirar el cerrojo.

En cuestión de segundos se arrojó por la ventana, aterrizando sobre el suelo y rodando para ponerse a cubierto junto al sofá que había visto durante aquel breve encuentro en casa de Patsy. El cuarto estaba alfombrado y la mayor parte de los fragmentos de vidrio habían caído sobre un largo asiento mullido empotrado bajo la ventana, minimizando así el ruido. Olió la sangre en el momento en que se encontró dentro. La energía roja y negra la invadió y penetró con una fuerza brutal. Se atragantó y combatió el remolino de negrura que amenazaba en la periferia de su visión.

¡Jesse!

Aquí estoy, pequeña. Respira y aguanta. Ya casi estoy en mi sitio.

Percibió la reducción de energía violenta en cuanto Jess se acercó lo bastante a la casa como para apartarla de Saber. ¿Y qué distancia era ésa? Su corazón latía con tal fuerza que se mordió el labio para dominarse. No podía pensar en Jess y lo que estos hombres le harían si le echaban el guante. Tenía que concentrarse en su propio escudo, reforzarlo cuanto pudiera para disimular su presencia mientras empezaba la búsqueda de Patsy.

Se concentró en pasar desapercibida, en volverse invisible camuflada en el entorno mientras se movía despacio y agachada. Trajo a la memoria los breves vislumbres del interior de la casa de Patsy y se abrió camino hasta la majestuosa escalera doble que ascendía a la galería de cuadros de la primera planta. Los cuadros cubrían también las paredes a lo largo de la escalera, expuestos junto a esculturas ubicadas en hornacinas, sobre pedestales intrincados. La galería curva continuaba por el rellano hasta los dormitorios y baños del piso superior. Saber supo de inmediato dónde estaba Patsy.

Dos estatuas yacían hechas añicos en el suelo de parqué, y había un rastro de sangre a lo largo del muro junto a lo que probablemente era el dormitorio principal. Oyó voces de hombres, en tono severo y un poco alzado, el sonido de golpes y cachetes —la carne dando a la carne— y el grito de dolor de Patsy. Saber avanzó entre los escombros sin más preámbulos, consciente de no tener tiempo para disimular sus pisadas. Si había un tercer vigilante, vería las marcas de sus pasos, pero no había otra opción. El terror llegaba a ella en oleadas pese a la proximidad de Jess. La intención de los intrusos era ser brutales, torturar y matar, y esa energía bordeada de rojo era horrorosa.

Saber ignoró su estómago revuelto e intentó contactar con Jess, encontrar su calma, percibir el calor de su mente.

Cuéntame.

No podía contárselo. Si lo hacía, nada impediría su entrada, y entonces, ¿cómo lograría proteger a los dos hermanos?

Ya casi estoy ahí.

Saber se asomó al dormitorio. Había un hombre de pie sobre Patsy, que estaba sujeta con cinta adhesiva a la silla, desnuda de cintura para arriba, con agua goteando del pelo por su piel mojada. Tenía ya algunos morados en la cara, un ojo medio cerrado, y los senos y el estómago cubiertos de marcas. No paraba de llorar, sacudiendo la cabeza.

—No sé de qué habláis. Por mucho daño que me hagáis, yo no sé nada. Mi hermano era un SEAL de la armada, pero ahora va en silla de ruedas. No hace nada de lo que pensáis, sea lo que fuere, porque no puede.

El hombre de pie ante ella le dio otra bofetada y el segundo se inclinó con una paleta de mango largo con la que le tocaba el pecho, provocando sus convulsiones y gritos mientras la electricidad crepitaba.

A Saber se le revolvió el estómago mientras entraba a rastras en la habitación justo hasta situarse detrás del primer hombre que había dado un bofetón a Patsy. Era de estatura media, pero parecía fuerte. Empezó a reírse mientras se soltaba el cinturón.

—Le gusta eso, John. Está sufriendo, pero está claro que la pone caliente. Mira sus pezones. —Se sacó el cinturón y lo balanceó preparándose para darle a Patsy—. Miente cuanto quieras, zorra, pero vas a contárnoslo al final. Queremos nombres, sus amigos, para quién trabaja, todo.

El cinturón dejó una larga contusión en los pechos y el estómago de Patsy. Todo su cuerpo se sacudió, pero esta vez no pudo gritar, sólo meneó la cabeza con indefensión y mirada enloquecida.

—Dínoslo o acabarás con las piernas tan destrozadas como las de él, zorra.

Aunque los hombres torturaban a Patsy empleando métodos depravados y brutales, Saber no captaba necesariamente una energía sexual en ellos. Ni siquiera las risas eran sinceras. Hacían un trabajo. La destrozarían —el cuerpo, el alma, y la mente— para enterarse de cualquier cosa que ella supiera. Pero sólo era su trabajo.

—Otra vez, Greg, dale otra vez. —John se inclinó hacia Patsy y la cogió por el pelo para echar hacia atrás su cabeza—. Te quedan bien las rayas. Por supuesto pararemos en cuanto decidas contarnos la verdad sobre tu hermano.

La mirada de Patsy brincaba por la habitación buscando con desesperación una salida. Saber ahora ya estaba preparada, pegada al suelo directamente detrás del hombre llamado John, que todavía sujetaba a Patsy por el pelo.

Colocó con sumo cuidado las yemas de los dedos en su tobillo mientras su mirada encontraba la de Patsy.

Tendré que matarle delante de ella.

Había angustia en su voz al confesárselo a Jess. No tenía opción.

Los ojos de Patsy se abrieron mucho, la esperanza superaba el dolor y el terror mientras su mente se aferraba a una posibilidad de rescate. Saber bloqueó todo a su alrededor, excepto el pulso de John. Al encontrar sus latidos, se fundió con ellos. No tenía tiempo para finuras. Tenía que liquidarlo deprisa, con un infarto brutal.

Una patada sólida aterrizó en su estómago cuando Greg la atacó, mandándola rodando hasta el centro de la habitación, justo en el momento en que John caía al suelo agarrándose el pecho. Saber continuó rodando consciente de los gritos desesperados de Patsy y del hombre que iba a por ella con rostro enfurecido, intentando alcanzar su cuerpo con el cinturón una y otra vez. Notó los golpes, pero ni rechistó, rodó hasta quedarse boca arriba con la pistola en la mano, y apretó el gatillo una y otra vez, observando cómo abría agujeros en ese cuerpo y un pequeño diseño circular en medio de la garganta. Por lo menos tenía puntería, eso no podía negarse.

Y luego todo se volvió negro y rojo mientras la energía violenta, la rabia, el dolor y la muerte brutal la dominaban con zarpas ávidas, cogiéndola por la garganta y bloqueando sus vías respiratorias al tiempo que unas púas de hielo perforaban su cráneo en todas direcciones. Notó el sabor de la sangre en su boca, la sintió en el rostro y se la limpió de los ojos. Estaba muerta, pero Patsy estaba a salvo. Mientras no hubiera otro enemigo cerca, Jess podría venir a por su hermana. El estruendo en su cabeza iba en aumento mientras se retorcía con convulsiones repentinas en el cuerpo.

Respira, Saber, maldición. Respira hondo, coño.

La voz de Jess llenó su mente, una orden clara de un hombre acostumbrado a ser obedecido, eso era obvio.

Hubiera sido cómico no obedecerle y no haber luchado por sobrevivir. Si conseguía respirar, lo lograría. Buscó aire, intentó ponerse de rodillas, pero el dolor la volvió a derribar al suelo. Estaba perdiendo el conocimiento, tal vez la vida.

Pero Jess estaba ahí en el suelo a su lado, cogiéndola entre los brazos, y le echaba la cabeza hacia atrás a la vez que elevaba su estómago.

—Inspira, Saber. Respira una vez, puñeta, es lo único que pido.

La terrible piedra que aplastaba el pecho y la cabeza de Saber se aligeró con la proximidad de Jess, pero seguía sin poder oír ni ver bien. Ahora notaba un dolor real, en todo su cuerpo, costillas, espalda, incluso en el rostro. ¿Cuántas veces le había alcanzado el cinturón antes de conseguir disparar? ¿Cuántas veces la había pateado? Se sentía igual que si le hubiera atropellado un camión.

Jess le apartó el pelo de la cara y la tumbó en el suelo, con cuidado de alejar el cuerpo de la sangre que manchaba la alfombra color marfil de Patsy. Volvió apresuradamente la cabeza hacia su hermana para asegurarse de que no corría peligro. Estaba peleándose con la cinta adhesiva para intentar levantarse de la silla, con mirada horrorizada, fija en los hilos de sangre en los ojos y boca de Saber.

—¿Qué le pasa, Jess?

—Va a ponerse bien. —Pronunció una oración silenciosa para que fuera cierto—. Dame un minuto y te soltaré.

Respiró por Saber, intentando encontrar la manera de introducir aire en sus pulmones a punto de estallar.

Saber se agitó, gimió, sacudió las pestañas. Soltó un jadeo y escupió sangre. Rodando sobre el suelo, se puso de rodillas agarrándose el estómago.

—¿Patsy?

Buscó a la hermana de Jess con visión borrosa. Patsy había perdido el color, tenía el rostro pálido y gotas de sudor cubriendo su frente mezcladas con el agua que le habían echado.

Jess sostuvo a Saber.

—¿Puedes ponerte de pie?

La energía ya se había esfumado, la presencia de Jess la había apartado, pero las secuelas seguían presentes: el dolor de cabeza y la asfixia en los pulmones. Se esforzó por dar una inspiración, lo repitió una segunda vez. Seguía saliendo sangre de su nariz, se limpió las señales del rostro y escupió para aclararse la boca.

—¿Saber?

Jess la sujetó por la cadera mientras se incorporaba tambaleante.

La joven tuvo que sujetarse a su hombro y apoyarse en la silla de ruedas para poder seguir en pie.

—¿Cuántos, Patsy?

—Cuatro. Vi al menos cuatro, pero me pareció que había más.

—Sólo me he cargado a tres —dijo Saber y se limpió la boca.

Nunca había temblado tanto. Matar con pistola no era lo suyo, desde luego no teniendo tan cerca a la víctima y en un espacio cerrado.

—Siéntate, cielo —dijo Jess, ayudándole con manos amables a sentarse en su regazo—. Descansa al menos un minuto mientras suelto a Patsy.

—He dicho que como mínimo había cuatro hombres, Jesse. Sólo me he ocupado de tres. —Le entregó la pistola—. No puedo usar esto, otra vez no.

Saber ayudó a Jess a cortar la cinta aislante que retenía a Patsy en la silla. Cada movimiento era doloroso, pero se obligó a continuar. Luego sacó ropa de un cajón para ayudar a Patsy a ponerse una sudadera de algodón suave que tapara las terribles marcas en su cuerpo.

—No puedo dejar de llorar —dijo Patsy, derrumbándose sobre su hermano—. Qué miedo he pasado, Jess. Iban a matarme.

Le echó los brazos al cuello, sollozando y enterrando el rostro contra su pecho.

—Lo sé, cariño —dijo él intentando consolarla y vigilar la puerta al mismo tiempo—. Tenemos que salir rápido. —Cogió a Saber de la mano—. ¿Puedes? Dime, Saber.

Hizo un gesto de asentimiento mientras obligaba a sus pulmones ardientes a retener el aliento. Tenía la garganta irritada, el sabor y olor de la sangre quedarían grabados para siempre en sus sentidos.

—Estoy bien. Saquemos de aquí a Patsy.

Saber no esperó a que la mirada penetrante de Jess acabara de examinarla, pues temía venirse abajo. Avanzó poco a poco rodeando los cadáveres, con cuidado de no tocar ninguno. Iban a escapar. Un hombre en silla de ruedas, Saber incapaz de respirar bien y Patsy torturada y traumatizada.

—Aún no me había percatado de lo optimista que eres —dijo entre dientes mientras se asomaba por el recodo—. Despejado. Vamos rápido.

El ascensor, cuya existencia desconocía, se hallaba a la izquierda del dormitorio. Era pequeño y estaba oculto entre las largas columnas en forma de arcos que enmarcaban las obras de arte. Con Patsy en su regazo, Jess hizo avanzar la silla por el suelo de la galería con rápidos impulsos de velocidad mientras Saber se ocupaba de cubrir las escaleras.

—No me extraña que entraras tan rápido.

—Patsy puso rampas para mí en la entrada posterior porque desde ahí era más fácil maniobrar y quedaba más cerca del ascensor cuando quisiera subir al segundo piso.

Su mirada encontró la de Saber por encima de la cabeza de Patsy. Tenía el ceño fruncido. Patsy se balanceaba ahora, adelante y atrás, con extraños lamentos agudos de angustia. Estaba gris, tenía la piel fría y sudorosa.

Creo que está en estado de shock.

¿Quién puede culparla? Esos hombres la estaban aterrorizando para obtener información sobre ti.

No le extrañaría entrar ella misma en ese estado, también se sentía deshecha. Era una asesina, había matado antes, pero no así, no con una ejecución tan brutal, tan desagradable y sucia. Ella lo hacía con estilo, sin fanfarria. De modo silencioso, como si fuera natural. Incluso atenuaba el dolor y el temor de sus víctimas.

Entonces percibió un movimiento sin alcanzar a oírlo.

En las escaleras, Jess. Mantén a Patsy callada. Métela en el ascensor contigo y yo les distraeré.

Ni de coña. Tú vienes con nosotros.

Saber le dirigió una mirada elocuente. El ascensor iba a hacer ruido; por moderno que fuera, su funcionamiento no era silencioso. Pondría sobre aviso al enemigo, que se situaría de pie ante la puerta, disparando cuando se abriera la puerta en la planta inferior.

Maldición, Saber.

Pero ya estaba empleando sus poderosos impulsos para llevar

por el pasillo la silla hasta el pequeño ascensor. Saber interpuso su cuerpo entre el de Jess y las escaleras para cubrirles. Ya no llevaba el arma, pero no importaba. Su mente no soportaría otro asalto y sobreviviría en el intento. Tenía que haber otra manera.

De repente dos hombres saltaron al suelo de la galería, alejándose rodando para cubrirse tras las columnas enormes. Antes de que ella pudiera reaccionar, los cuadros y esculturas empezaron a temblar y el suelo se onduló. La joven se agarró a la baranda buscando apoyo, dirigiendo una mirada de inquietud a Jess.

A cubierto, Saber.

Sin tiempo para mucho más, se dejó caer con las manos sobre la cabeza para protegerse cuando las esculturas empezaron a volar por los aires. Las estatuas y cuadros caían chocándose con las columnas. Los pedazos de marcos se convertían en armas, volando por el aire como misiles.

Creo que ésa de ahí es una obra de coste incalculable, Jesse.

Saber miraba entre los dedos. Jess estaba destruyendo la colección de arte de su hermana. El vidrio y el yeso giraban por los aires creando una pantalla de protección.

Ahora, Saber. Corre. Salgamos de aquí. Tendremos más oportunidades fuera.

Jess se maldijo por haber mandado antes a su equipo a casa. Con la captura de los dos matones locales y Chaleen descubierta, no había percibido ninguna amenaza inmediata. Ni tampoco Ken ni Mari. Maldijo en voz baja mientras lanzaba un cuadro y lo estrellaba sobre la cabeza de uno de los pistoleros.

Saber se movió deprisa, su pequeña figura era una mancha borrosa mientras llegaba corriendo hacia él. La puerta del ascensor se cerró de golpe y se pusieron en movimiento. Jess contó los segundos que llevaba bajar al primer piso: una eternidad, ya que los dos pistoleros sólo tenían que bajar un tramo de escaleras. Sólo podía confiar en que ambos estuvieran tan alterados por el extraño fenómeno de las obras de arte voladoras que se quedaran quietos unos momentos. Pero eran profesionales, no habían disparado a ciegas ni habían entrado en pánico, ninguno de los dos.

La puerta se abrió y Calhoun impulsó la silla para salir a la pequeña habitación que Patsy empleaba como cuarto de estar. Era la otra ventaja que Jess había calculado. El hueco del ascensor estaba oculto en las paredes de la casa, de forma que todos los paneles quedaban igual de lisos. Aunque el enemigo tuviera un plano de la casa, la ubicación de las puertas del ascensor no iba incluida. Patsy había instalado el ascensor el último año; era imposible que supieran en qué habitación se abría el ascensor.

—¿Lo llevas bien, cielo? —preguntó preocupado por su hermana.

Su respiración era superficial y el pulso estaba acelerado. Tenía la piel fría, sudada, ni siquiera intentaba mantenerse incorporada, la sentía tirada contra él como si estuviera demasiado exhausta para moverse.

—Háblame, hermanita —dijo, Jess, impulsando la silla por el pasillo hacia la parte posterior de la casa, donde había aparcado la furgoneta, junto a la rampa—. *Saber, algo va mal.*

La chica sacudió la cabeza. Estaban metidos en un buen lío. Oía a los hombres corriendo por la casa.

Tienen radios. Hay alguien ahí fuera.

Joder. He dejado la furgoneta en marcha. Nos tienen atrapados.

Porque quien estuviera afuera les esperaría en esa furgoneta o en un punto estratégico desde donde interceptar a cualquiera que saliera corriendo hacia ella. Estaba con dos mujeres a las que proteger, y si el enemigo echaba el guante a cualquiera de ellas lo tendría cogido por las pelotas.

Dame alguna indicación.

Saber se detuvo de un salto.

El sótano. A través de la cocina. La puerta a la izquierda de la despensa.

¿Escaleras? No iba a ocultarse en un sótano mientras él intentaba salir con su silla. *Jess. No voy a dejarte.*

No le importaba si empleaba su voz masculina de hombre al mando y la fulminaba, iba a pegarse a él como la cola.

Enseguida voy. Venga. Escóndete ahí rápido, antes de que nos encuentren.

Saber echó a correr siguiendo las instrucciones de Jess para girar a izquierda y derecha. Abrió de golpe la puerta del sótano. Se le hundió el corazón. Las escaleras eran estrechas y empinadas, aunque no había demasiadas.

Ayuda a Patsy.

Saber levantó a la otra mujer del regazó de Jess, rodeándole la cintura con el brazo. Patsy, sin decir nada, apenas abriendo los ojos, apoyó su peso en Saber, casi derribando a la chica escaleras abajo.

Rápido, Saber. Tendrás que meter mi silla también y luego cerrar la puerta.

Saber no le miró, pues le aterrorizaba lo que él planeaba. Se concentró en bajar a Patsy por las escaleras. La mujer no caminaba, así que no tuvo más opción que medio cargar con ella, medio empujarla. En cuanto dejó a Patsy tirada en el suelo del sótano, subió corriendo y vio a Jess aupar el cuerpo de la silla y, empleando sólo la fuerza de su tronco, empezar a descender las escaleras.

Los músculos de sus brazos y hombros se le hinchaban del esfuerzo. Saber se encontró conteniendo la respiración. Había decisión en el rostro de Jess, firmeza en la boca y un brillo amenazador en sus ojos. Incluso mientras bajaba por la escalera, sosteniendo la mitad inferior de su cuerpo, conseguía parecer más depredador que presa. Tragándose su admiración, dio un brinco por encima de él, aterrizando como un gato al lado de la silla para apartarla y poder cerrar la puerta.

El sótano quedó al instante negro como boca de lobo. Por un momento se hizo un silencio, luego Jess maldijo en voz baja y encendió una cerilla.

—Hay un interruptor cerca de la puerta, Saber, ¿puedes verlo?

Cuando lo accionó, abajo se encendió una sola bombilla ubicada cerca de la pared.

—Imagino que Patsy no usa esto demasiado.

—No. Deprisa. Baja aquí. Tendremos que apagar la luz otra vez y desenroscar la bombilla para que no funcione cuando intenten encenderla.

Ella ya descendía con la silla, bajando de dos en dos los escalones.

Dejó la silla a su lado, se fue hasta la parte posterior del cuarto y desenroscó la bombilla, una vez más sumiendo la habitación en la oscuridad.

—Vendrán, Jess. No van a tragarse que nos hemos ido.

Se agachó al lado de Patsy y la reconfortó con una mano en el hombro, consciente de que Jess se movía hacia ellos en la oscuridad. Sólo el campo de energía permitía a Saber «ver» dónde estaba cada uno. Aunque prestaba atención a los sonidos del enemigo, captó de forma automática el ritmo del corazón de Patsy… y entró en tensión.

—Jesse. Tenemos un problema. ¿Puedes acercarte ahora? ¿Puedes orientarte hasta aquí? Tienes el camino despejado. Ahora mismo.

Volvió el cuerpo inmóvil de Patsy para poder tumbarla de espaldas. Extendiendo la palma de la mano sobre su corazón, Saber dirigió a Jesse una mirada llena de consternación.

Capítulo 14

*P*atsy está sufriendo un infarto —dijo Saber—. Si no la ayudamos ahora, su corazón podría sufrir daños irreparables para cuando lleguemos al hospital.

—¿Qué demonios estás diciendo? —Por primera vez, Jess había perdido la compostura—. ¿Cómo va a sufrir un infarto? Es demasiado joven.

La silla de ruedas cruzó disparada el suelo del sótano. Jess se inclinó para buscar el pulso a su hermana, palpando con los dedos en la oscuridad.

—¿Estás segura, Saber? Yo no sabría decirlo.

—Sí, estoy segura.

—Haz algo.

Saber se apartó el pelo y se sentó sobre los talones, con una mano en la frente. Patsy necesitaba ayuda deprisa. El enemigo registraba la casa y los terrenos, y al final daría con ellos. Jess no podía echar a correr. Tampoco Patsy. Lo tenían jodido del todo a menos que el equipo de Soldados Fantasma llegara en los siguientes minutos.

Tomó aliento, exhaló y apoyó la palma de la mano en el pecho de Patsy. Al instante percibió el corazón estrujándose oprimido, latiendo con esfuerzo en vez de con regularidad.

—¿Qué estás haciendo? —quiso saber Jess respirando con aspereza.

—Lo único que se me ocurre. Voy a intentar devolver su ritmo a un pulso más regular.

—¿Empleando una carga eléctrica?

—¿Tienes una idea mejor? —El miedo le hizo responder con brusquedad, pero al instante se sintió avergonzada. No podía culparle por aquellas preguntas. Ella mataba a la gente, no la salvaba—. Lo siento, haremos lo que consideres mejor.

Jess se tragó una respuesta y contuvo la necesidad imperiosa de ordenar a Saber que se apartara de Patsy.

—¿Tienes que sincronizar tu ritmo y el de ella? ¿Es así cómo funciona?

—Sí. Y no tenemos tiempo para hablar más.

—Es demasiado arriesgado para ti. —Porque no iba a perder a las dos, maldición—. Pásamela y saldremos corriendo.

—Ya no tiene tiempo. —Saber no le hizo más caso, inspiró aire, lo retuvo en los pulmones y espantó su miedo de matar a Patsy, su miedo de perder a Jess. Lo único que importaba de verdad en ese momento era salvar la vida de Patsy, y ésta era la única oportunidad que ella tenía de sobrevivir. Por una vez, intentaría aprovechar sus dones para ayudar a alguien.

Notó la sacudida cuando su propio corazón se estrujó con fuerza al cambiar de ritmo. Le dolió el pecho, el dolor fue peor de lo esperado, pero lo aguantó y se concentró en su propio pulso, constante y verdadero. Patsy se agitó llena de debilidad, apoyando una mano sobre la de Saber. Meneó los dedos rozando el dorso de la mano y al mismo tiempo su mente también rozó la de Saber. Las lágrimas amenazaron con escapar mientras la joven percibía la aceptación de aquella fusión por parte de Patsy. En vez de rechazarla, intentaba alzarse por encima del dolor y el miedo para ayudar a conectarse.

Por un momento funcionó, el corazón de Patsy se dejó guiar y adoptó un pulso constante, pero casi de inmediato volvió el dolor desgarrador, retorciéndolas a ambas. Saber se humedeció los labios, de repente tenía la boca seca. No tenía otra opción; si quería mantener con vida a Patsy iba a tener que recurrir a una descarga para devolver el ritmo normal a su corazón.

Puso la otra mano sobre la de Patsy como un único aviso y mandó una sacudida crepitando por su cuerpo. El corazón dio una sacudida, un trompicón, cogió el ritmo y adoptó de nuevo un tempo constante.

Saber esperó contando en silencio los segundos, pendiente del corazón de Patsy, del flujo y reflujo de sangre a través de las venas. No tenía ni idea de que estaba susurrando hasta que Jess le tocó el hombro. Dio un brinco y se quedó conmocionada al percatarse de que entonaba su cántico —*por favor, por favor, por favor*— en voz alta.

—¿Patsy? —dijo Jess en voz baja—. ¿Puedes sentarte?

—Aún no —dijo Saber—. Dale unos minutos.

El dolor empezaba a remitir, la tensión se aliviaba en su pecho.

No tenemos tiempo, pequeña. Les oigo venir. Puedo aguantar la puerta unos minutos hasta que la abran, pero sabrán que estamos aquí. Podrían prender fuego para obligarnos a salir o sencillamente quedarse en lo alto de las escaleras y acribillarnos a balazos. No sabemos qué potencia de fuego tienen.

Calhoun tenía razón, por más que detestara reconocerlo. Estaba agotada, aún sentía su cuerpo como si lo hubiera arrollado un tren.

Dime qué quieres hacer.

Jess no soportaba el agotamiento en su voz. Tenía que exigirle aún más, pese a ser consciente del desgaste que implicaba el empleo de las capacidades psíquicas. Acababa de arriesgar su vida para salvar a su hermana y había sentido el dolor de un infarto con la misma intensidad que Patsy. Y Patsy… había sido torturada y aterrorizada, este infarto se lo habían provocado; y todo por él y sus decisiones en la vida. Era un infierno para un hombre que las dos mujeres más importantes de su vida corrieran peligro mientras él —un hombre que había pasado toda la vida trabajando para salvar a los demás— era incapaz de salvarlas.

—¿Podríais meteros las dos por al conducto de ventilación que transcurre bajo la casa?

La rápida inspiración de Saber comunicó a Calhoun que ya sabía lo que estaba planeando.

—No vamos a dejarte aquí, Jesse. Esa opción queda descartada.

—Saber, confío en ti para sacar a Patsy de aquí.

—No sin ti, imposible. De ninguna manera, Jesse, hablo en serio.

Calhoun estiró el brazo y le sujetó la nuca, acomodando ahí los dedos para darle una pequeña sacudida.

—No me discutas, puñetas, ahora que estamos a punto de morir. Coge a Patsy y largaos de aquí.

Ella agarró su brazo con ambas manos y apoyó la cabeza contra Jess.

—No puedo dejarte, no puedo.

—Cielo, hazlo por mí. Necesito que Patsy y tú os pongáis a salvo. Puedo cuidar de mí mismo, pero no puedo ocuparme de vosotras dos. Date prisa, se nos acaba el tiempo.

Saber se volvió para acercarse a rastras a Patsy.

—¿Puedes andar?

—Si tengo que hacerlo... —respondió con voz esforzada.

Sin mirar a Jess, Saber cogió a Patsy del brazo para ayudarla a levantarse y guiarla hacia el conducto protegido por una rejilla. A ella le resultaba más fácil todo el proceso porque podía «percibir» los objetos en la oscuridad.

—Si no estás con nosotras en diez minutos, Jess, volveré a por ti.

—Que sean veinte.

—Y un cuerno.

Tiró de la rejilla hasta soltarla del marco. En la oscuridad nadie iba a advertirlo, no con Jess sentado en su silla en medio del sótano como un sacrificio. Le entraron ganas de gritar y tirar cosas, pero en vez de eso empujó a Patsy a través de la abertura.

—¿Dónde está Jess? —preguntó Patsy.

Saber la cogió de la mano y tiró de ella hacia delante. Tenían que ir despacio, agachadas, y encontrar el camino.

—Tenemos que darnos prisa.

Patsy se movió obediente, pero empezaba a ser más consciente.

—¿Dónde está mi hermano?

Saber continuó tirando. Era difícil determinar la dirección correcta, sobre todo con la mente centrada en Jess en vez de tenerla en su huida.

—Tú date prisa, Patsy.

De repente, se plantó delante de Saber y obligó a la joven a detenerse. Estiró la mano en la oscuridad y le tocó el rostro, sintiendo las lágrimas surcándolo.

—No viene con nosotras.

—No. Es imposible que venga por aquí con la silla de ruedas, y ha querido que nos pusiéramos a salvo. Regresaré a su lado en cuanto sepa que tú estás fuera de peligro.

Patsy se llevó una mano al pecho.

—No podemos dejarle así. Esos hombres...

Su voz se apagó, se le escapó un sollozo.

—Chit, tienes que permanecer callada. Jesse sabe cuidar de sí mismo. —Saber pronunció una rápida oración para que así fuera, con silla de ruedas y todo. A menudo parecía que pudiera, y desde luego tenía dones extrasensoriales, un poco terroríficos si te parabas a pensar—. En cualquier caso, es demasiado tarde. Si ahora regresamos, pensará que somos el enemigo. En este instante sólo piensa que cualquiera que se acerque quiere hacernos daño a nosotras. Es su ventaja; sólo tiene que pensar en apretar el gatillo.

Mientras hablaba, seguía tirando de la mano a Patsy, obligándola a moverse en dirección a lo que esperaba que fuera la zona boscosa situada a un lado de la casa.

Se vieron obligadas a avanzar a cuatro patas para seguir adelante. Saber estaba acostumbrada a los lugares cerrados, pero Patsy temblaba cada vez más y se llevaba los dedos a la boca en un intento de acallar sus gemidos.

—Estoy muy asustada. Y tengo dolores, duele mucho.

—Lo sé —murmuró Saber desplazando la mirada hacia atrás, hacia Jess, deseando poder estar en dos sitios al mismo tiempo—. Vamos a llevarte al hospital, pero tenemos que seguir moviéndonos, Patsy. Lo lamento mucho, sé que es doloroso, pero no tenemos otra opción.

Estaban cerca de la salida de ventilación. Saber vio que fuera ya había mucha más luz; el amanecer se abría paso, desplazando la noche y la posibilidad de ocultarse. Obligó a pararse a Patsy poniéndole una mano en el hombro, recordándole que permaneciera callada y que no se moviera. Entonces retiró la rejilla y la dejó a un lado, escuchando en todo momento, intentando detectar alguna señal de su enemigo. Cuando tuvo la impresión de que estaba despejado, hizo una indicación a Patsy para que continuara callada y salió arrastrándose boca abajo, pegada al suelo, ocultando el cuerpo lo mejor que podía, camuflándose en el entorno.

A lo lejos retumbó un trueno, la lluvia caía constante, la dejó empapada de inmediato. Se arrastró sobre el parterre de flores pegada al suelo mientras salía a terreno descubierto. Una vez que salió de las sombras de la casa, detectó a un vigilante cerca del porche posterior. Tenía un pie en las escaleras y el otro plantado junto a un pequeño arbusto, sosteniendo el arma contra el pecho mientras inspeccionaba la casa.

Saber suspiró. Si estuviera sola, podría llegar hasta los árboles y ponerse a salvo, pero era imposible con Patsy. No tenía otra opción que liquidar a aquel hombre. Preparándose para otro estallido psíquico de energía violenta, empezó a avanzar por el suelo a plena vista, centímetro a centímetro, dirigiéndose hacia su presa.

La radio del hombre emitió un sonido crepitante y el matón se puso en guardia. De pronto se volvió y salió corriendo justo hacia donde se encontraba ella. Saber contuvo la respiración y esperó. Un pie pasó a escasos centímetros de su cabeza, el otro no alcanzó por los pelos su mano. Pasó de largo y siguió corriendo hacia la entrada posterior, luego ella oyó las pisadas apresuradas subiendo por las escaleras y el portazo de la puerta trasera.

Jesse.

Habían encontrado a Jesse. Permaneció ahí temblorosa, con el rostro en el hueco del codo y el corazón latiendo atronador a tono con la climatología. Saboreó el miedo en su boca. Por más veces que se repitiera que Jess era mortífero… iba en silla de ruedas. ¿Qué podía hacer contra aquellos hombres? Estaba atrapado en el sótano, solo y vulnerable. Y ella le había dejado ahí. ¿Cómo había podido?

Se levantó del suelo y regresó para sacar a Patsy. Su visión se empañó, pero no estaba segura de si era por la lluvia o por las lágrimas.

Jess permanecía sentado en silencio, respirando hondo e intentando que su rabia no explotara. Patsy, torturada por su causa. Saber, sufriendo por su causa. Maldito fuera quien estuviera detrás de todo aquello porque simplemente no iba a consentirlo. Que vinieran de una vez. Rogó que vinieran ya. Era un hombre espiritual, y si se condenaba al infierno por todo lo que estaba a punto de hacer, pues bienvenido fuera. Allí iría, y contento, porque todo esto era inaceptable para él.

—Venga —susurró en voz baja—. *Venga.*

Repetía las palabras en su mente y las lanzaba al universo para instar a sus enemigos a encontrarle. Como respuesta, la puerta del sótano se abrió de golpe.

Venga, hijo de perra. Entra ya. Hagámoslo.

Se quedó muy quieto observando al hombre que descendía poco a poco los escalones con el arma en la mano, barriendo con la mirada el sótano de izquierda a derecha, dividiendo el espacio en secciones. A medida que descendía, la luz de arriba se desvanecía. El hombre buscó la linterna en su cinturón. Con su precisión habitual, Jess arrojó el cuchillo que siempre llevaba sujeto a la pierna, y el hombre se desplomó de golpe, con el ruido del arma y de los porrazos en la cabeza mientras descendía el resto de los escalones.

Jess se acercó con la silla lo suficiente para tomarle el pulso. Al ver que estaba muerto, lo agarró por el brazo y empezó a apartar el cadáver del pie de las escaleras. No era nada fácil maniobrar la silla y al mismo tiempo sostener el cuerpo, pero debía hacerlo desaparecer a toda prisa. La puerta abierta, el silencio y el olor a sangre atraerían a los demás, que acabarían entrando. Mientras a ellos les interesara que él siguiera con vida, tenía una oportunidad... algo más que una oportunidad. Iba a matarles a todos, porque sucediera lo que sucediera, no iba a dejar que pusieran sus manos sobre las mujeres.

Después de retirar el arma al cadáver, aparcó la silla de ruedas en el hueco en el que estaba instalada la caldera, y dejó el arma en un estante justo enfrente de las escaleras. Se bajó de la silla y colocó al hombre muerto en ella. Por primera vez en mucho tiempo, se sintió agradecido de sus facultades físicas potenciadas. Por mucho ejercicio que hiciera, dudaba que tuviera la fuerza necesaria para aupar desde el suelo a su silla a un hombre ya crecidito; pero con la fuerza que le había dado Whitney, levantó el cadáver con facilidad. Había escogido previamente el lugar más seguro de la habitación, el punto más oscuro y más escondido.

La trampa estaba preparada; ahora tenía que esperar a que cayeran en ella. Aunque antes iba a pasarlas canutas, con endiabladas imágenes de Saber y Patsy en manos de aquellos locos. Iban a morir por lo que le habían hecho a Patsy; se encargaría él mismo de liquidarlos uno a uno. Y Saber... Había sufrido por su causa. No iba a olvidar esa mirada en sus ojos al enterarse de que iba a volver a matar a alguien.

El sonido de la lluvia golpeaba constante y los segundos avanzaban poco a poco. Oyó la primera pisada cauta y luego una segunda.

—¿Henry? ¿Estás ahí abajo?

Jess permaneció quieto, pues sabía que a aquel hombre no se le pasaría por alto el olor a sangre. La puerta abierta era una invitación. Continuó quieto, paciente. Oyó una consulta susurrada, y él se limitó a permanecer ahí a la espera. Vendrían, porque tenían que hacerlo. Se habían tomado el trabajo de torturar a Patsy para sacarle información. Sin duda querrían atraparle.

Apareció una figura en el umbral y se agachó con un movimiento apresurado a un lado para recorrer el sótano con una linterna. Jess se concentró en el arma que había dejado en la balda. Levantándola en el aire, la hizo levitar hasta dejarla más o menos a la altura del pecho de un hombre antes de disparar. El destello brilló en la habitación y la linterna cayó con estrépito al suelo. El hombre que la sostenía se agarró la mano ardiente y maldijo mientras la habitación se sumía una vez más en la oscuridad.

—Calhoun. Sabemos que estás ahí. Sal a la luz y tira el arma.

La voz llegó del exterior de la habitación.

Jess miró el reloj. Saber y Patsy ya deberían haber salido de la casa. Aunque él cometiera algún error, ambas estarían a salvo. Puso a prueba su control y percibió el cemento desplazándose levemente bajo sus pies. Las paredes fulguraron desapaciblemente en la oscuridad y crujieron los escalones.

—Calhoun, no compliques las cosas. Ben acaba de decir que tenemos a tu hermana.

Tu hermana. No ambas mujeres. Saber nunca habría permitido que se llevaran a Patsy. Si la hubieran capturado, habrían atrapado también a Saber. Estaban mintiendo. Pero aunque la lógica le decía que ambas mujeres se encontraban a salvo, su corazón se alteró de todos modos. Notó la vibración en el suelo, siempre un problema cuando estaba enojado. El control tenía una importancia vital en situaciones en las que podía hacer que la casa se viniera abajo.

—Calhoun. ¿Por qué no hablamos?

El primer hombre, el que ya había entrado, empezó a desplazarse con cautela para encontrar un lugar donde ponerse a cubierto. La pistola suspendida sobre el estante disparó un segundo tiro de advertencia, y el hombre apuntó el arma y barrió el sótano a balazos.

—¡Alto! ¿Qué puñetas te pasa, Stan? Le necesitamos vivo.

El arma dejó de disparar, aunque Jess alcanzó a oír una respiración áspera. El que daba las órdenes dio un paso hasta el extremo de la puerta y dirigió una luz al sótano. Captó el charco de sangre y la figura ensombrecida del hombre en la silla de ruedas. Soltando una maldición, intentó conseguir un ángulo mejor.

—Creo que le has matado, Stan.

—Me estaba disparando. ¿Qué demonios iba a hacer yo, Bob? —Stan buscó a tientas su linterna—. Esta cosa no funciona, le ha dado un balazo.

Los dos hombres permanecieron donde estaban, observando el cuerpo en la medida que podían, con precaución de no exponerse a más disparos. Jess había colocado la silla de manera que sólo se viera una parte de la misma desde la puerta, dejando el resto oculto en el hueco. Continuó en silencio. Había un tercer hombre todavía con vida, y Jess quería que entrara también en el sótano. No podría atacar hasta que lo hiciera, pero parecía obstinarse en ser cauto.

—Mueve el culo, Especialista —instó el que estaba cerca de la puerta—. Y mejor confía en no haber matado al hijo de perra. Yo te cubro.

Jess notó el principio de una sonrisa en sus labios. Sí, el hombre moreno de la puerta tenía razón. Qué hijo de perra; vivía esto con intensidad.

—Entendido, sargento.

Stan empezó a descender las escaleras y el segundo hombre se desplazó hasta el descansillo. Mantenía el arma apuntada firme al cuerpo desplomado en la silla de ruedas. Jess se quedó quieto, urgiendo en silencio al tercer hombre a unirse a la fiesta. Por un momento le pareció que no fuera a suceder nunca.

—No habléis hasta que tengamos a ese hijo de perra —soltó otra voz.

Bob se desplazó por completo a un lado, cediendo la mejor posición al otro hombre, quien estaba obviamente al mando. De inmediato se introdujo también en la habitación, desplazándose a la izquierda de su compañero.

La puerta que daba al sótano se cerró de golpe tras ellos, sumiendo la habitación en la oscuridad. Los dos hombres más próximos intentaron abrirla a golpes, sacudiendo la manilla, maldiciendo y pateándola, pero la puerta no cedió.

Los escalones y el descansillo comenzaron a zarandearse, con tanto impulso que los clavos y tornillos empezaron a saltar de la estructura y caer al suelo. Se oyeron gritos. Stan disparó el arma con un sonido ensordecedor. El destello cegó aún más a todo el mundo.

—Es un terremoto —aulló Bob—. Stan, vas a tirotearnos a todos. Espera a que pase.

La sacudida empeoró hasta el punto de que las tablas del descansillo y las escaleras empezaron a desmontarse. Stan aulló con aspereza mientras caía el primero, y los otros dos le siguieron, uno agarrado a la baranda, balanceándose del brazo antes de caer también.

—Hijo de perra. Hijo de perra.

Stan se escabulló sobre el cemento en dirección a la silla de ruedas, apuntando con el arma a la cabeza del hombre.

—Es un puñetero terremoto —ladró el que estaba al mando.

—Es él, Bob, pedazo de tarado. Es él. Te dije que era cierto. Voy a matar a ese hijo de perra.

Stan apretó el gatillo varias veces y las balas perforaron el cuerpo, que se sacudió por el impacto. El cadáver se desplomó repentinamente, cayendo pese al cinturón que le sujetaba a la silla.

Stan se acercó a rastras poco a poco, rodeando la pared que sobresalía, donde se alojaba el calentador de agua. Jess se volvió deprisa, con cada movimiento planificado previamente en su cabeza. Deslizó un brazo alrededor de la garganta del hombre y le inmovilizó con una llave Half Nelson. Éste se zarandeó salvajemente. Era corpulento y sus pies golpeaban el suelo mientras intentaba soltarse del asimiento de Jess.

—¡Stan! ¿Qué demonios? Busca una luz, Ben. Necesitamos una luz —gritó Bob.

El crujido fue audible y los pies de Stan se detuvieron. Se hizo un silencio en la habitación. Persistió tan sólo el sonido de los jadeos de los dos intrusos que respiraban con dificultad, con la adrenalina disparada por sus venas.

—¿Stan? —dijo Bob de nuevo, esta vez en voz baja, con un susurro de conspirador—. Contéstame.

—Acércate a verificar —dijo Ben en voz baja.

—Y un huevo. Nos hace falta una luz.

—Sí, búscala tú. La mía se ha caído cuando tu pequeño terremoto acabó con la escalera.

La voz de Ben estaba cargada de sarcasmo.

Hubo otro silencio. Bob se agachó en el suelo, de espaldas a la pared. Sus ojos empezaban a adaptarse de nuevo a la oscuridad mientras el amanecer se colaba por el horizonte. Sólo distinguía la sombra del cuerpo de Stan tirado en el suelo al lado de la silla de ruedas y el otro cuerpo desplomado en la silla.

—Creo que los dos están muertos.

—Verifica.

—¿Quieres que verifique?

—Eso mismo. Verifica para que podamos discurrir cómo largarnos de aquí.

Bob alzó el arma y disparó a la cabeza del hombre en la silla.

—No voy a arriesgarme. Si estaba fingiendo, ahora ya está muerto. Cúbreme, Ben, por si acaso.

Bob empezó a arrastrarse hacia Stan con cautela, con la vista aún fija en el cuerpo inmóvil de la silla de ruedas.

Jess se concentró en la bombilla que Saber había desenroscado. En el momento en que Bob estuvo al lado de Stan, desde donde podía haber estirado la mano y tocarle, la bombilla se enroscó en su sitio de nuevo, inundando la habitación de una luz cegadora. Jess mantuvo los ojos cerrados hasta que la bombilla cambió de dirección y se apagó después del breve destello. Cargó sobre Bob al instante, cogiendo su cabeza entre las manos y retorciéndola con violencia. De nuevo se oyó el gratificante crujido y Jess regresó a las sombras.

Reinó el silencio. Ben suspiró y retrocedió desplazando el cuerpo sobre los talones para meterse entre los restos que quedaban de la escalera. Se agachó bajo lo que quedaba del descansillo.

—O sea, que es verdad, eres uno de ellos. —Se guardó la pistola en una cartuchera bajo el hombro y sacó un paquete de cigarrillos—. No me mates antes de fumarme el último pitillo. Levantó las manos al aire, mostrando el paquete y el encendedor.

—Adelante.

La voz incorpórea rebotó en las paredes en todas direcciones.

—Estás cabreado por lo de tu hermana.

—Sí, no te equivocas en eso.

El encendedor llameó y Ben inclinó la cabeza hacia él.

—No puedo culparte. Esto es un trabajo, ya sabes, nada personal.

El encendedor se apagó y el extremo del cigarrillo se iluminó.

—Eso te dices a ti mismo.

—¿Vas a matarme?

—¿Qué crees? La has torturado. Ibais a violarla y matarla. Eres hombre muerto.

—Me lo imaginaba.

Jess observó a Ben dar una buena calada al pitillo. No iba a ponérselo fácil; intentaba ganar tiempo mientras pensaba alguna salida del lío en que estaba metido. Creía que si conseguía localizar la posición real de Jess, tendría una oportunidad.

—¿Vas a decirme quién te ha mandado?

Iba a ayudarle a ganar tiempo mientras él conseguía información.

—No lo creo. —Ben dio otra calada, retiró el pitillo de la boca y observó la punta roja—. Más tarde o más temprano van a dar contigo, y hay cierta satisfacción en eso.

Con la punta del pie abrió la puerta de la caldera de gas y arrojó el cigarrillo hacia allí.

Jess había esperado algún movimiento y detuvo el cigarrillo en medio del aire, lo hizo caer, inclinado hacia abajo, y dejó que se aplastara sobre el cemento.

—No ha sido un terremoto.

—No, nada de eso.

—Eres tú en realidad, qué coño.

Ben apuntó el arma hacia arriba y acribilló el sótano a balas siguiendo una pauta ascendente y descendente por toda la habitación. Mantenía el dedo fijo en el gatillo pese a las sacudidas de la pistola en su mano, pese a la presión sobre la muñeca; el arma se volvía despacio, centímetro a centímetro y de modo inevitable hacia su propio cuerpo. El hombre empezó a sudar y el corazón palpitó en sus oídos mientras oponía resistencia con la poca fuerza que le quedaba, pero era incapaz de detener el giro o soltar el dedo del gatillo. Se oyó a sí mismo aullar mientras las balas desgarraban su cuerpo, una tras otra.

—Sí, soy yo, coño, y esto es por lo que le has hecho a mi hermana, hijo de perra. Tal vez no fuera personal para ti, pero sí para mí.

Susurró las palabras en voz baja al oído izquierdo de Ben mientras éste caía hacia atrás. El hombre volvió la cabeza y se encontró mirando unos ojos fríos y crueles. Jess se hallaba estirado en el suelo a su lado, a tan sólo unos centímetros, con líneas implacables en el rostro. Todo se borró, oyó el arma caer con un ruido sobre el cemento mientras su mano se desplomaba sobre el pecho. Ben ya no la sentía y la visión era cada vez más oscura. Tosió, gorjeó, escupió. Intentó alzar la mano, pero no distinguía dónde estaba. Se murió contemplando la mirada inflexible e indiferente de Jess.

Calhoun cambió de posición.

—No has sufrido lo suficiente por lo que le has hecho a Patsy —le dijo al muerto—. Y voy a descubrir quién te ha mandado, para arrancarle el corazón. Pero entretanto…

Su voz se apagó y miró a su alrededor. Ahora iba a ser complicado salir del sótano. Maldiciendo, se acercó a la silla de ruedas, empleando las manos para desplazarse. Tumbó el cadáver y limpió la sangre del asiento y del respaldo lo mejor que pudo. Dirigiendo una rápida mirada hacia el portalámparas, esperó a que la bombilla se enroscara de nuevo y la luz iluminara otra vez el sótano.

Parecía un escenario de guerra, con cuerpos tirados por todas partes y sangre salpicando todo el espacio de un extremo de la habitación al otro. Plegó la silla y la bloqueó. Iba a ser peliagudo. Emplear la biónica siempre resultaba difícil. Podía fallar en cualquier momento y quedarse tirado y vulnerable en el suelo. Se dio en la pierna con frustración. Había padecido dolores, el riesgo de hemorragias, horas incontables de terapia física, y seguía sin poder usarlas.

Alzó la mirada hacia la puerta e hizo que se abriera de par en par. Ahora su fuerza iba a ser un problema. Como sucedía a todos los Soldados Fantasma, incluso a los que entrenaban duro, los desafíos psíquicos les agotaban las fuerzas antes que nada. Unos temblores lentos empezaron a invadir su cuerpo. No tenía intención de permitir que otro Soldado Fantasma —peor aún, Saber— le encontrara tirado en el suelo en medio de lo que parecía un matadero. Ni nadie iba a cargar con él. Nadie.

Se obligó a ponerse en pie, empleando la mente para dar órdenes a sus piernas. El dolor perforó incisivo su cabeza, el cuerpo se estremeció con el esfuerzo. Empezó a sudar. Podía mover objetos con la mente ahora, con cierta facilidad. Cuanto más practicaba mejor lo hacía, pero mover las piernas, conseguir que respondieran, era al mismo tiempo doloroso y difícil. Y ahora estaba fatigado, nada bueno si quería lograr que funcionaran. Debería haber permitido que probaran con él un dispositivo externo de energía, pero se había negado, pues quería que sus piernas volvieran a formar parte del cuerpo y no fuesen miembros robóticos propulsados desde fuera.

Acercó la silla y se la puso debajo del brazo. Tenía que saltar hasta el umbral de la puerta, subiendo la silla de ruedas con él. Y tenía que aterrizar de pie o caería de espaldas sobre el suelo del sótano... y el cuerpo ensangrentado de Ben.

Irguiendo la espalda, bloqueó todo a su alrededor. Visión. Olor.

Peligro. Visualizó sus piernas con venas, arterias y nervios relampagueantes encendiéndose como las bujías de un coche. Mandó la señal desde el cerebro a los nervios, se agachó y dio un brinco. Notó la potencia precipitándose por él, la destreza potencial de la mejora genética desplegándose y pasando a la acción de inmediato. Por mucho que odiara en qué había convertido Whitney el programa de Soldados Fantasma, le encantaba la euforia que el refuerzo físico siempre proporcionaba. Le encantaba. Pero había perdido las piernas, el coste había sido alto.

Aterrizó en el umbral y dio un paso adelante, luego un segundo. El júbilo le invadió. ¡Lo estaba consiguiendo, volvía a caminar! Casi había olvidado lo que era estar de pie, sentir las piernas debajo de él, andar erguido, con su cuerpo volviendo a pertenecerle, respondiendo a sus órdenes. Volvía a ser un hombre alto. Hacía un año que no era alto. Resultaba maravilloso andar, sentirse libre. Había aprendido a apreciar cosas que la mayoría de la gente daba por sentadas, y se juró a sí mismo no volver a menospreciarlas.

Sus piernas empezaron a temblar, advirtiéndole que se estaba sobrepasando. Colocó la silla de ruedas en el suelo cerca de la puerta posterior y dio otro paso para rodearla. No quería parar, deseaba salir tranquilamente andando bajo la lluvia y continuar hasta encontrar a Saber.

Estiró el brazo hacia el respaldo de la silla y entonces sus piernas cedieron, obligándole a caer al suelo sin previo aviso. En un momento estaba de pie y al siguiente se había caído sobre las baldosas, con las rodillas abiertas por la fuerza de la caída. Intentó encajar el golpe —sabía caer—, pero sucedió demasiado rápido y se dio con la cabeza en la pared.

Maldiciendo, mareado, consiguió sentarse a rastras y dio un puñetazo de frustración en la pared. Al cuerno las nuevas piernas mejoradas. Con un leve suspiro buscó la silla otra vez. La puerta posterior se abrió de golpe y él rodó por el suelo mientras sacaba el arma con manos firmes pese a los espasmos y calambres en los músculos de las piernas. Permaneció echado sobre el vientre, con el cuerpo estirado, las piernas convulsas y el arma apuntada.

Un silbido sutil y distintivo alivió la tensión. Apoyó un momento la frente en el brazo y frunció el ceño al levantar la cabeza y ver que tenía el brazo manchado de sangre. Limpiándose la cara, rodó de nuevo, se sentó y respondió silbando con exactitud la misma contraseña, pero no bajó el arma hasta que Logan entró en la habitación.

—Estás hecho una mierda, ¿quién te ha pegado?

Logan se agachó a su lado, pero mantuvo la pistola lista mientras examinaba el rostro de Jess.

—Tendrías que ver a los otros tipos. —Jess apartó la cara de Logan con una mirada algo desafiante—. Lo mío no es nada.

—Tienes un corte tremendo en la cara.

—Torturaron a mi hermana y alguien aterrorizó a mi mujer. No creo que un pequeño corte sea nada de lo que preocuparse.

—¿De verdad? Pues estás sangrando como un cerdo atravesado. Pensé que igual te habían alcanzado con un puñal.

Si Logan buscaba una explicación, no iba a obtenerla. Jess alargó el brazo para coger su silla.

—¿Dónde está Patsy?

—Saber la metió a salvo en la furgoneta. Quería que la lleváramos al hospital para venir a cuidarte ella misma.

Jess puso mala cara.

—Vete al infierno, Logan.

Logan frunció el ceño. Siempre le tomaba el pelo con lo de estar en una silla de ruedas. Pero Jess nunca reaccionaba con ira.

—¿Estás bien?

Jess acercó la silla con una mano y bloqueó las ruedas con la otra.

—Sí. Sólo cabreado por haber ocasionado esto a mi hermana.

Logan se acercó a la puerta del sótano y miró hacia el interior.

—Hostia, Jess. Estabas de veras cabreado.

—Los hijos de perra me lo pusieron fácil.

—¿No podías haber dejado uno con vida para interrogarle? Los dos que pillamos antes no forman parte de esto. Eran aficionados contratados por algún fulano, como corderos a los que sacrificar, tal vez como trampa para ver qué eras capaz de hacer. Pero esto es profesional.

—No, no podía dejar vivo a ninguno. Torturaron a mi hermana, ¿qué habrías hecho tú?

Logan volvió la cabeza y encontró la mirada de Jess. La máscara amable había desaparecido, revelando al depredador que había debajo.

—Si yo hubiera llegado antes a ellos, habrían tenido una muerte atroz. Han tenido suerte.

Hubo un momento de silencio. Logan volvió la vista mientras Jess se subía otra vez a la silla. Se limpió la sangre de la cara, dejando ahí la mano un instante para ocultar su expresión. Haber andado un momento hacía mucho más difícil volver a la silla. Sus pulmones le ardían y buscaban aire mientras intentaba controlar el pánico creciente. No se atrevía a mirar a Logan. Necesitaba salir de ahí. Necesitaba a Saber.

La puerta posterior seguía abierta e impulsó las ruedas con fuerza, sacando la silla al porche. Era de día afuera y llovía con intensidad. El viento en la cara le sentó bien, pero la opresión en su pecho no desaparecía. Al oír el golpe de la puerta de la furgoneta alzó la vista.

Saber acudía a él entre la lluvia, con el agua pegándole el pelo a la cara, alisando los largos tirabuzones. Sus ojos parecían enormes, casi púrpuras, y la boca tentadora. Su visión le impresionó, le reanimó, alivió aquel peso terrible en su pecho. Tenía contusiones en el rostro, la mejilla un poco hinchada, y caminaba con cierta cojera aunque intentara disimularlo. Era la cosa más bonita que había visto en la vida. Al encontrar su mirada, el corazón de Jess dio un vuelco con el alivio que vio. Y el brillo de las lágrimas… por él.

—Lo has conseguido.

La voz de Saber sonaba ronca, como si pudiera atragantarse.

—¿Tenías alguna duda?

Ella se paró delante, tragó saliva y negó con la cabeza.

—No, por supuesto que no, pero me alegro de verte. —Acercó la palma de la mano al corte en la cabeza de Calhoun—. Ya que llevamos a Patsy al hospital, podemos hacer que te miren esto también.

Jess no dijo nada sobre el fármaco experimental del programa de investigación que seguía, ni comentó que necesitaba ver a su propio médico; se limitó a cogerle la mano y acercarla hacia él para deleitarse con su sabor salvaje y exótico y perderse en la excitación oscura de su tierna boca.

Capítulo 15

A Saber no le caía demasiado bien el doctor Eric Lambert. Por la noche, cuando las cosas estuvieron más calmadas, él y Lily Whitney-Miller habían llegado a la casa junto con el capitán Ryland Miller, para ocuparse del corte de Jess. Ya contaba con que Lily le desagradara, por todo lo que la mujer sabía de su pasado, no obstante fue Lambert quien desató la inquietud inicial.

A diferencia de Lily, Eric Lambert no era un Soldado Fantasma. Tal vez trabajara con ellos, pero no experimentaba en primera persona el sufrimiento ni el tipo de vida que llevaban. Les estudiaba y les ponía algún parche cuando caían en combate, pero, en resumidas cuentas, experimentaba con ellos... igual que hacía Peter Whitney.

Los Soldados Fantasma eran patrimonio del gobierno. Recursos valiosos. Armas. Ellos consideraban a Lambert amigo suyo, pero él los valoraba como un arsenal de alto secreto. Saber intentó observarle interactuando con Jess y Lily como amigos y colegas, pero le resultó casi imposible a causa del elevado ritmo cardiaco que escuchaba y el miedo que olía cada vez que se acercaba. Era una tentación acercarse y tenderle la mano a sabiendas de lo espantado que estaba. Maldito fuera Jess por haberle explicado sus habilidades.

Ahora estaba mirando la lluvia por la ventana del dormitorio de Jess, deseando que todo el mundo se hubiera largado para poder gritarle. Tenía ganas de pelea, de poner más fácil su huida. Lily y Lambert lo sabían. Y si ellos estaban enterados, al final el gobierno acudiría a su puerta esperando que ella les hiciera un trabajito. Le había pronosticado a Jess lo que iba a suceder, y él la había delatado de todos modos. Era demasiado confiado, creía que todo el mundo era su amigo, que todos eran una gran familia feliz.

Idiota. Ingenuo. Tarado. Se apretó la frente con la base de la mano. *¿Qué problema tienes?*

¿Saber?

La voz de Jess sonó en su mente.

Uy. Vaya, qué distraída estaba, cometiendo tales errores de aficionada. Era la manera exacta en que se había delatado la primera vez. Estaba tan conectada a él que ya apenas notaba cuando establecían contacto.

Pues que eres un burro. Le has hablado de mí a ese falso del doctor Lambert. Te he explicado lo que iba a suceder cuando todo el mundo lo supiera. Es un hombre del gobierno; antes de dos semanas tendremos una llamada a la puerta y una invitación oficial a algún acto social donde tendré que usar mis talentos especiales por el bien de la humanidad.

No es cierto, cielo. Primero de todo, Eric no es así. Él no es «todo el mundo». Segundo, yo no se lo he dicho. No lo sabe.

Lo sabe.

Hubo un pequeño silencio, necesario para que él lo digiriera.

¿Estás segura? Estás cansada y tal vez un poco malhumorada.

Saber tomó aliento. ¿Malhumorada? ¿Pensaba él que estaba malhumorada? Tenía la presión sanguínea a punto de salir disparada por el techo, quiso gritarle. Pero se obligó a regular la respiración y mostrarse controlada.

Lo sabe, y no estoy malhumorada, estoy enfadada. Puedo enfrentarme a un enemigo, pero no a varios, no a todos al mismo tiempo. Él es del gobierno, eso es un hecho, y nos entregará a todos en el instante en que le den la orden.

Frunciendo el ceño, Jess dirigió una breve mirada a Eric Lambert. El doctor tenía el aspecto de siempre, se reía con Lily bromeando y diciéndole que parecía haberse tragado una pelota de baloncesto. Saber no le conocía. A ella le inquietaba que cualquiera se enterara de su pasado, pero no había manera real de que Eric se hubiera enterado. Saber veía cosas inexistentes.

Estás paranoica y agotada. ¿Por qué no te estiras y descansas en mi cama? Eric está cosiendo el corte; cuando acabe se marcharán. Dormiremos un poco y te sentirás mucho mejor.

¿Primero estoy malhumorada y ahora paranoica?

La voz de Saber sonaba más grave y fría.

Jess se estremeció al detectar el hielo en su voz.

—Vamos, Lily. Ya es suficiente.

Lily estudió el corte, frunciendo el ceño al ver que aún no había parado de sangrar pese a las horas transcurridas desde la lesión.

—Te dije que tuvieras cuidado. Estamos usando Zenith contigo y ese fármaco es peligroso.

Eric levantó las manos.

—Voy a lavarme.

—Ya sabes dónde está el baño. —Jess esperó a que se encontrara fuera de la habitación—. Me aseguraste que ibas a destruir el expediente de Saber.

—Lo hice.

Lily se enderezó estirando bien la espalda.

—Pero ¿le has hablado de ella a Lambert?

—No, por supuesto que no.

—¿Por qué por supuesto que no?

Jess tomó la píldora que le tendía. Le dolía mucho la cabeza. Había pasado la mayor parte de la mañana en el hospital con Patsy mientras los médicos le hacían pruebas y trataban sus heridas. Una vez que supo que se encontraba en buenas manos —y después de poner a un vigilante en la puerta— Jess y Saber regresaron a casa y esperaron toda la tarde a recibir noticias del equipo de limpieza que trabajaba en casa de Patsy. Saber no se había acostado todavía y encima tenía intención de ir a trabajar. No iba a ir, él iba a encargarse de eso, pero era obvio que necesitaba desesperadamente dormir, igual que él. Quería que todo el mundo se largara para quedarse solos y estrecharla en sus brazos.

Pero Saber se equivocaba respecto a Eric Lambert; él no sabía la verdad sobre ella. Jess no se lo había dicho y Lily tampoco. Soltó un suspiro de alivio.

—No es de los nuestros. —Lily agachó la cabeza—. Sé que suena terrible, Jess, pero no lo digo en ese sentido. Aunque lo cierto es que nunca entenderá nuestras vidas. Si Saber se queda, tendrá que recibir protección. Sus habilidades harán que todo el mundo vaya tras ella, incluso los tipos buenos... sobre todo los buenos. Y lo que le hizo Whitney de niña... obligarla a matar animales, animales que una niñita quiere y desea como mascotas. La opción era mantener un control perfecto o matar a una amiga, otra niña, incluso más pequeña. ¿Cómo puede superar una cría ese tipo de trauma?

A Jesse le alegró oír a Lily referirse a su padre adoptivo como «Whitney». Estaba aceptando finalmente el hecho de que era un monstruo irredimible, y empezaba a distanciarse emocionalmente de él. Jess estaba convencido de que era algo favorable.

—No había pensado en eso.

—Cómo ibas a hacerlo, Jess... tú has crecido en un hogar feliz. Saber no tenía ni idea de qué eran una madre y un padre, en años no lo supo. Creció entrenándose, rodeada de reglas estrictas y un aprendizaje constante. ¿Cómo piensas que fueron esos primeros años?

No le avergonzaba admitir que no había pensado mucho... al menos hasta ver las imágenes de su infancia.

—Es asombroso que siga viviendo aquí contigo, que haya aprendido a confiar en alguien como confía en ti. Eres probablemente la primera persona en la que ha confiado alguna vez o con quien ha compartido algo de la Saber real.

Lily estaba logrando que se sintiera peor por momentos. No quería pensar en el trauma de Saber, ni siquiera reconocer que tenía una amenaza instalada en su casa, porque no quería perderla.

—Aunque seguramente sea una paranoia suya, piensa que Eric está enterado de quién es.

Lily se quedó quieta.

—Jess, ¿por qué dudas de ella? La criaron en un mundo que ni tú puedes asimilar. Es muy susceptible, por necesidad. Ni siquiera hemos empezado a descubrir lo que llega a hacer con sus habilidades. Cuando un Soldado Fantasma «piensa» algo, lo más seguro es que sea cierto. Mírate. Hasta que no te encontraste confinado en la silla de ruedas no habías desarrollado tu capacidad de mover objetos; ahora eres increíblemente diestro. «Pensabas» que eras capaz de hacerlo y jugabas un poco, pero, como no tenías tiempo, ni te molestaste. Hay muchos con talentos ocultos que aún no han aprovechado. Si Saber dice que Eric la trata de forma diferente, no se me ocurriría pensar que está paranoica, me lo creería.

No quería creerla porque no quería aceptar las consecuencias. Logan lo sabía. Por supuesto que Logan lo sabía. ¿Era posible que él se lo hubiera dicho a Eric? Jess se frotó otra vez la cabeza; estaba demasiado cansado de pensar.

—Necesito irme a la cama, Lily.

—Lo sé. —Lily recogió su equipo—. ¿Cómo va la biónica?

—Es frustrante. Empiezo a pensar que deberíamos haber optado por la unidad externa de energía pese a las limitaciones que representa. No puedo seguir funcionando así, es frustrante.

La frustración y rabia estaban en su voz, no podía evitarlo.

Eric regresó.

—¿Estás visualizando? ¿Empleando tus capacidades psíquicas para reconstruir las vías?

Jess le dirigió una peligrosa mirada fulminante. No estaba de humor para recibir un sermón. Había hecho suficiente visualización como para poner a funcionar cincuenta pares de piernas, pero seguía sentado en una silla de ruedas, con caídas que suponían puntos en su cabeza y humillaciones ante sus amigos y Saber. No iba a aguantar chorradas de nadie, ni siquiera de un amigo.

Eric levantó una mano.

—No me cortes la cabeza, sólo intentaba ayudar.

—Bien, pues no. —Jess le lanzó una mirada hostil—. ¿Y quién te ha dicho lo de Saber?

Lily detuvo lo que estaba haciendo dentro de su botiquín. Se volvió y miró a Eric. El doctor se quedó ahí de pie con aspecto incómodo, tocando con la punta del pie el marco de la puerta y encogiéndose de hombros. Jess seguía en silencio, esperando, insistiendo en que él respondiera. Porque cualquiera que fastidiara a Saber iba a llevarse la paliza de su vida.

Eric le miró con cara de pocos amigos.

—¿Cómo voy a acordarme? Estoy con vosotros todo el tiempo. ¿Importa acaso?

—Importa si haces que se sienta incómoda en su propia casa.

La irritación crispó el rostro de Lambert.

—Es tu casa, Jess. He estado aquí cientos de veces en los últimos años. No es como el resto de vosotros y deberías saberlo. Y, con franqueza, si alguien debiera sentirse incómodo aquí ahora mismo, eres tú. Porque mientras viva aquí, estás poniendo en peligro tu vida y la de todos los que te visitan.

—¿Qué diablos se supone que significa eso?

Jess hizo girar del todo la silla para fulminar con la mirada a su doctor.

Eric se enderezó y le devolvió la mirada desafiante, negándose a dejarse intimidar por Calhoun.

—¿Qué crees que significa? Ella mata a la gente con el tacto. ¿Qué pasará el día que esté un poco cansada de su hombre? ¿Y si está enfadada y pierde el control? Podría matarte mientras duermes, sólo con cogerte de la mano o al inclinarse para darte un beso de buenas noches. Todos los demás estáis entrenados y tenéis disciplina, pero ella es imprevisible, Jess, y ninguno en los Soldados Fantasma puede permitirse algo así.

—No tienes ni idea de lo que estás hablando.

—Ése es el problema, y lo sabes, yo lo sé. Es una máquina de matar. Lily también lo piensa, pero es demasiado cortés como para decirlo en voz alta. Soy tu amigo y no quiero verte muerto.

—Todos somos máquinas de matar, Eric.

El doctor negó con la cabeza.

—No como ella; es mortífera, Jess. Y te tiene en el bolsillo, hasta el punto de que ni siquiera piensas en ello ni puedes considerar esa idea. ¿Qué crees que va a pasar aquí? Ya sabes la vida que lleva, y tú eres un lastre para ella. En el momento en que decida recoger y largarse, eres hombre muerto. No puede permitir que la controlen.

—¿Y el resto de nosotros sí? —soltó Lily.

—En cierta medida, sí. Todos tenéis lealtad y disciplina, y servís a vuestro país. Tenéis ideales y objetivos. Sois un equipo y el resto de hombres y mujeres son vuestra familia, las personas en quienes confiáis. ¿Y ella a quién es leal? ¿En quién confía? En ti no, ni en ninguno de vosotros. Y está claro que no quiere servir a su país.

—¿Cómo demonios sabes lo que quiere o no? —gruñó Jess.

—Va a la suya. Escapó de Whitney, pero es obvio que no intentó ofrecer su colaboración, ¿verdad? No fue al cuartel general más próximo a decir que tenía que hablar con el mando. Y además estoy convencido de otra cosa: ella es algo que nunca deberían haber creado.

Jess no oyó ningún ruido, pero supo por instinto que Saber estaba en la habitación. Alzó la vista y encontró su mirada azul violeta, afligida y ensombrecida. En cuanto pestañeó su rostro se convirtió en una máscara.

—Voy a pasear un poco, Jess. Volveré cuando tus amigos se hayan ido... todos tus amigos.

Giró sobre sus talones y se fue caminando.

Está jarreando, Saber. Vete a la cama, yo iré enseguida.

No quiero estar en la misma casa que ellos. Mientras estén aquí, yo desaparezco.

Les necesitamos.

Tú les necesitas.

Su voz sonó atragantada, y a él se le hundió el corazón. Tragó saliva y dirigió una rápida mirada a Lily. Las lágrimas brillaban en los ojos de la mujer.

Lily le tendió la mano.

—Nos vamos. Sé lo que es sentirse un bicho raro y tener que llevar una vida distinta a la de los demás. Todos nosotros lo sabemos. Tengamos los dones que tengamos, la gente siempre va a mirarnos como nos mira Eric.

—Eso no es cierto —negó Eric, era obvio que molesto—. Nunca os he mirado de otra manera que como amigo y colega.

Pero estaba Dahlia, una de las mujeres de quien había cuidado Jess, una mujer que provocaba incendios cuando la subida de energía era demasiado fuerte. No podía salir y estar con gente sin la compañía de un anclaje. Sin duda Eric la consideraría un monstruo de feria también. Jess se apretó con dos dedos los puntos palpitantes situados encima de sus ojos. ¿Por qué no se había percatado de que Eric también podía considerarles así a ellos? Y si Eric, un doctor que les ayudaba, pensaba eso, ¿qué creería el resto de la población?

Las paredes inspiraron y exhalaron mientras el suelo volvía a ondularse.

—Maldito seas, Eric, ¿cómo te atreves? No vas a entrar en mi casa e insultar a mi mujer...

—¿Tu mujer?

—Sí, mi mujer, y encima creerte que lo voy a consentir. Quiero arrancarte la puta cabeza ahora mismo. —De hecho, Jess acercó más su silla al doctor, pero se detuvo al ver la mirada en el rostro de Lily—. ¿Sabes qué? Me importa un rábano lo que pienses. Tú no conoces a Saber. —Sostuvo una mano en alto para prevenir cualquier respuesta—. Mira, Eric, gracias por todo lo que has hecho, pero tal vez sea mejor que no vuelvas.

—Por el amor de Dios, Jess, hace años que somos amigos.

Calhoun se frotó los ojos.

—Saber va a continuar formando parte de mi vida, Eric. No va a marcharse, y ahora que sé lo que piensas de ella... bien, está todo dicho.

Porque aún tenía ganas de darle un puñetazo en la cara por hacer que Saber pareciera tan perdida.

—Ya hablaremos —dijo Lily—. Descansa un rato.

—Sí, estoy cansado. Necesito dormir un poco —admitió Jess—. Gracias por coserme.

Lily cogió su bolsa.

—Ten más cuidado, Jess. Hasta que la biónica no funcione correctamente, deberías evitar riesgos y practicar siempre con alguien a tu lado.

Calhoun hizo un ademán de reconocimiento con la mano, pero no contestó. Necesitaba que se fueran. Comunicó a los demás que la casa estaba segura y que ya podían marcharse. Ken protestó, igual que Logan, pero dejó claro su deseo de que se largaran. Porque en aquel instante necesitaba que Saber se encontrara bien más que cualquier otra cosa. Quería que se sintiera a salvo y segura, que supiera que su casa era un refugio, un santuario para ella.

Tanto daba que Eric llevara parte de razón, en algún sentido, por extraño que pareciera. No le importaba. Tal vez algún día Saber se cansara de él y quisiera largarse, pero no podía imaginarla ni por un momento matando a alguien por el mero hecho de matar. Ella detestaba asesinar, le espantaba cometer errores. No era la asesina que Eric creía.

Saber esperó a que se marchara el último Soldado Fantasma. Se habían ido de mala gana y sólo cabía suponer que Jess se lo había mandado. De todos modos, esperó a que la casa se quedara a oscuras para volver a entrar, e incluso entonces se introdujo poco a poco, pues no tenía ganas de verle. Era la única persona en el mundo a quien consideraba su amigo, la única persona que había querido, pero ¿cómo podía él oír esas cosas y no tener dudas? Hasta ella las tenía.

Se detuvo un momento, tapándose la cara con las manos, y escuchó la respiración de Jesse, su corazón. No podía mirarle a la cara, tal vez nunca más encontrara el valor para mirarle a la cara.

Al minuto de poner el pie en el rellano de la planta superior, empezó a desvestirse. No había sido capaz de dejar de llorar y entre las lágrimas y la lluvia estaba empapada. Usó el segundo baño, evitando por completo su dormitorio; no podía soportar la idea de que alguien hubiera estado ahí tocando sus cosas, ni siquiera después de que los limpiadores hubieran retirado toda evidencia.

Se metió en la ducha y permitió que el agua humeante cayera en cascada sobre ella, calentando su fría piel, pero sin lograr nada en el hielo interior. Estaba enfadada con Jess, con sus amigos, pero sobre todo consigo misma. ¿Qué esperaba? ¿Que todos la acogieran en sus vidas con beneplácito? ¿Que la quisieran formando parte del equipo? ¿Encajar ahí?

Ni siquiera estaba segura de desearlo. De acuerdo, eso no era cierto. Le asustaba desearlo, le asustaba que no fuera real. No debía haber albergado esperanzas. La esperanza era para los imbéciles. La esperanza era para la gente, no para los monstruos.

Un estremecimiento recorrió su cuerpo, el pecho le dolía aplastado bajo algún tipo de emoción intensa y desgarradora. El ardor descarnado de la garganta se negaba a desaparecer por más que ella intentara tragar el nudo. Se apoyó en las baldosas, pues sus rodillas estaban débiles y las piernas tan temblorosas que temía que cedieran.

Una hora más tarde, Saber se encontraba tumbada en el sofá del rellano del piso superior mirando el techo. La pequeña lámpara disipaba la oscuridad, pero la reconfortaba bien poco. Con un suspiro, se levantó y se rodeó la cintura con los brazos, ciñéndose la camisa de Jesse al cuerpo. Se fue descalza hasta la escalera para sentarse en el peldaño superior, pues sentía la necesidad de estar cerca de Jess, pero no quería una confrontación. Al fin y al cabo, era una situación que no beneficiaría a nadie.

Más abajo, algo se movió en las sombras. Jess. Saber pudo distinguir el contorno de parte de su silla de ruedas y el perfil poderoso de un hombro y el brazo. Su rostro seguía oculto en la oscuridad. Por supuesto, se encontraba al pie de la escalera, ya que él también necesitaba la misma sensación de proximidad. Levantó las rodillas hasta el pecho y apoyó la barbilla en ellas. Le proporcionó cierto consuelo saber que él estaba ahí.

—¿Por qué no bajas aquí? —sugirió él en voz baja.

—No puedo, Jess —contestó Saber con voz apagada; aún tenía la garganta irritada, estaba afónica por los anteriores sollozos desgarradores—. No puedo, así de sencillo.

Se hizo un pequeño silencio. Un relumbre rojo y el aroma a tabaco de pipa ascendieron por las escaleras, una indicación del estado mental de Calhoun.

—Las cosas no se despejarán si no hablamos.

Saber se frotó la frente, aquel dolor de cabeza no iba a desaparecer nunca.

—¿Para decir qué?

—Se equivoca contigo.

Volvió a notar el escozor en los ojos. Se los apretó con los dedos para intentar detener las lágrimas; llorar era una debilidad que nunca había sido capaz de superar.

—Tal vez. Si no lo sé ni yo, ¿cómo estás tú tan seguro?

—Porque sé quién eres. Veo en tu interior. Tú misma sabes que la telepatía te permite vislumbrar el interior de la mente de una persona. Siento lo que sientes. Veo qué estás pensando. No eres una asesina, Saber. Matas a tu pesar. —Suspiró—. La verdad es que de los dos yo tengo más mentalidad de asesino. No siento remordimientos, los muertos no me obsesionan por la noche. Cuando me enteré de que estaba atrapado en esta silla de ruedas, lamenté perderme la acción, la adrenalina, el peligro. Me gusta mi vida. A ti no.

—He cometido errores, Jess. Podría volver a cometerlos.

Jess se quedó callado. Sonaba tan perdida, tan desamparada... Él andaba sobre una cuerda floja, necesitaba encontrar la manera de alcanzarla. Eric había vuelto a confirmar todas las dudas que Saber tenía sobre sí misma. Si al menos pudiera abrazarla, tocarla, tal vez tuviera una oportunidad. Les separaba un tramo de escaleras, pero bien podía ser el Gran Cañón.

—Escúchame, preciosidad. —Lo intentó de nuevo. Su voz era pura magia negra, la poderosa arma de un hechicero tenebroso, la única de que disponía en aquel momento, y la empleó sin pudor—. Tenemos que hablarlo, baja aquí, tesoro. Prepararé chocolate caliente, podemos acurrucarnos sobre el futón con el fuego encendido y arreglar todo esto entre los dos.

La voz la tocaba como si fueran dedos acariciadores y sosegantes. Medio hipnotizada, movida por la necesidad, Saber se levantó poco a poco. Una parte de ella quería bajar corriendo las escaleras, echarse en sus brazos y recibir su consuelo. La otra mitad, la cuerda, reconocía el peligro, la línea inestable que diferenciaba no definirse de comprometerse. De hecho, bajó las escaleras pensando que iba a conseguirlo —sentarse en su regazo sencillamente, apoyar la cabeza en el hombro— y que todo iría bien.

La autoconservación se apoderó de la situación. Ya había tenido esperanzas una vez. Había creído en una ocasión y depositado en él su confianza. No obstante, Jess había visto con sus propios ojos su expediente, fotos suyas de niña matando un cachorrito. Ése era uno de los peores momentos de su vida y él lo había visto. No sólo Jess, sino también sus amigos. Saber eludió la mano que él le tendía y se apresuró a situarse en medio del salón.

—No puedo dejar que esto suceda. ¿No lo ves? Quiero estar contigo, estar aquí, creer que esto va a salir bien. Y por lo tanto en cuanto permita que me abraces, dejaré que me convenzas aunque sepa que es imposible. —Las lágrimas relumbraban en sus pestañas—. Y lo es, Jess, es imposible.

Calhoun se encontró conteniendo la respiración. Era imposible que Saber supiera qué aspecto tenía: sus grandes ojos azul violeta salvajes y luminosos con las lágrimas contenidas, los rizos azabache esparcidos como un halo en torno a su rostro delicado. Sólo llevaba puesta su camisa, cuyos faldones le llegaban casi a la rodilla, pero al mismo tiempo revelaban un vislumbre tentador de muslos desnudos a través de los cortes laterales. Sus piececitos descalzos parecían incrementar la sensación de intimidad entre ellos. Bajo el albornoz de felpa de Jess, el cuerpo desnudo se agitó con voracidad.

—Seguro que quieres escucharme —dijo con amabilidad—. Creo que todo esto se puede arreglar.

—¿Ah sí? —Alzó la barbilla con ojos centelleantes—. ¿De verdad? ¿O sólo te engañas a ti mismo?

Algo oscuro y peligroso destelló en las profundidades de los ojos de Calhoun. El gesto de su boca se endureció de manera perceptible.

—No me engaño a mí mismo.

—¿De verdad? ¿Y qué dices de tu «amigo» Eric? ¿O del hecho de permitir que te convencieran para entrar en el programa de biónica o que usen Zenith contigo? ¿Creías que yo no iba a reconocer los indicios de ese fármaco? Aparecía en el expediente de Whitney, el que estaba en inglés, sin códigos matemáticos. Fue sugerencia suya emplear Zenith en dosis pequeñas, ¿lo sabías? Me vendiste a ellos, tanto si lo hiciste conscientemente como si no.

—Chorradas, Saber. Estás buscando pelea conmigo para poder

largarte. —Vació la ceniza con unos golpecitos en el cenicero y arrojó la pipa a un lado—. Nunca te vendería, por ningún motivo. Pedí que te investigaran, como era mi responsabilidad. Habría sido criminal por mi parte no hacerlo, y no puedes condenarme por eso. No tengo ni idea de cómo descubrió Eric lo que sabe de ti, pero no lo hizo a través de Lily ni de mí.

—¿Cómo puedes saberlo? ¿Ella te lo ha dicho? Por supuesto que te lo ha dicho, y tú te lo crees. En cambio no me crees a mí cuando te cuento que él está al corriente.

Retrocedió cuando Jess se deslizó un poco hacia ella.

—Maldición, Saber, no tendremos oportunidad de aclarar nada entre nosotros si insistes en mantener una actitud poco razonable.

—¿Poco razonable? —repitió, aunque su voz empezaba a sonar fuera de control—. ¿Crees que no soy razonable porque no me gusta que todos tus amigos conozcan mi pasado? ¿Que tus amigos piensen que soy un bicho raro y un monstruo? ¡Dios! ¿Qué diablos quieres de mí? —Las lágrimas centellearon en sus pestañas—. ¿Quieres algo poco razonable? ¡Me largo de aquí, Jess!

Saber se dio media vuelta y empezó a correr por la casa, haciendo caso omiso de la oscuridad o de los muebles. Sin prestar atención al ronco aullido de Jess, abrió la puerta de la cocina de par en par y salió a toda prisa al patio. No tenía ni idea de qué hacía, pero necesitaba salir de ahí. Buscó aire para calmar sus pulmones ardientes y tuvo la sensación de que los muros de la casa se aproximaban hacia ella. En el exterior, la hierba estaba fangosa y húmeda bajo sus pies descalzos. Corrió hasta el centro del patio y se detuvo para mirar a su alrededor con ojos desorbitados, sin entender bien qué estaba haciendo o a dónde pensaba que iba. El mundo se desmoronaba a su alrededor y todo con lo que había soñado se perdía.

Hacía una noche tan turbulenta como su estado. Los árboles se balanceaban con el viento. Volvió el rostro hacia las nubes oscuras y amenazadoras, permitiendo que la lluvia se mezclara con las lágrimas en su rostro. La camisa se amoldaba a sus curvas, casi transparente.

Jess salió a la noche tumultuosa tras ella. En su interior crecía algo salvaje y feroz, a la altura de los elementos.

—¡Saber! —gritó, y su voz recorrió la distancia que les separaba, ronca, dura y dominante.

Ella se giró en redondo para mirarle a la cara, asustada, indómita, hermosa bajo la tormenta incesante.

—No puedo soportarlo, Jesse.

Su grito surgió desgarrado de su corazón, su alma. Estaba perdida por completo y no veía una salida, ni había retorno.

Por encima de ella, el cielo se abrió y un blanco rayo recortado rasgó las nubes oscuras arremolinadas, dotando momentáneamente de un relieve marcado los alrededores. Jess la vislumbró por un instante: la camisa casi inexistente, pegada al cuerpo, resaltaba sus pechos, los pezones oscurecidos y erectos, la estrecha caja torácica, la línea plana del estómago y la uve oscura en la unión de las piernas. Parecía un sacrificio pagano, con los brazos delgados estirados hacia él y el rostro pálido y vulnerable cargado de tensión.

Entonces notó la excitación en su cuerpo. No fue un cambio sutil y placentero, sino una sacudida salvaje y dolorosa, la necesidad era tan intensa, tan feroz, que no se parecía a nada experimentado antes.

—Ven aquí.

Su voz sonaba áspera de deseo.

Cuando Saber le miró desde el otro lado del patio, el ansia descarnada talló las líneas del rostro de Calhoun, y un deseo oscuro y brusco relumbró en sus ojos. La excitación dominó su cuerpo con crudeza, la inmensa erección era tan gruesa e impresionante que tiraba del albornoz. A ella se le cortó la respiración. Todos los músculos de su estómago se contrajeron y fruncieron, mientras los espasmos se desataban por su útero en forma de pequeños estallidos, como cohetes centelleantes. Jess era una obsesión oscura que le hacía perder el control.

Se acercó a él, él a ella, y se encontraron al borde del césped. Jess la sujetó por detrás de las piernas y deslizó las palmas de la mano hacia arriba por la piel inesperadamente caliente, hasta las nalgas firmes, sujetándola con fuerza posesiva mientras sobaba la carne.

Saber gimió cuando las manos exploradoras la instaron a acercarse más. Jess, sin molestarse en retirar el tejido fino y transparente que cubría su carne, inclinó la cabeza oscura hacia el pezón. Ella notó la boca caliente sobre el pecho doliente y la camisa abrasiva. Era una locura erótica que provocó en su cuerpo oleadas irresistibles. Acunó la cabeza de Jess junto a su pecho y alzó la cabeza al cielo, permitiendo que la lluvia limpiara las lágrimas.

Calhoun desplazó la mano deprisa hasta la parte interior del muslo y luego la subió para acariciar el terciopelo caliente y húmedo. Saber gimió otra vez, pues necesitaba y deseaba, con un hambre tan frenético y repentino que no podía controlarlo. Jess alzó la cabeza y en sus ojos oscuros había una negrura ardiente. Agarró la camisa por delante y, cuando otro rayo desgarró el cielo, tiró con brutalidad, separando el tejido para que la luz dejara al descubierto su piel cremosa mojada por la lluvia. La camisa cayó inadvertidamente como un trapo en un charco de agua a sus pies.

Jess la cogió por la nuca y la atrajo hacia él para fundir sus bocas con actitud dominante y bárbara, exigiendo su obediencia, su sumisión. Le ardía el cuerpo a causa de la dolorosa e incesante erección. Los suaves grititos guturales de Saber, sus manos errantes y el dulce sabor no conseguían en modo alguno mitigar el dolor, sólo avivaban el fuego que ya avanzaba descontrolado por él.

Saber apartó la boca para abrirle el albornoz, dejando al descubierto la magnificencia de su cuerpo masculino y la dura erección. Se arrodilló rodeando su cintura con los brazos y pegando los labios a su piel, saboreando la lluvia. Exploró y jugó, avanzando sensualmente sobre cada músculo bien definido, avivando a posta la urgencia desesperada que percibía en él.

Jess soltó un grito ronco y agarró dos puñados de cabello sedoso, amontonando la masa en sus manos mientras su cuerpo tembloroso luchaba por mantener el control. Echó hacia atrás la cabeza de Saber y, bajo el destello brillante de un relámpago, se miraron las almas.

—Nunca permitiré que te vayas —advirtió en voz baja pero implacable—. Puedes estar segura, Saber: si te acercas a mí así, eres mía. Si haces esto, eres mía.

Porque ella iba a destruirle del todo con su boca y su cuerpo. De hecho, ya le estaba llevando a un lugar sin retorno.

—Tengo que tenerte, Jess.

Lo admitió con reconocimiento descarnado y escueto, y se dejó caer de rodillas en la hierba húmeda mientras él echaba hacia delante las caderas buscando cierto alivio para su cuerpo doliente.

Saber notaba todo su cuerpo desmandado y casi sin control a causa de la brutal necesidad. Quería perder el control. Quería esto, a Jess, que la necesitara y ardiera por ella. Anhelaba el deseo posesivo y oscuro que crecía en sus ojos y la respuesta ardorosa de su cuerpo con la erección cada vez más gruesa, larga y dura No le importaban sus amigos ni lo que pensaran, sólo Jess y el modo en que la miraba.

Se moría de ganas de saborearle, necesitaba sentir el falo empalmado llenando su boca con toda su longitud, observar sus ojos volviéndose opacos y vidriosos, oír su voz cada vez más entrecortada y ronca de placer. Cogió en las manos el prieto saco de los testículos y pasó la punta de los dedos por la dura verga. Observando el rostro de Jess, se inclinó hacia delante y pasó la lengua por el capullo en forma de hongo, saboreando la mezcla de sexo, deseo y amor.

La polla dio una sacudida.

—Maldición, Saber, podríamos meternos en problemas los dos.

Ella quería tener problemas. Deseaba verle descontrolado y rudo. Sin apartar la mirada de sus ojos, se inclinó y dio una larga y lenta lamida, doblando la lengua bajo la base del capullo encendido.

Los ojos de Jess se iluminaron y cerró los dedos sobre su pelo, atrayendo aún más su boca hacia él. Un músculo tensó su mentón cuando ella sopló aire caliente y abrió la boca para aceptar las exigencias de aquel cuerpo, humedeciéndose los labios con expectación. Él profirió un sonido situado entre el gruñido y el gemido y atrajo de nuevo hacia él la cabeza.

Saber se metió en la boca un centímetro tras otro, prolongando a propósito el tormento, sin apartar la mirada de los ojos de Jess mientras introducía la gruesa verga en el calor sedoso de su boca. Sabía a pasión abrasadora, intensa y masculina, y necesitaba más. Observó a Jess respirando con brusquedad mientras tiraba del albornoz para bajarlo y dejarlo amontonado tras él. En todo momento las caderas embestían con un ritmo casi indefenso.

Saber le sentía palpitante contra su lengua, llenando su boca y estirando sus labios. El poder era increíble: hacerle esto a este hombre sexy y viril, que él confiara en ella y la deseara tanto que no fuera capaz de apartar la vista. El placer estremecía todo el cuerpo de Jess y los gemidos retumbaban en su pecho.

Lamió la parte inferior del amplio capullo y luego succionó con fuerza. Las embestidas de Jess eran cada vez más urgentes y profundas, las manos en su pelo la controlaban. Saber le hacía perder el control, y él sujetaba su pelo con manos cada vez más rudas, tirando del cuero cabelludo y creando deliciosas corrientes de electricidad hasta sus senos, que luego saltaban hasta la entrepierna de él. Su vagina se comprimía cada vez que él empujaba, cada vez que se le escapaba un gemido. Aprendió a seguir frotando con la lengua el punto sensible por debajo del capullo; cuanto más lo hacía, cuanta más cantidad de verga tragaba y succionaba, mayor era la recompensa. La respiración de Jess se aceleraba y la polla se sacudía y palpitaba con expectación.

—Tienes que parar, pequeña. —Empleó el cabello para apartarla de él—. Si no paras vamos a tener problemas muy serios.

Ella dio un último golpe de lengua con gran satisfacción. Le encantaba mirarle a la cara y ver el placer descarnado, el deseo acuciante. Jess la puso en pie y la agarró por las caderas instándola a montarse sobre él.

A su alrededor la tormenta desataba su furia descontrolada también. La lluvia caía a raudales, los truenos retumbaban y algunos destellos ocasionales de relámpagos iluminaban el cielo. La serie de tormentas no había hecho más que empezar; traía de golpe el invierno como venganza, pero no lograba refrescar el calor intenso entre ellos.

Saber restregó su cuerpo contra él como una tentación, deslizando la suave piel sobre los duros músculos de los muslos mientras ajustaba las rodillas a ambos lados de las caderas de Jess. Mantenía a propósito la mirada fija en él, al tiempo que levantaba su cuerpo.

—Te quiero de verdad, Jesse. Tanto que no sé que hacer al respecto —susurró.

Él la amaba con todo su ser, con todo lo que él era.

—No llores más, cielo, aún sigues llorando.

Le sujetó el trasero con pulgares acariciadores, mientras su cuerpo entraba en tensión, doliente y exigente. Ella era una vulva candente y prieta que le exigía poseerla. Jess la bajó con urgencia para penetrar por fin su canal femenino, deseando gritar cuando el placer estalló a su alrededor y en el interior de su cuerpo. Su furia estaba a la altura de la tormenta, turbulenta y desbocada salvajemente, sin restricciones. La fresca lluvia, el cuerpo caliente de Saber, los destellos de los relámpagos, el estallido del trueno, todo quedó mezclado con su unión: la tormenta fusionándose con el ritmo brutal de sus cuerpos.

Jess no quería volver a ver esa mirada en su rostro. Tan desgarrada. Tan triste. Tan asustada.

—Voy a quererte siempre, Saber. —La agarró con más fuerza, sacudiéndola un poco mientras la penetraba y les unía. Ella le estrujaba y retenía con un calor abrasador, sus resbaladizas y sedosas paredes se ondulaban sujetándole y exprimiéndole. Jess se inclinó hacia delante y pegó su boca a su oído mientras su cuerpo se contraía—. Si nunca has creído en nada, créete lo mucho que te quiero.

Explotó, la ardiente eyaculación roció en profundidad el interior de Saber, cuyos músculos sufrían espasmos en torno al falo. Ella chilló arrojando la cabeza hacia atrás, llorando con la noche. Jess pronunció su nombre, pero su voz se perdió en el viento aullante.

Cuando los temblores cesaron, Saber se recostó contra su pecho, exhausta, vacía, incapaz de aguantarse en pie, incapaz de moverse lo suficiente como para separar sus cuerpos. A pesar del frío, el calor que se elevaba entre ellos provocaba pequeñas gotas de transpiración que se fusionaban con las gotas de lluvia en su piel. El corazón de Jess latía con una fuerza tan alarmante, que tuvo que esforzarse para controlar la respiración.

Aún alojado en las profundidades del cuerpo de Saber, hizo girar la silla y se puso a cubierto de la tormenta dando impulsos seguros y poderosos a las ruedas. La puerta de la cocina seguía abierta, prueba de la rápida salida anterior. La cerró con cuidado y echó el cerrojo con un chasquido concluyente. Saber no se había movido, aferrada a él con los ojos cerrados.

Mientras avanzaba por la casa en dirección al baño principal percibió la tensión de las réplicas del placer en el cuerpo de Saber. Sonriendo, le frotó la cabeza con la barbilla y la abrazó, agradecido de su presencia ahí. Aunque tuvieran todo tipo de cosas que resolver, ella se había comprometido con él: no podía pedir más que eso.

Jess hizo rodar la silla hasta la amplia ducha construida ex profeso, ajustó la temperatura del agua y abrió el grifo. El agua caliente era una delicia, lograba que se desvaneciera el frío de la lluvia nocturna.

A su pesar, Saber se desenredó poco a poco de su cuerpo. Jess tomó un lado de su cara en la mano y apartó de su mejilla los mechones húmedos de cabello azabache. Ella no podía mirarle, no podía creer que se hubiera comportado con tal desenfreno; no entendía que su cuerpo sintiera tanto placer con un acto tan salvaje. Se miró los pies descalzos. Estaba desnuda por completo, sin albornoz ni ropa, en la ducha con Jess. La silla de ruedas chorreaba agua, que lavó una débil mancha de barro del respaldo donde ella había puesto los pies. La felpa del albornoz estaba empapada, hecha una pelota alrededor de los muslos desnudos y de la espalda.

Saber se ruborizó, sin poder creer del todo la evidencia de su conducta alocada y disoluta. Jess cogió su barbilla con firmeza y una sonrisa infinitamente tierna.

—Amando —susurró mientras acariciaba con los pulgares la frágil barbilla, leyendo sus pensamientos sin disimulo. Le besó la frente, llevando luego la boca a sus labios—. Te estaba amando.

Capítulo 16

*J*ess observó el rostro de Saber. Dormía profundamente hecha un ovillo, agotada, con una mano extendida hacia la otra almohada... y hacia él, confió. La lamparita junto a la cama vertía luz sobre su rostro: la piel suave y luminosa, las largas pestañas reposando como abanicos contra su piel. La estrechó rodeándola con el cuerpo, con una mano bajo su seno y la polla presionando sus nalgas. Que Dios le ayudara, tenía una erección dura como una roca.

Se rió en voz baja, aliviando por fin la tensión en su pecho. Patsy estaba en el hospital, en buenas manos, y Saber estaba en su cama, donde tenía que estar. Inclinó la cabeza para darle un beso en el pelo antes de desplazarse de la cama a la silla de ruedas. Ella necesitaba dormir, y él dedicar un rato a su investigación para acabarla de una vez.

Con Logan habían intentado recuperar los datos de la grabadora sin conseguirlo, pero seguro que Neil habría logrado algún resultado. Había pocos Soldados Fantasma tan buenos con el sonido, por lo tanto Neil debería de haber recuperado el audio. Con suerte, a esas alturas tendría un mensaje esperando.

Aún más importante era contar por primera vez con una dirección definida para continuar con la investigación. Estaba claro que los hombres que habían venido a por él pertenecían al ejército. A Ryland Miller y a su equipo les interesaría saber eso, pues realizaban una investigación centrada en el general Rainer, responsable de su instrucción. Una vez que todos siguieran la misma dirección, conseguirían avanzar, de eso estaba seguro.

Y tenía que hacer algo respecto a la biónica. Si no lograba que sus piernas se movieran tendría que considerar la idea de llevar un dispositivo externo. Aunque pudiera andar parte del tiempo, nunca lograría depender de sus piernas con fiabilidad, siéndole inútiles en su estado actual.

—Jesse.

Saber se volvió pestañeante y encontró su mirada.

—Estoy aquí, tesoro, vuelve a dormir. Voy a trabajar un rato. Estás agotada.

La contusión en la cara quedaba resaltada sobre su pálida piel. Había descubierto otras marcas más en su cuerpo, una especialmente fea en la cadera donde había recibido las patadas. Cada vez que pensaba en los peligros a los que había expuesto inadvertidamente a su hermana y a Saber, se ponía enfermo.

Ella se tapó con la sábana y le sonrió.

—Me encanta tu aspecto, Jesse.

Su voz sonaba tan adormilada y sexy, que Calhoun la sintió vibrar en todo su cuerpo, calentando su sangre y despertando sus sentidos.

—Duérmete. Vendré a despertarte dentro de unas horas.

—Mejor que lo hagas, tengo que ir a trabajar esta noche. —Bostezó y luego le sonrió mientras las pestañas volvían a descender poco a poco—. O igual me despide el jefe.

Su jefe ya estaba pensando en despedirla. Estaba convencido de que no sobreviviría si se iba a trabajar; no después de lo que le habían hecho a Patsy.

—Van a venir un par de tipos, así que no te presentes vestida sólo con mi camisa y nada más.

—Buena sugerencia.

La diversión tintineaba en su voz, mientras una leve sonrisa curvaba su boca, pero ya no abrió los ojos.

Jess dejó que durmiera. Se duchó y se vistió, empleando la silla rápida en vez de la eléctrica más pesada para ir al despacho. Logan y Neil tardaron veinte minutos en aparecer, y por las caras que traían pudo deducir que Neil había conseguido sacar algo de la grabadora.

—Esto no te va a hacer gracia —saludó Neil.

Logan miró a su alrededor.

—¿Dónde está ella?

—¿Ella? —Jess le miró con un ceño—. ¿Te refieres a Saber? ¿Quieres cabrearme en serio, Max? Porque acabo de pasar un par de horas examinando las contusiones en su rostro y cuerpo. La he visto tirada en posición fetal en el suelo a causa de la reacción violenta que le provoca disparar un arma y matar a un hombre... y todo por mí, por Patsy. No me encontraba lo bastante cerca como para apartar esa energía atroz, y tú sabes tan bien como yo que un escudo sin un anclaje no sirve de nada. Ella también lo sabía, pero aun así lo hizo.

Logan se sirvió una taza de la cafetera que había sobre el escritorio.

—Voy a estar atento para protegerte tanto si te gusta como si no.

—Entonces acabemos con esto. Dime en qué es diferente ella. Eric Lambert le pone las mismas objeciones, pero él no es un Soldado Fantasma. Tú puedes matar, yo también. Todos nosotros matamos. ¿Cambia en algo cómo lo hagamos? No tienes problemas con Mari ni con Briony.

Logan suspiró.

—Mari es una soldado y Briony no tiene un solo gramo de maldad en el cuerpo.

Neil se aclaró la garganta:

—¿Y qué hay de las otras mujeres? Flame y Dahlia.

Logan se pasó la mano por el pelo.

—Conozco a Dahlia. Es diferente. Para ser sinceros, no confiaba en ella al principio. Y Flame... puede matar con el sonido. Por lo tanto, sí, reconozco que también me pone un poco nervioso.

—Yo también puedo matar con el sonido —indicó Neil.

—No es lo mismo.

—¿Por qué?

—Porque las mujeres no están hechas para el combate. No deberían andar por ahí matando gente. Se supone que son el sexo débil, nosotros cuidamos de ellas. Deberían tener niños y preparar la cena, no matar gente. ¿A dónde irá a parar este mundo si pensamos que es normal que las mujeres lleven armas?

—Flame, Dahlia y Saber no necesitan ni quieren armas, hermano —comentó Neil.

—Bien, eso me produce un gran alivio —soltó Logan.

Se hizo un silencio de asombro en la habitación y entonces Neil y Jess estallaron en carcajadas.

—Supongo que tampoco habría que permitirles votar —dijo Neil.

—¿Te caería mejor si te digo que sabe cocinar? —preguntó Jess.

Logan les fulminó con la mirada.

—Venga, reíros, pero no está bien.

—Dios bendito, Max, eres un puto machista —exclamó Jess.

—¿Y qué pasa si lo soy? ¿Y tú qué? No finjas que no te da un poco de canguelo que esa mujer pueda matar con el tacto. ¿Y si tiene la regla? ¿Has visto alguna vez a una mujer cuando le coge el síndrome premenstrual? Mi madre solía volverse loca. Yo me iba a casa de un amigo toda una semana hasta que ella llamaba y decía que ya era seguro volver.

—De acuerdo. Tengo que dar la razón a Max en esto —admitió Neil—. Piensa en ello, Jess. La capacidad de matar con el tacto y una mujer con síndrome premenstrual. Tienes que tener unos buenos cojones para vivir con una amenaza como ésa.

Jess soltó una exhalación.

—Debo admitir que nunca había pensado en ello.

—La cosa podría ponerse fea —continuó Logan—, fea de verdad.

—Tendré que dejarla embarazada continuamente.

—Sí, eso funcionaría. —Logan entornó los ojos—. ¿No ves películas? ¿Alguna vez has visto a una mujer durante el parto, pariendo un bebé? Una fuerte contracción de ésas, colega, y estás frito. La vida de un marido ya presenta riesgos sin tener una mujer que sepa matar. Pero, en serio, Jess, piensa en esto con calma, y hazlo con el cerebro y no con otras partes de tu anatomía.

—Intentas asustarme —contestó Jess con mirada desafiante.

Logan y Neil estallaron en carcajadas.

—Iros al cuerno, los dos. —Jess se sirvió una taza de café—. Sois un par de cabezas de chorlito. ¿Vamos a trabajar algo o qué?

—He traído esto para ti. —Neil sacó un disco del bolsillo y la sonrisa se desvaneció de su rostro—. Voy a dejar que lo escuches. He tardado bastante en limpiarlo y llegar a la conversación. Aún hay algo de ruido de fondo, pero pienso que reconocerás en él un par de voces. —Metió el disco en el ordenador—. Me guardo el original y ya verás por qué. Escuchemos.

Hubo un momento de silencio y luego se oyó el sonido de pasos.

—*No podemos permitirnos dejar con vida a ninguno de ellos. Senador, ni uno. No me importa que lo hayan dejado o no. Hay que cerrar el programa. El principal peligro para nosotros ahora mismo es ese megalómano, Whitney, y las abominaciones que crea.*

La voz sonaba apagada y un poco distorsionada, pero Neil había logrado amplificarla lo suficiente como para captar las palabras.

—*Lo intento.*

—*Pues inténtelo más en serio. Whitney está al corriente de lo nuestro. Va a encontrar la manera de pararnos los pies y usted, senador, caerá con todos nosotros. Nos acusarán a todos de traición y deduzco que a unos cuantos nos cogerán y nos pegarán un tiro antes de llegar a juicio. ¿Cree que el presidente querrá que alguien sepa que hemos estado vendiendo secretos a terroristas y financiándoles durante años de su mandato? Nadie querrá que se haga pública esa información. Nos matarán a todos, y los supersoldados de Whitney serán quienes aprieten el gatillo. El tipo está loco como una cabra, pero no van a liquidarle. Tenemos unas cuantas personas en lugares clave que nos pasan información, pero eso no es suficiente. Tiene que encontrar una manera de acabar con él.*

—*Hago todo lo que puedo.*

La voz sonaba ahora más clara, como si tal vez fuera él quien estaba más próximo a la grabadora que se activaba con la voz.

Jess se inclinó para poner la grabación en pausa.

—Ése es el senador Ed Freeman. La grabación tuvo que haberse realizado antes de que le dispararan. ¿Quién es el otro hombre?

Neil negó con la cabeza.

—No tengo ni idea. He intentado encontrar coincidencias con muestras de voces, pero por ahora no ha habido suerte.

—El senador suena casi asustado.

—Escucha el resto —sugirió Neil y una vez más activó el sonido.

—*Whitney va a seguir adelante hasta que le maten. Es la única manera de detenerle. Y hay que matar a todas las mujeres de su programa de reproducción, a todas ellas. No podemos permitir que compliquen más este lío.*

—*Whitney no confía en mí. Creo que intenta liquidarme.*

—*Debe de saber que jugó un papel decisivo cuando mandaron sus Soldados Fantasma al Congo. Manos a la obra. Y cuando digo que todas las mujeres deben morir, me refiero a todas ellas.*

—*Violet nos está ayudando* —dijo entre dientes el senador.

—*Ella es quien informó a Whitney de Higgens. Si no hubiera dado el chivatazo habríamos atrapado entonces a aquel hijo de perra. En vez de eso está muerto y Whitney sigue a lo suyo.*

—*Ella no...*

Se oyó a alguien llamando a la puerta, las bisagras crujieron, y luego más pisadas. Ambos hombres se quedaron callados al instante. Corrieron las sillas.

—*No, no, no se levanten.*

La grabación se había detenido de repente. Jess y Logan se miraron. La tensión se elevó en la oficina.

—¿Era ése quien pensamos? —preguntó Logan.

—Ése era el vicepresidente —confirmó Jess—. Tiene una voz característica. Y acaba de entrar en la habitación. ¿Pensáis tal vez que el interlocutor del senador se halla en la Casa Blanca?

—¿Puede llegar tan arriba la putrefacción? —Logan respiró hondo—. Está hablando de vender nuestro país desde la propia Casa Blanca.

—Estamos muertos si no descubrimos a esa gente —dijo Neil.

—Son traidores —soltó Jess—, putos traidores, y nosotros vamos a descubrirlos. ¿No era Higgens a quien Ryland tenía que matar?

—Debía formar parte de una organización mucho más amplia. Y nosotros pensábamos que nos enterábamos, pero ni siquiera vislumbrábamos la punta del iceberg.

—Cuando hablas de senadores y de alguien que trabaja en la Casa Blanca...

—O en el Pentágono. La grabación podría haberse hecho allí también.

—Sabemos que la conversación se desarrolla en algún lugar al que acude el vicepresidente. Neil, ¿podrías aislar algún sonido de fondo?

—Lo he intentado. La grabación está dañada. No sé quién podría haber dejado la grabadora en la caja fuerte de Louise.

—¿La esposa del senador? Es una Soldado Fantasma. Pero también es cierto que ha hecho algún tipo de trato con Whitney a cambio de salvar la vida de su marido. Whitney lanzó un ataque contra él. Cuando llegaron a un acuerdo, Violet vendió a las chicas del programa de reproducción.

—Uno de los Soldados Fantasma fue quien le metió un tiro en la cabeza —confirmó Jess—, aunque cualquiera de nosotros lo habría hecho con sumo gusto. El senador es responsable de la captura y tortura de Jack y Ken. Les entregó a Ekabela en el Congo. Antes de eso, Whitney le había seleccionado como objetivo para asesinarle empleando a Saber. Ella se escapó en vez de cumplir la orden.

Jess dio otro trago al café, con el ceño cada vez más marcado, intentando aclarar el rompecabezas.

—Por lo tanto, hay dos facciones. Tenemos a Whitney, que es un loco que hace armas para su país y piensa que es un patriota en todos los casos.

Logan asintió.

—Y tenemos un grupo, pequeño o grande, imagino que grande, vendiendo nuestros secretos al mejor postor. Ocupan los puestos más altos del gobierno y sabemos que además están en el ejército, al menos algunos de ellos.

—Los hijos de perra que iban a por mi hermana eran del ejército —confirmó Jess—. Tenemos que hablar con Ryland Miller lo antes posible y pasar esta información a su equipo.

—Quien quiera que sea la persona que hablaba con el senador, es quien da órdenes al almirante y al general, y quien envía a nuestros equipos a misiones suicidas. Tiene que ser él. Ahora tenemos su voz.

Deberíamos poder trincar a ese hijo de perra —afirmó Neil—. Seguiré trabajando hasta que la grabación quede limpia y veré si puedo subir aún más el volumen.

—Intenta de nuevo sacar algo del ruido de fondo, a ver si podemos imaginar con exactitud dónde tiene lugar la conversación, en qué edificio —añadió Logan.

Neil asintió.

—Dudo que consiga mucho más; no ha sido fácil limpiar la señal y subir el volumen todo lo que he podido.

—¿Había más conversación?

—No en buen estado, la grabación se deterioraba más allá de lo recuperable. Puedo preguntar a Flame, es una genio con este tipo de cosas, pero yo no contaría con conseguir mucho más. Creo que el hombre debía de encontrarse a cierta distancia de la grabadora.

—No podía saber que la conversación se estaba grabando.

Jess chasqueó los dedos.

—Pero el senador sí. Escuchad las cosas que dice: respuestas cortas, nada que le incrimine demasiado. Podría ser él quien la estuviera grabando. Es muy probable que Violet le instara a conseguir algo que le sirviera de protección. No sé cómo el senador se implicó con ellos, pero apuesto a que quería desentenderse.

—Entonces intenta negociar con Whitney, un intercambio de información, sobre todo si la esposa del senador ya está sentenciada —apuntó Logan—. Whitney no vendió a esas mujeres, ni el senador iba a rescatarlas, pues sólo intentaba demostrar a Whitney lo que sabía, lo que podía callar.

—Entonces, ¿por qué Whitney hizo que le asesinaran? —preguntó Neil.

—No sabemos si está muerto.

—Confirmaron lo del disparo en la cabeza. Dudo que sobreviviera, y si lo hizo ahora es un vegetal.

—Entonces Violet querrá venganza. No puede volver a casa de Whitney y no puede acudir a nosotros. Está ahí sola mientras todo el mundo quiere verla muerta —explicó Jess—. Por consiguiente, ¿qué puede hacer? Dejar la grabadora en el despacho de Louise porque ha oído el rumor de que estoy llevando a cabo algún tipo de investigación.

—Estas conclusiones son un poco precipitadas —dijo Neil.

—Tal vez —admitió Jess—, pero cuadran.

—Hablando de mujeres cabreadas —dijo Logan—. Ves cómo yo no iba desencaminado. Violet actúa por su cuenta, y nadie sabe de qué lado va a ponerse. Entretanto, mejor que todo el mundo vaya con cuidado. Ahora comprenderás a qué me refería con lo de estas mujeres. Con armas o sin ellas, son peligrosas de verdad.

—Al menos tiene sus motivos, y deberías estar contento, Logan, de que protegiera a su marido —replicó Jess.

—Una lástima que se casara con el hombre equivocado. Qué desperdicio.

Jess estalló en carcajadas.

—Qué hipócrita eres, Logan. Dices que no habría que reforzar genéticamente a las mujeres, pero, si lo están, no quieres compartirlas con nadie.

Logan se encogió de hombros.

—Soy un tipo complicado.

—Estás chiflado.

La sonrisa se borró del rostro de Jess.

—Eres un chiflado listo, Max. Antes de que Saber escapara, estuvo en el despacho de Whitney y encontró dos expedientes. Uno era sobre el senador. No ha hablado demasiado de eso, pero cuando se lo pregunte esta noche, apuesto a que me dirá que documentaba actos de traición.

—Al menos eso confirmaría nuestras teorías.

—Y había otro expediente, sobre biónica. Ambos documentos estaban en inglés, mecanografiados, ahí encima del escritorio para que ella los encontrara. Whitney siempre, siempre, usa códigos matemáticos. Le pregunté a Lily y me lo confirmó: cada vez que ha accedido a algún documento en su ordenador estaba codificado.

—Lo cual significa claramente que quería que ella viera esos documentos —dijo Logan.

—Exacto, pero ¿por qué?

Logan estudió su rostro.

—Creo que ya lo sabes.

Jess se quedó callado un momento.

—Te equivocas acerca de ella.

Logan pareció sorprendido.

—Eso ha sido un cambio brusco de tema.

—Salvó la vida a Patsy. Tenía algún problema de corazón y Saber lo detectó. Patsy tuvo un ataque cardiaco, Logan; habría muerto sin su ayuda. Tal vez sea capaz de matar con el tacto, pero también puede dar vida. Quizá quieras pensar sobre ello; podría ser que hiciera falta salvarte la vida algún día.

Logan alzó la mano como gesto de rendición.

—No sé por qué o cómo hemos vuelto al principio otra vez, pero me encantaría equivocarme. No me gusta que corras riesgos, pero si fuera mía, debo admitir que lo arriesgaría todo por ella.

—Entonces mejor dejamos la charla.

—Mejor dejarla. —Logan se levantó de la silla y dejó a un lado la taza de café—. Me largo. Se hace tarde y pronto va a levantarse. No querrá vernos aquí.

—No le gusta que estés enterado de su pasado —reconoció Jess—. Pero lo superará.

Neil dejó su taza junto a la cafetera.

—Yo también me voy. Llevaré la grabadora a Flame y veré qué puede hacer. Ya sabes que estamos cerca si nos necesitas. Martin se encargará de la vigilancia esta noche. Y me gustaría añadir que, y puedes decírselo a ella, no sé nada de su pasado ni me importa. Es de los nuestros.

—Gracias, Neil. Le haré tomar conciencia de eso. —Le sonrió a Logan—. Sólo tiene que evitar a Max. Y un gran trabajo, Neil, yo no conseguí sacar nada de ese pedazo de basura.

Neil se rió.

—Nuestras extrañas habilidades a veces resultan prácticas.

—Sí, desde luego.

Jess pensó en su hermana mientras los hombres salían. Si Saber no hubiera intervenido en su corazón para mantenerlo en funcionamiento, lo más probable es que ahora estuviera muerta, o tendría el corazón dañado de modo irreparable. Saber podía hacer cosas con su talento, cosas buenas. Y se le ocurrió pensar que tal vez fuera ése el motivo por el que Whitney dejara ese expediente a plena vista, para que ella lo leyese. No obstante, tenía la impresión de que no iba a ser fácil convencerla de lo que era preciso hacer.

Mientras la observaba durmiendo, notó la excitación y su cuerpo empezó a hacer exigencias. Se tomó su tiempo mientras se despojaba de la ropa, sin apartar la mirada de la delgada figura tendida. Quedaba tan bien ahí en su cama. Dejó caer la camisa y luego se peleó con los pantalones para sacárselos, con un estremecimiento mientras su cuerpo se tensaba y endurecía con la expectación. Ella parecía una hermosa invitación con el pelo enmarañado y los labios un poco separados, tirada en aquella cama demasiado grande.

—Deja de mirarme.

Saber no abrió los ojos.

—Quiero nadar un rato.

—Vete a nadar y déjame en paz.

—Se supone que no debo nadar a solas. Eso dice mi médico.

Ella profirió un ruido descortés, pero mantuvo los ojos cerrados con obstinación.

—Nadas a solas todo el tiempo. ¿Desde cuándo haces caso a tu médico?

—Piensa en lo mal que te sentirás si me ahogo.

Saber agitó un poco las pestañas.

—Estoy pensando en que podría ayudar a que te ahogaras. Si desapareces aún podré dormir durante... —Levantó las pestañas apenas un centímetro y observó el reloj antes de instalarse en la almohada de nuevo— un par de horas más.

Calhoun apoyó la barbilla en la palma de la mano, con el codo al lado de la cama, y se inclinó hasta dejar el rostro a pocos centímetros de ella.

—¿Sabes que estás de mal humor cuando te despiertas?

—Sólo porque tus amigos se hayan ido no significa que puedas molestarme.

Jess debería haber sabido que era consciente de la presencia de los otros en la casa. Se sintió orgulloso de ella y tiró de la sábana.

—Nadar. Ejercicio. Podemos bañarnos en cueros.

—No te vas a largar, ¿verdad?

Con mirada desafiante abrió los ojos, que se agrandaron mientras se ruborizaba al verle desnudo y algo más que en guardia.

Jess se rió de ella.

—Ni hablar.

—No eres exactamente el sueño de hombre que pensaba que eras. Eres imparable cuando quieres algo.

—Soy el hombre de tus sueños. —Tiró de la colcha para destaparla y deslizó la mano sobre su estómago, subiéndola a continuación hasta el pecho—. Quiero algo ahora.

Inclinó la cabeza sobre la invitación de su cuerpo, disfrutando con la manera en que los músculos del estómago se hinchaban y la respiración se le entrecortaba al instalar él la boca cerca del manjar.

Ella cerró los ojos y le rodeó la cabeza con los brazos para retenerle junto al pecho mientras él succionaba con fuerza, provocando un arco de fogonazos que recorrieron su flujo sanguíneo. Era demasiado consciente de cómo descendía la otra mano sobre la suave piel, desplazándose cada vez más abajo. Sus caderas dieron una sacudida anticipándose al contacto. Él movió la palma de la mano hasta la pierna, acariciando arriba y abajo la parte interior del muslo.

El pulso de Saber retumbaba en su flujo sanguíneo. Esperando. Necesitando. Deseando. Necesitaba que la tocara de una vez, en ese momento, con la boca succionando con fuerza el pecho, la lengua desatando oleadas de calor a través de su cuerpo y la mano moviéndose sobre la piel. Vio el futuro, el tiempo extendiéndose ante ella con claridad. Nunca se libraría de la necesidad de tener a Jess. Ansiaría su contacto con la misma intensidad... eternamente.

Saber enredó los dedos en el pelo de Jess, manteniendo los ojos cerrados para absorber mejor las sensaciones. Calor y fuego. Una espiral. Era asombroso cómo despertaba su cuerpo a la vida.

—Ésta es una manera perfecta de despertar —murmuró aún adormilada, arqueando la espalda como un gato.

—Estoy de acuerdo. —Descendió a besos por las costillas hasta el intrigante ombliguito—. ¿Sabes lo suave que es tu piel?

La voz sonaba grave y áspera, un tono ronco que la excitaba, y le decía que estaba concentrado de lleno en ella.

La joven alzó las pestañas para ver el deseo descarnado grabado profundamente en su rostro, la absoluta necesidad en sus ojos: por ella. Con las manos firmes en sus caderas, Jess le dio la vuelta, tiró de Saber para dejarla tumbada más cerca de él sobre la cama, manteniendo la mirada hambrienta centrada entre sus muslos. Ella contuvo la respiración en los pulmones mientras él le separaba las piernas. Sin dejar de acariciar la parte interior de los muslos, se movió poco a poco hacia su centro fogoso. Se moría por él, su cuerpo pulsaba estimulado y necesitado.

Calhoun hizo revolotear los labios sobre su abdomen, martirizando con su lengua las terminaciones nerviosas, convirtiéndolas en chispas explosivas. Dijo algo en voz baja y ronca que sonó sensual, con una mirada oscurecida que incrementaba la necesidad creciente en ella. La sensación cálida y adormilada había sido reemplazada por pura necesidad. Era asombroso lo rápido que el deseo aumentaba, alcanzando un nivel febril, y sólo con que le besara la piel y la tocara. Había algo pecaminoso y muy sexual en sus rasgos sensuales marcados por el deseo mientras tiraba de sus piernas y le separaba mucho los muslos, empleando sus amplios hombros para mantener el cuerpo de Saber abierto ante él.

Calhoun bajó la cabeza otra vez, notó su aliento caliente. El cuerpo de Saber reaccionó con una sacudida, pero él la sostenía con firmeza. Le dio un largo y profundo lametón y ella gritó con tono desgarrado. Instaló la boca allí, meneado la lengua sin dejar de succionar, para luego introducirla de repente con movimientos más profundos. Gimiendo, Saber casi se cae de la cama. Tenía fuerza, Jess tenía más fuerza de la que recordaba, retenía sus caderas y las mantenía en su sitio mientras se daba un festín.

Siguió metiendo la lengua con arremetidas profundas y fuertes, una y otra vez, describiendo círculos en torno al clítoris, y luego volvió a succionar, provocando una explosión de fuegos artificiales a su alrededor. Saber se agarró al edredón zarandeando la cabeza hacia delante y hacia atrás, retorciéndose bajo las sensaciones que perforaban su cuerpo mientras la lengua juguetona la lanzaba de lleno al orgasmo.

—Jess. —La respiración de Saber era entrecortada—. Afloja la marcha, tienes que darme un respiro.

Porque el placer rozaba el dolor, se intensificaba demasiado deprisa, era un orgasmo demasiado agresivo. Se sintió fuera de control e incapaz de recuperar el aliento ni de pensar con cordura. Y percibía que ya se aproximaba otro orgasmo a toda velocidad, convulsionándola más y más, elevándola más y más.

Calhoun gruñó con un grave aullido gutural, y la vibración desató un espasmo en toda su vagina mientras los músculos se contraían con necesidad. Él se movió otra vez para dar una última lamida y saborear su calor. A continuación echó su cuerpo sobre la cama y se elevó por encima de Saber apoyándose en las rodillas, sujetándole las caderas con las manos y levantándolas.

Sus miradas se encontraron. Jess parecía salvaje, su rostro refulgía con ojos casi negros de deseo. El capullo de la enorme erección presionaba contra la entrada de Saber. Ella habría jurado que el corazón le dejaba de latir, tenía el aire retenido en los pulmones. Y entonces él embistió, penetrándola a fondo a través de los tiernos pliegues y los músculos prietos, alojándose tan profundamente que ella le sintió contra el fondo de la vagina. Él dilataba su cuerpo, lo invadía, y obligaba a acomodar la intrusión del grueso falo. El placer inundó a Saber con la intensidad de aquella fricción, la atravesó, zarandeándola hasta casi hacerla gritar.

Jess aplicó un tempo más rápido al que Saber se acopló siguiendo su pauta, desesperada por lograr alivio. Las poderosas penetraciones la elevaban más y más, obligando a su cuerpo a contraerse con fuerza. La temperatura fue en ascenso, hasta que se sintió arder fundida alrededor de la verga, hasta que la tensión se elevó más allá de lo imaginado.

—Sigue conmigo, pequeña —ordenó él—. Aguanta, Saber. Déjame tenerte, Dios. Preciosa. Entrégate a mí.

Ella no se había percatado hasta ese momento de cómo se revolvía debajo de él, sacudiendo la cabeza, clavándole las uñas y meneando las caderas. Peleaba consigo misma, no con él. La tormenta que crecía en su interior era demasiado, demasiado grande y demasiado temible. Era más que su cuerpo, era toda ella, y si se entregaba, si lo sacrificaba todo, si confiaba tanto en él...

Jess le separó los muslos y embistió otra vez, obligándola a continuar la ascensión con él. Saber podía sentir su propio cuerpo palpitante ciñéndose a la verga, aferrándose con fuerza, contraído y tenso. Aunque quisiera, no podría parar..., pero no quería. Se le borró la visión, respiraba con sollozos entrecortados mientras la onda expansiva crecía como una ola... una serie de olas. Altas. Abrasadoras. Continuas.

Su cuerpo se aferró con fiereza, su canal exprimía y sujetaba, su carne se fusionaba con la polla propulsora. Jess notó la precipitación inicial del orgasmo de Saber, la crema resbaladiza e hirviente, el fiero asimiento de la vagina en torno al falo, y su propia eyaculación llegó entonces como una erupción rápida y potente. La abrazó con fuerza mientras las ondas estallaban en ellos, hasta que finalmente la explosión empezó a amainar.

Se desmoronó sobre ella con respiración entrecortada, buscando aire. Nunca había disfrutado de un sexo así con nadie más, y estaba seguro de que no iba a arriesgarse a perder lo que tenía. Se dio media vuelta para quedarse echado a su lado, entrelazando sus dedos. Junto a él, Saber desprendía calor, con sus músculos aún fruncidos por las réplicas.

La joven volvió la cabeza y le sonrió. Y a él, de hecho, el corazón le dio un brinco en el pecho. Verla despatarrada y desnuda a su lado, con las fragancias de ambos mezcladas, su expresión un poco aturdida, le mareó un poco.

—Cásate conmigo.

A su lado, ella soltó un resuello, luego entró en tensión.

Calhoun se sentó.

—Cásate conmigo, Saber. Quiero que formes parte de mi vida.

—No puedes pedirme que me case contigo, Jess. Santo cielo, ¿en qué estás pensando?

Estaba horrorizada de verdad, se le notaba en la cara.

—Acabo de pedírtelo.

—Pues no. Por supuesto que no.

Ella también se sentó, rodeándose con la sábana.

—¿Por qué?

Debería sentirse dolido, tal vez lo sintiera más tarde, pero ella estaba tan afligida y consternada que se vio impulsado a consolarla.

—¿Por qué? —repitió ella. Se apretó los ojos con la base de la mano y negó con la cabeza antes de mirarle con una expresión que comunicaba que él era un pedazo de burro—. Por un millón de razones, pero ante todo y sobre todo, Jess, tienes a tus padres.

Se hizo un silencio mientras él se esforzaba por controlar la risa.

—No entiendo tu lógica en esto, cariño.

—Entiendes muy bien mi lógica, Jess. Casi no sé comportarme cuando tu hermana viene a casa. Patsy es maravillosa, pero ella vive en el mundo real.

Entonces su boca se tensó, pero lo disimuló con la mano y negó con la cabeza, más confundido que nunca.

—¿De verdad piensas que tiene sentido lo que dices? Porque yo no tengo ni idea de lo que hablas.

—Patsy. Tus padres. Familia, Jesse. —Dio un fuerte puñetazo en la almohada—. ¿Estás loco o qué? Me molesta de verdad que hayas considerado siquiera casarte conmigo.

—¿Por qué? ¿Crees que vas a tener que mantener una discusión con mi padre sobre política o cualquier cosa y que luego vas a decidir provocarle un infarto? Eso no va a pasar, Saber. A veces me vuelven loco, pero nunca he querido matarles, ni siquiera cuando Patsy se entromete en todo.

Saber se tapó la cara con las manos.

—Tienes que dejarlo. Me haces ir demasiado rápido... Sólo... sólo hemos... ni siquiera me aclaro con lo que está sucediendo entre nosotros, y quieres más de mí.

Agarró otra vez la sábana y le miró detenidamente, con desconsuelo en el rostro.

—Se supone que el matrimonio es algo bueno, Saber.

—No lo es. Es absurdo.

Jess se inclinó para acercarse un poco más.

—En realidad no es esto lo que te enfada, ¿verdad? —Su pregunta encontró un silencio. La cogió en sus brazos—. ¿Es tan malo que esté enamorado de ti? ¿No quieres estar conmigo?

Ella se balanceó, sacudiendo la cabeza.

—¿Te asusta la idea de pasar la vida conmigo? ¿Es porque voy en silla de ruedas?

Saber le fulminó con la mirada y se bajó de la cama aún envolviéndose con la sábana en una muestra de recato.

—No, en absoluto. Me insulta que pienses incluso que...

—Porque creo que he dado con la solución para el problema de la biónica. Podemos resolverlo. Tú puedes resolverlo.

Ella se detuvo en seco, boquiabierta y espantada, con incredulidad.

—¿Qué? ¿Por qué se te ocurre pensar por un minuto que yo podría arreglar el problema de la biónica? —Se sentía absolutamente vulnerable ahí desnuda, como si fuera incapaz de hablar sin llevar ropa puesta. Al borde de la desesperación, buscó a su alrededor—. Puede que haya leído el expediente que dejó Whitney sobre el escritorio, pero no soy médico y no entiendo ni la mitad de lo que ponía. —Parecía exasperada—. No encuentro la ropa.

—Saber, mírame.

—Tengo que ir a trabajar.

—En el informe Whitney mencionaba algo sobre usar electricidad para la regeneración, ¿verdad?

Ella se giró en redondo, su rostro cada vez más pálido.

—Sé que no estás hablando de aquel ridículo artículo que citaba. Biólogos manipulando campos eléctricos de tejidos para regenerar colas amputadas de renacuajos en una fase en la no pueden regenerarse, ¿verdad? Ése no. Porque hay una enorme diferencia entre un renacuajo y un ser humano.

—¿Qué más decía el artículo?

Saber se ciñó mejor la sábana.

—No importa. Sé a donde lleva todo esto y no voy a hacerlo.

La discusión no iba bien, decidió Jess. Estaba tensa, se retorcía los dedos, los nudillos iban poniéndose blancos mientras sujetaba la sábana. Había una mirada obstinada en su rostro, levantaba la barbilla y mantenía un gesto firme en la boca.

—Explícame qué más decía.

—Mencionaba algo acerca de los campos eléctricos y cómo ayudaban, esto lo cito textualmente, «a controlar la identidad celular, el número de células, su posición y el movimiento, aspectos relevantes en multitud de fenómenos desde el desarrollo embrionario a la regeneración del cáncer, casi cualquier fenómeno biomédico imaginable». No quiero saber qué significa en términos de biónica, Jess, pero no puedes introducir electricidad en tu cuerpo así como así, te puede matar. Yo debería saberlo bien, ¿no?

—O puede emplearse para salvar a alguien, igual que salvó la vida a Patsy.

Saber negaba con la cabeza.

—No voy a seguir hablando de esto. No. No me importa si te enfadas conmigo, no voy a poner en peligro tu vida. No lo haré, y mejor que mantengas lejos a esos amigos tuyos, porque ninguno de ellos va a hacerlo tampoco. —Le dirigió una mirada furibunda pero controlada—. Me voy a trabajar. No vuelvas a sacar este tema nunca más, nunca.

Se volvió para salir del dormitorio, pero entonces la puerta se cerró de golpe, dejándola atrapada en la habitación.

Capítulo 17

Saber se volvió despacio, intentando sofocar la ira que de pronto revolvía su estómago.

—Ábrela —ordenó.

Jess estiró el brazo para recoger los pantalones y la camisa del suelo.

—Tenemos que hablar de esto y, ya que no puedo ir persiguiéndote...

—No te atrevas a emplear la excusa de la silla de ruedas conmigo —soltó Saber entre dientes—. No me lo merezco. Voy a darme una ducha y a buscar ropa limpia, y hablaré contigo cuando me calme un poco. Abre la puerta, Jesse.

Calhoun se percató de que sacarle el compromiso de hablar con él después de una ducha era todo lo que iba a conseguir. Si la enfadaba más, no iba a escuchar nada de lo que él tenía que decir.

—Podemos vernos en la cocina después de tu ducha.

Ella seguía esperando en silencio, dando con el pie en el suelo.

—Es más fácil cerrar puertas que abrirlas —admitió él—. Te veo dentro de quince minutos.

Entonces Saber abrió la puerta de par en par y salió ufana al pasillo. Subió las escaleras corriendo, furiosa con Jess, enfadada por el hecho de que quisiera jugarse la vida. Tenía una buena vida, la mayoría de gente daría cualquier cosa por tener lo mismo que él: una familia, unos padres que le querían, una hermana como Patsy.

—Maldito seas, Jess —chilló y cerró de un portazo la puerta del baño.

No mejoró su humor descubrir una pila de prendas nuevas esperándola, dobladas con primor y aún con las etiquetas colgando. No le habría importado si Patsy las hubiera comprado o incluso Mari, pero sospechaba que no se le ocurriría a Mari algo así, y Patsy se encontraba en el hospital. No, esto tenía que ser cosa de Lily. Las tallas eran todas correctas, y había casi de todo lo necesario.

Inspiró hondo para sosegarse y se metió bajo el agua, volviendo la cara hacia arriba para permitir que el chorro caliente corriera por ella. Por más que quisiera reprochárselo, no podía culpar a Jess por pedirle que le ayudara a andar. No sería un SEAL ni se habría unido a los Soldados Fantasma si no tuviera una fuerte necesidad de acción y riesgo, y su patriotismo tenía que ser profundo. Necesitaba con desesperación emplear sus piernas para volver a la actividad.

Mientras se aplicaba el champú pensó en la cuestión del patriotismo. Detestaba cualquier cosa de Whitney; era propensa a creer que aquel monstruo no tenía cualidades, pero era un investigador brillante y sus métodos de formación daban resultados. Ella tenía miedo a la oscuridad, no obstante podía moverse por una casa sin equivocarse cuando tenía que encontrar su objetivo a oscuras. Era emotiva por naturaleza, y aunque la torturaran no chillaba. No era buena aguantando el dolor, pero había aprendido a aceptarlo. ¿Y por qué Whitney se engañaba hasta el punto de creer que el resultado final justificaba los medios? Patriotismo.

Whitney era un patriota. Se aclaró el jabón del pelo y se puso acondicionador. Los Soldados Fantasma eran todos patriotas.

—Yo no —dijo en voz alta.

Lo dijo desafiante. No iba a cometer un crimen porque un puto mandamás del gobierno decidiera que alguien debía morir. ¿Qué le pasaba a todo el mundo? ¿Cómo podían fiarse de una orden dada por alguien a quien ni siquiera conocían, a quien ellos le importaban un rábano? Alguien que tal vez incluso tuviera sus propios planes o que fuera un chiflado como Whitney. Para ella no tenía ningún sentido.

Escogió la ropa con cuidado, confiando en utilizarla como una pequeña armadura, y volvió a bajar para reunirse con Jess. Siempre la dejaba sin respiración ver lo guapo que era. Sólo una vez le había visto de pie, y era imponente. Se sentía más segura con él en la silla de ruedas. ¿Sería tal vez la razón de que quisiera decir no? ¿Había algo más que su miedo a hacerle daño? Confiaba en que no fuera así, confiaba en no ser tan mezquina. Pero por primera vez en su vida había sido feliz. Todo cambiaría con Jess de pie, andando, trabajando de Soldado Fantasma.

Cruzó la habitación para evitar acercarse demasiado a él. Se acomodó sobre el mostrador y cruzó los brazos, esperando a que hablara él primero.

—Deberías tener una actitud más abierta, Saber.

Incluso olía bien. Era descorazonador sólo mirarle y empaparse de él. Todo cambiaría, ¿no se daba cuenta? Se encogió de hombros.

—Lo intento, pero tú también necesitas una actitud más abierta, Jess. Hay un millón de razones para no intentar lo que propones. Un mal paso y en vez de regenerar un nervio podría provocarte un cáncer.

—Antes de analizar todos los motivos para no intentarlo, preciosidad, cuéntame lo que recuerdas del informe.

Los ojos azules de Saber centellearon al mirarle.

—Me parece una locura por tu parte sólo el hecho de que consideres hacer algo recomendado por Whitney.

—Tal vez Whitney sea un demente, pero sigue siendo un genio. Si él cree que tiene una solución para hacer funcionar la biónica sin un dispositivo externo de energía, me gustaría oírlo.

Mantenía la voz calmada y uniforme.

—Tiene soluciones para muchas cosas, Jesse, y ninguna es aceptable en un mundo civilizado.

Jess intentó no llevarle la contraria. Ella andaría con evasivas mientras se lo permitiera.

—Tú dame la información.

—Bien.

Saber se encogió de hombros, pero él observó que se retorcía los dedos y se los sostenía pegados al estómago como si lo tuviera revuelto. Quería abrazarla y consolarla, pero permaneció quieto; sabía que estaba aceptando por sí sola la idea de emplear su talento en él.

—Al parecer, se sabe desde hace tiempo que utilizar corrientes eléctricas en heridas puede regenerar extremidades perdidas e incluso reparar médulas espinales cercenadas en una variedad de peces y mamíferos. Peces, Jess, mamíferos, no seres humanos. Nadie ha probado lo que tú sugieres.

—Los humanos somos mamíferos —comentó él.

—No se te ocurra hacerte el gracioso. —Se bajó de un salto del mostrador para recorrer la habitación a paso rápido e inquieto—. No tiene gracia, Jess. Lo que me pides que haga...

—Sé que no tiene gracia —respondió él—, pero tiene que haber algo para esto.

—Tal vez. —Se apartó el pelo, enredándolo más aún—. Whitney llegó a la conclusión de que las vías neuronales necesitan estimulación eléctrica para regenerarse, y sin ella cualquier intento sería fallido en última instancia. Aunque existen fármacos para estimular el crecimiento, concluye que nunca logran que las vías neuronales se formen correctamente. El inconveniente parece ser la estimulación excesiva, que puede ocasionar un crecimiento celular desproporcionado y provocar tumores. Cáncer, Jesse. De eso estamos hablando.

—Pero sin la corriente eléctrica, no hay esperanza real.

Ella se dio media vuelta para mirarle a la cara.

—Sabía que te agarrarías a eso, estaba segura. Whitney no lo sabe todo, de verdad, Jess, y ese hombre es capaz de cosas terribles, lo he visto. He formado parte de sus experimentos y créeme, no respeta la vida. Todos somos inferiores para él. Busca el soldado perfecto, y no estamos a su altura, por lo tanto si necesita descubrir cuánta corriente eléctrica puede aplicar sin provocar células cancerosas, no tendrá ningún reparo en hacerlo.

—Soy consciente de ello. —Jess tenía la precaución de mantener el tono bajo y no permitir que la energía se acelerara en la habitación cerca de ella. Ya estaba bastante preocupado sin necesidad de oír lo que ya sabía—. Pero tú puedes manipular la corriente eléctrica y leer mi ritmo al mismo tiempo, ¿no es así? ¿No es eso lo que haces?

—Las cosas no son tan simples. Debo admitir que el informe respalda las tesis referentes al importante papel de la bioelectricidad en la regeneración de células y sostiene que la inducción eléctrica puede tener alguna aplicación para regenerar tejidos...

—No alguna aplicación, Saber, una aplicación importante.

—Tal vez. Pero tú quieres restablecer tus vías neuronales del cerebro a las piernas. Los nervios están dañados, no tienes sensibilidad.

—Ahora tengo cierta sensibilidad desde que realizaron la operación de biónica. Me viste andar. Está sucediendo algo que lo permite. Antes de la operación, no podía mover los pies. Ahora sí, ahora puedo. Tengo que concentrarme, pero puedo hacerlo.

—Pues sigue así; date más tiempo.

—A estas alturas ya tendría que estar andando, si estuviera funcionando correctamente.

—Eso no lo sabes, Jesse, y te arriesgas a contraer cáncer. —Se arrodilló delante de él y alzó la vista—. Por favor, ponte en mi lugar por un minuto. ¿Cómo podría vivir si te hiciera daño? ¿Cómo podría seguir adelante? ¿Tienes idea de lo que me estás pidiendo?

Calhoun tomó su rostro entre ambas manos.

—Sí. Sé que voy a hacer eso y que si tú no me ayudas, pediré la colaboración de Lily y Eric, pero ninguno de los dos puede monitorizarme como tú. Te pido que hagas esto porque creo que eres mi mejor opción.

Rozó con los pulgares su suave piel al tiempo que le miraba fijamente a los ojos. Era difícil pasar por alto el miedo detectado ahí, pero iba a probar el experimento. Se había sometido a demasiadas operaciones y había trabajado demasiado duro como para renunciar ahora.

—¿Tienes idea de lo que supondrá para nosotros? —preguntó Saber—. ¿Los cambios que provocará?

Tenía que exponer la cuestión así de clara. Jess debía meterse en esto con los ojos abiertos.

—Que vuelva a estar de pie sólo puede mejorar las cosas.

—¿Es lo que piensas de verdad, Jesse? Porque te quiero lo bastante como para intentar esta locura contigo, pero volverás al servicio activo, lo harás, vives para esto. Tú y tu equipo estaréis por todas partes, y ¿dónde me dejará a mí eso?

Calhoun negó con la cabeza.

—Tú eres parte de nosotros, Saber.

—¿Cómo? ¿Cómo puedo ser parte del equipo, cómo podría serlo? Asesino a gente y lo hago a solas.

—Puedes curar a personas, Saber. Representarías una red de seguridad fundamental para todos nosotros.

Saber abrió la boca para replicar, pero la cerró de golpe. ¿Podría ser cierto algo así? ¿Era posible emplear su talento de verdad en algo más que la muerte? Había ayudado a Patsy, pero sucedió por casualidad. Bajó la cabeza, no quería que él viera su expresión, pues sabía que había despertado la esperanza y estaba ahí en su corazón, no en su mente. Siempre se había considerado algo así como una plaga terrible que la gente debía evitar.

—¿Saber? Cielo, mírame. Tú puedes hacer cosas asombrosas. Y si consigues hacer esto por mí, imagina qué lograrías hacer por alguien herido. He pensado mucho en esto.

—Podría pifiarla a lo grande, Jesse. Mi infancia fue una escuela de formación para el asesinato, no para salvar vidas. Tengo que practicar y no quiero usarte a ti de conejillo de Indias.

Le estaba escuchando. Ella deseaba aquello, ser alguien diferente, quería el premio que él sostenía ante ella, pero tenía un coste. No deseaba una nueva vida a expensas de la de Jess.

—Ya puedes leer mi biorritmo, ¿cierto? Monitorizas mi pulso, incluso mi presión sanguínea. Empecemos poco a poco. Observa lo que eres capaz de hacer, no tenemos que lograr la regeneración en un día, en una sesión. Nadie sabe cómo va a funcionar.

—Es un experimento, Jesse, y de lo más peligroso. Si Lily hiciera esto, al menos contaría con un equipo preparado en caso de que te sucediera algo.

—Podría tener el equipo listo después del percance, pero para empezar tú puedes prevenir que suceda el desastre, pues sabrás si mi corazón empieza a funcionar a lo loco o si otra cosa va mal.

—Quizá..., pero te juegas la vida por un gran quizás.

—Y otro aspecto a tener en cuenta es que Lily carece de medios para monitorizar las propias células. Ella no podría reconocer la sobreestimulación en las células si se produjera, por lo tanto utilizaría los impulsos eléctricos de forma especulativa. Tú serás mucho más precisa.

—Jesse —Saber negaba con la cabeza, sosteniendo una mano temblorosa ante ella—, no tienes ni idea del proceso, tal como yo no me entero de cómo puedes mover objetos. Sólo son suposiciones porque quieres que sea cierto.

—¿Tú crees?

Ella cerró los ojos y soltó un suspiro. Eric y Lily desconocían qué cantidad de corriente eléctrica aplicar. ¿Cómo podían? Sus suposiciones serían menos precisas.

—De acuerdo. Pero tienes que comunicárselo a Lily.

—Ella querrá estar presente, y yo quiero empezar ahora.

—No me importa. Podemos empezar, pero tú explícale lo que estamos haciendo. Si tiene alguna recomendación u objeción, quiero oírla.

—Pensaba que no te fiabas de ella —refunfuñó, impulsando la silla por el pasillo hacia su despacho, con Saber andando tras él.

—He cambiado de idea.

Jess abrió la puerta e hizo un ademán para que ella entrara. Saber se acomodó en el asiento más cómodo y esperó a que Lily apareciera en pantalla. Mientras Jess le explicaba qué quería hacer, la excitación que mostró Lily Whitney en su rostro hizo que ella se agarrara a los apoyabrazos de la silla

—¡Jess! Debería haberlo pensado antes. Estaba ahí en su informe sobre regeneración celular, pero no pensé en Saber. ¿De verdad puedes hacerlo? ¿Es posible, Saber? ¿Puedes seguir su monitorización interna y saber cuándo hay que parar?

La chica negó con la cabeza.

—No tengo ni idea.

—He estudiado tu expediente: eres única, nunca me he topado con algo así, con tu talento, así pues sería un regalo inmenso para los Soldados Fantasma si de hecho lograras emplear corrientes eléctricas. Yo podría enseñarte muchas cosas sobre manipulación de células en heridas, podríamos hacer historia... —Se detuvo—. Lo siento, me dejo llevar a veces. Debes de estar muy asustada por tener que hacer el ensayo con Jess.

—Me aterroriza —admitió ella. Aún le costaba confiar en Lily... confiar en cualquiera—. Nadie tiene ni idea de si va a funcionar, ni siquiera de cómo hacerlo.

Sólo pensar en Jess sin la silla de ruedas le daba miedo. No había comprendido cuánto precisaba la silla para sentirse segura. Había vislumbrado brevemente al Jess Calhoun real, seguro y competente, un guerrero, un SEAL, un Soldado Fantasma. Exigiría de ella que lo diera todo y él entregaría lo mismo. ¿Y si funcionaba? ¿Y si no? Le costaba respirar, le faltaba poco para entrar en pánico, algo sencillamente... inaceptable en estos momentos.

—Si queréis intentarlo conmigo aquí, estaré encantada de colaborar con la monitorización —se ofreció Lily—. No estoy segura de si seré de mucha ayuda, pero podemos comentarlo sobre la marcha.

Saber se retorció los dedos e intentó mostrarse calmada.

—Eso parece lo mejor. En caso de que dé muestras de debilidad, puedes mandarnos ayuda más rápido. —Sus ojos encontraron los de Jess—. Tendrás que estirar las piernas.

—Ese pequeño sofá es un futón. Descanso ahí a veces —dijo Jess.

—¿Es eso lo que haces cuando creo que estás trabajando duro? —preguntó Saber, en un intento de inyectar una nota alegre en la situación.

Era ella quien iba a sufrir un infarto antes de acabar, de lo asustada que estaba.

Al tiempo que retiraba el cojín para extender la estructura del sofá, oyó el ruido de Lily moviendo papeles.

—Mientras Saber prepara la habitación, Jess, puedo aprovechar para comunicarte que tenemos las identidades de tres de los cuatro hombres que atacaron a tu hermana. El cuarto parece una aparición. Está muerto. Me refiero a que consta como fallecido antes incluso de venir a Sheridan. Los otros tres eran del ejército, tal y como sospechabas. Y el espectro era un *ranger* de las tropas de asalto. Fuerza Especial. Se presentó al examen psíquico, pero no lo pasó, no puntuó en ninguna habilidad psíquica. Se supone que le mataron en Afganistán.

—Apuesto a que era el llamado Ben.

—Ben Fromeyer, fallecido supuestamente hace un par de años —dijo Lily—. Pero aquí está lo interesante, al menos para Ryland. Dos de tus víctimas servían a las órdenes del coronel Higgens antes de que le mataran. Higgens es el hombre que intentó destruir a Ryland y su equipo de Soldados Fantasma. Pensábamos que había asesinado a Whitney.

Jess volvió a advertir en Lily aquella manera de distanciarse de su padre.

—Higgens estaba vendiendo secretos a otros países. Conspiración, traición, espionaje, asesinato... de lo mejorcito.

Lily asintió:

—Ryland pensaba que le había parado los pies.

—Pero tal vez Higgens sólo fuera una pieza en el engranaje —reflexionó Jess—, y la maquinaria ha seguido en movimiento desde entonces.

—Eso mismo piensa Ryland, y quiere hablar del tema con el general Rainer.

—No puede hacerlo hasta que Rainer quede limpio de sospecha. Lo sabes, Lily.

—No lo hará. Pero pese a la prueba circunstancial, Ryland no cree que el general esté implicado.

—Es el ejército de Rainer, quien además era buen amigo de Whitney.

—Lo sé, eso ya lo sé. Pero Peter Whitney nunca vendió a su país. Higgens le quería muerto porque había descubierto su red de espionaje. Esa parte era cierta. Whitney fingió su muerte y pasó a la clandestinidad para poder continuar con sus experimentos, pero mantiene todos sus contactos gubernamentales, puedes apostar por eso.

—¿Incluye eso también al general Rainer?

Lily negó con la cabeza.

—No, en absoluto. El general se ha portado muy bien con los Soldados Fantasma. Sin él, el equipo de Ryland hubiera tenido que huir. —Desplazó la mirada hacia Saber—. Creo que ya está lista, Jess, si de verdad quieres probar esto.

Calhoun no cometió el error de vacilar. Una mirada al rostro de Saber reveló que estaba a punto de salir huyendo. Acercó la silla al futón y bloqueó los frenos para poder pasar a la cama extendida. Saber le ofreció dos almohadas que estaban apoyadas sobre la estructura del mueble, y entonces él se estiró, colocando las piernas de manera que ella pudiera tocarlas con facilidad.

Saber se agachó a su lado y entrelazó sus dedos.

—¿Estás seguro? ¿Seguro del todo de que quieres probar esto?

Calhoun percibió su temblor y se acercó sus nudillos a la boca.

—Necesito hacer esto, Saber. Si existe la manera de que vuelva a caminar, tengo que intentarlo.

Ella respiró hondo y soltó una exhalación, dirigió una rápida mirada a Lily, que le hizo un ademán de ánimo, y se situó en el extremo del futón donde podía rodear el tobillo de Jess con los dedos. Tenía la piel caliente, por lo tanto la sangre circulaba. Tuvo que calmar su mente, rechazar cualquier posibilidad de errores, y escuchar, encontrar su ritmo y captar lo que sucedía en su cuerpo.

De hecho era algo más que escuchar: Saber sentía el movimiento de la sangre, percibía la manera en que operaba todo como si se tratara de su propio cuerpo, como si compartieran la misma piel, similar en gran medida a lo que sentía cuando él le hacía el amor. La misma respiración. La euforia. Qué fuerte era Jess, por dentro y por fuera.

Desplazó la mano por la pierna hasta la pantorrilla, intentando sentir la electricidad pulsante, ese campo de energía siempre presente. Tenía que trazar un esquema con las propiedades eléctricas de las células dañadas. Una vez identificadas, mantendría el esquema en su mente, uno de sus grandes dones. Lily y Eric creían que con el ADN que Whitney había introducido en Jess para mejorarlo genéticamente y con el nuevo fármaco para acelerar la reparación celular, sería posible estimular los nervios dañados y ponerlos a funcionar, pero estaba claro que los daños eran demasiado serios.

—Dime qué estás haciendo.

Se humedeció el labio inferior con la lengua, la única señal de nerviosismo.

—Es obvio, Jesse, que me encuentro en territorio inexplorado.

Si fuera posible utilizar las células dañadas, la terapia física habría sido suficiente junto con las demás cosas. Lily y Eric lo han intentado, pero la terapia no ha funcionado. Antes de poder estimular los nervios nuevos, tengo que deshacerme de los dañados.

Jess se agarró los dedos detrás de la cabeza.

—Tiene sentido.

Saber le dedicó una breve sonrisa titubeante.

—Me alegro de que pienses eso. Y desde luego confío en que estés en lo cierto sobre el doctor Whitney, porque voy a aprovechar todo lo que decía en ese informe. Según él, muchas áreas del cuerpo llevan sus propios programas incorporados para regenerarse y volver a crecer cuando sufren daños. En teoría, para curarme a mí misma o a cualquier otro, lo único que en realidad tengo que hacer es activar uno de esos programas y el cuerpo hará el resto.

—Vamos a por ello entonces.

Saber suspiró. Había dicho «en teoría», y él había preferido hacer caso omiso de esa parte. Para activar el programa necesitaba enviar un flujo constante de señal eléctrica al punto adecuado en el momento adecuado. El propio programa de regeneración biológica de esa área concreta se ocuparía del resto. Sin duda resultaba atractiva la idea de intentar microgestionar el proceso de regeneración ella misma... es decir, siempre que los descubrimientos de Whitney fueran acertados; podría limitarse a observar cómo se activaba una vez que provocara el arranque.

—Vamos, Saber, hagámoslo.

Le puso mala cara:

—Ya sabes que no es tan fácil como te gustaría a ti que fuera. Por un motivo, aparte de que nunca antes lo he hecho, tengo que aprender todo tipo de pequeños detalles sobre la marcha. Debo tener sumo cuidado al curar las heridas para aplicar la corriente eléctrica en la dirección correcta. Si la pifio, la herida quedará abierta en vez de cerrada. Va a llevar cierto tiempo hasta que dilucide lo que estoy haciendo.

Jess le frotó el brazo con la mano.

—Perdóname. Pero sé que va a funcionar, Saber. Si lo haces, seré capaz de volver a andar.

—Bien, ahora tienes que dejar de hablarme. Permíteme visualizar esto.

Porque ahora sí que estaba asustada. Había matado una y otra vez con el contacto de su mano. Ahora iba a hacer algo bueno por una vez... si no fallaba y provocaba más daños. E iba a seguir las instrucciones del doctor Whitney al pie de la letra. Había escrito el informe para que ella lo leyera, a sabiendas de que lo haría y retendría cada palabra en su memoria. Había descrito con gran detalle lo que había que hacer y cómo. Primero tenía que gastar el segmento de nervio dañado empleando una ráfaga selectiva de corriente eléctrica, luego necesitaba desarrollar un nuevo segmento de nervio con el que reemplazarlo.

La generación de nuevos nervios —neurogénesis— requería una aplicación especial de su talento. Como una artista, «dirigiría» el campo eléctrico de un punto al otro, a través del hueco que había dejado el segmento de nervio dañado, y «pintaría» la nueva vía nerviosa donde deseaba que apareciera. Esto instalaría un campo eléctrico en el espacio que estaba visualizando, y las células nerviosas empezarían a crecer en la dirección que ella había «ordenado».

Comenzó con cautela y descubrió que para desarrollar las vías neuronales, una corriente eléctrica pulsante era mucho más operativa que una constante. Con persistencia podía generar todo un segmento nervioso. La sensación era asombrosa. Las células nerviosas parecían plantas brotando en su propia mente; así las visualizaba. Algunas extendían tímidos zarcillos que crecían en torno a las células vecinas. Otras se retraían si tocaban otras células.

Una vez que consiguió desarrollar unas cuantas células nuevas, las «activó» repetidamente: igual que si Jess estuviera empleando esas células nerviosas una y otra vez. La idea era entrar en ellas y desatar el crecimiento de neuronas aún más nuevas a partir de las primeras. Si generaba más corriente, el resultado era un crecimiento más rápido de nuevas células nerviosas..., pero también debía tener cuidado de no excederse y «freír» el nuevo segmento nervioso que estaba creando.

Era una actividad agotadora, pero fue tomando confianza a medida que advertía que el tejido y las células inútiles eran reemplazados por músculos y nervios sanos. Se concentró en las áreas más dañadas, en torno a la biónica donde las señales eléctricas habían quedado interrumpidas, y estimuló el crecimiento en esos músculos y nervios necesarios para hacer funcionar la biónica.

El desarrollo de nuevo tejido muscular requería alguna cosa especial, descubrió; de hecho, era más fácil que regenerar nervios, pero exigía una gran precisión durante largos periodos de tiempo. Si aplicaba la cantidad conveniente de corriente en el lugar adecuado del extremo del tejido muscular sano, activaba un programa biológico que ya estaba integrado en el cuerpo, un programa de regeneración de tejido muscular nuevo con el que reemplazar el viejo dañado. Sólo tenía que mantener constante el nivel de corriente para mantener el programa corporal en marcha, y sentarse a «percibirlo» haciendo el resto del trabajo. Sin duda era excitante poder ocuparse de esta manera de la microgestión de tropecientas células musculares. Estaba tan agotada que de otro modo no habría sido capaz de continuar.

Apartó la mano de las piernas de Jess, consciente del tiempo que había pasado sólo porque se balanceaba de agotamiento. El silencio en la habitación había sido total mientras trabajaba y, cuando alzó la vista al monitor, Ryland estaba observando junto a su esposa.

Jess permaneció tendido muy quieto un largo rato, tanto que el corazón de Saber empezó a acelerarse. Le tocó el hombro.

—¿Estás bien?

Calhoun le dirigió una rápida mirada, y luego al monitor.

—Sí, me encuentro bien. No noto nada diferente. Mientras trabajabas sentía calor en las piernas, de hecho noté un par de ráfagas, pero ahora no aprecio nada especial —dijo y se sentó poco a poco.

Lily le sonrió.

—Si no notas ninguna mejoría en veinticuatro horas, deberías intentarlo otra vez. Esto es asombroso, Saber.

—Sólo en el caso de que haya funcionado —respondió ella.

—Me gustaría charlar un rato contigo. De verdad esto es emocionante, pero creo que pronto voy a tener el bebé.

—Querrás decir en unas semanas —corrigió Jess.

—Quiero decir en unas horas. Si necesitas algo llama a Eric, no voy a estar localizable durante un tiempo.

Ryland asomó la cabeza delante de Lily con una sonrisa dibujándose de oreja a oreja en su cara.

—¡Vamos a tener un bebé, Jess!

Calhoun se rió.

—Eso ya lo veo. Buena suerte a los dos. Comunicadnos que todos estáis bien cuando llegue al mundo.

—Así lo haré —prometió Ryland.

Lily lanzó un beso a Jess.

—Sed felices, vosotros dos.

El monitor se quedó a oscuras y Saber lo desconectó. Luego se volvió a Jess.

—No puedo creer que Lily haya estado sentada todo el tiempo estando de parto, yo habría perdido los nervios.

—No creo que tú pierdas los nervios demasiado, Saber —dijo Jess cogiéndole la mano y tirando de ella para que se sentara a su lado.

—¿Qué pasa?

Saber le retiró el pelo de la cara.

Jess se recostó sobre las almohadas intentando disimular su frustración, pasándose la mano por el mentón para ocultar su expresión cuando en realidad quería dar un puñetazo a sus piernas.

—¿Qué? —Saber esbozó una sonrisa lenta mientras negaba con la cabeza—. ¿Pensabas que lo que hiciéramos iba a suponer un éxito inmediato, que te levantarías milagrosamente y te pondrías a caminar? Hicieron falta veinticuatro horas para que le creciera una cola nueva a un renacuajo, y tú, mi impaciente amigo, eres mucho mayor que un renacuajo.

Jess arrugó el ceño.

—Podías ser un poco más comprensiva.

—¿Respecto a qué? ¿A que te comportes como un chiquillo que quiere gratificación inmediata? —Se inclinó y le besó en la nariz—. Aquí tienes. Estaba todo muy segmentado, pero ahora lo he mejorado.

—No ha mejorado —respondió él torciendo el gesto y hablando por el lado izquierdo de la boca.

Saber entornó los ojos, pero luego se aproximó un poco, rozando su boca con los labios hasta encontrar la comisura y presionar brevemente.

—Qué criatura.

Él torció el gesto hacia el otro lado.

Saber le sujetó la cabeza y le besó la comisura derecha, luego situó sus labios en medio de la boca de Jess. Mordisqueó juguetona y deslizó la lengua sobre sus labios pegados. Notó la contracción de necesidad en el estómago y el útero. Sólo tenía que mirar a Jess para desearle. Besarle era increíble. Le encantaba su boca cálida y sensual, y un poco implacable.

Calhoun la cogió por la nuca y la sujetó inmóvil, pasando a tomar el mando de la boca de Saber. Con la otra mano la instó a sentarse a horcajadas sobre él. Ella por su parte deslizó los brazos alrededor de su cuello, pegándose más a su pecho.

Jess no paró de darle besos, a cada cual más profundo, exigiendo más y más, hasta que ella sintió que se derretía en sus brazos.

—Por si no lo he mencionado antes, gracias. Y si no funciona, gracias por intentarlo. Sé que estabas asustada.

—Por si no lo he mencionado antes —susurró pegada a su boca—, estoy muy enamorada de ti.

—Entonces cásate conmigo.

Saber se sentó con brusquedad.

—Otra vez, no. En serio, Jess, eres persistente cuando quieres algo.

Él tiró de uno de sus rizos.

—Puedo protegerte de Whitney.

—Tal vez. Y tal vez me dejes embarazada y tengamos que ocultarnos como Lily, que se ve obligada a dejar su casa para mantener a salvo al bebé.

Calhoun se encogió de hombros.

—Podemos refugiarnos en las montañas cerca de Jack y Ken. Tienen un fortín. Todo va a salir bien, Saber, mientras estemos juntos.

Ella se movió sobre su regazo.

—Vamos, rey dragón, comamos algo. Aún no he probado bocado y tengo que ir a trabajar.

Necesitaba algo después de aquel desgaste de energía.

Jess pasó su cuerpo del futón a la silla. La pantorrilla derecha dio una sacudida. Se sujetó la pierna y la colocó en su sitio.

—Voy a cocinar esta noche —dijo—, mientras tú me explicas por qué no te parece una buena idea trasladarnos a las montañas.

—Tus padres, para empezar, Jesse. Y Patsy. Después de que te trasladaras aquí, Patsy te siguió y luego tus padres se compraron también una casa. Me lo contaste tú mismo. No puedes dejarles ahora.

Calhoun se rió de ella.

—Te agarras a cualquier cosa, ¿verdad?

—¿Por qué el matrimonio?

—Porque creo en el matrimonio. Mis padres llevan casados más de treinta y cuatro años y siguen muy enamorados. No creo que se den esas mismas circunstancias con demasiada frecuencia, por lo tanto quiero aprovecharlas y apostar por ello.

—¿Cómo puedes estar tan seguro de que no sean las feromonas?

Jess le cogió la mano otra vez y tiró hasta tenerla a su lado.

—El sexo contigo es algo fantástico, sin lugar a dudas, mejor que cualquier cosa imaginada. —Su sonrisa se tornó maliciosa—: Y puedo imaginar muchas cosas. Pero la verdad es que... —La sonrisa se desvaneció cuando la colocó en su regazo, estrechándola más entre sus brazos, acurrucándola contra su corazón—. Estoy tan enamorado de ti que no consigo pensar con claridad. Una cosa tiene poco que ver con la otra. No sentiría esto si fueran sólo las feromonas.

Saber se mordió el labio.

—También pensabas que querías lo bastante a Chaleen como para pedirle que se casara contigo.

—Ella fingía ser otra persona diferente y yo creía que le gustaban las mismas cosas que a mí; no sabía lo que era el amor verdadero. Confundí la atracción sexual con lo auténtico. Lo supe en todo momento, pero en realidad no quise reconocerlo por lo mucho que significaba para mí formar un hogar y una familia. Ahora sé que tú eres lo auténtico.

—¿Y si te equivocas? —insistió ella, alzando la mirada a su rostro—. Podrías equivocarte otra vez.

Jess le rodeó la nuca con la mano, acariciándole el rostro con la base del pulgar.

—No me equivoco, Saber.

Ella negó con la cabeza. Estaba cansada y aún tenía que hacer su programa en la radio.

—Tengo trabajo esta noche. ¿Te parece que hablemos de esto más tarde? Me muero de hambre.

—Por suerte, hice que trajeran la cena. Sólo hay que calentarla.

—Qué tramposo —le acusó hundiéndose en la silla. A Saber le temblaba la mano al apartarse el pelo de la cara—. Ha sido más difícil de lo que imaginaba.

Tenía que ocultarle los efectos del desgaste psíquico o insistiría en que se quedara en casa, y ella necesitaba un poco de tiempo para poner las cosas en perspectiva. Pero estaba agotada.

—Tiene sentido, estabas usando la energía para dirigir una corriente eléctrica. Y has trabajado durante hora y media.

—No notaba que pasara el tiempo —admitió ella—. El informe de Whitney de hecho ha sido más útil de lo que me gusta reconocer. Ha acertado en todas sus especulaciones e instrucciones.

Había seguido a pies juntillas las explicaciones, pues le asustaba demasiado hacerle daño.

Jess dejó un plato ante ella y se volvió a buscar el suyo.

—Has dicho que leíste un segundo expediente, sobre tu objetivo. El senador Ed Freeman era tu objetivo, ¿verdad?

Volvió la mirada hacia ella al percatarse de que no respondía.

Saber apartó la vista.

—No me gusta hablar de lo que pasó antes de mi llegada aquí. Intento ser otra persona y olvidar todo lo sucedido. Tal vez, sólo tal vez, si logro ser de ayuda contigo, no me sentiré la villana de la película a todas horas y tal vez tus amigos no me observarán como si esperaran que fuera a freírles con la mirada.

Jess dejó el plato en la mesa y dio la vuelta a la silla para comer. Notaba un hormigueo en las piernas, en ambas, mínimos chispazos de dolor, como descargas en su cuerpo. No se atrevió a mencionarlo, no con Saber tan temerosa de hacerle daño.

—Eres demasiado susceptible. Nadie te mira así excepto tú misma. Lo sucedido en tu pasado te ha moldeado, te ha hecho la mujer de la que estoy enamorado, Saber. Y necesitamos adivinar quién intenta matar a los Soldados Fantasma.

—Whitney es un buen punto de partida.

—Quizás. Es posible. Pero tal vez haya alguien más, y tenemos al senador Freeman que estaba implicado en asuntos de espionaje.

Los pinchazos ahora eran dolorosos, notó calambres y espasmos en los músculos.

Saber se encogió de hombros.

—Eso pensaba Whitney. El padre de Freeman era su amigo, pero al parecer se pelearon cuando Whitney documentó la implicación del senador con el general McEntire, que era parte de una red de espionaje. Vi las pruebas y parecían condenatorias. El senador parecía un objetivo legítimo, pero está claro que las pruebas pueden falsificarse con facilidad.

—No creo que Whitney se lo inventara todo. Freeman tendió una trampa a dos Soldados Fantasma a quienes capturaron y torturaron en el Congo. Forma parte de la red que intenta destruirnos, aunque no tiene mucho sentido, pues su propia esposa es de los nuestros.

—Violet, he leído sobre ella —comentó Saber—. Whitney la quiere muerta también.

—No es de extrañar si es verdad que estaban vendiendo secretos a países extranjeros, sobre todo en la situación presente, con todos los ataques terroristas. No puedo culparle. Freeman estuvo a punto de ser designado candidato a la presidencia, ¿te imaginas a qué tendría acceso entonces?

Las piernas de Jess se meneaban solas. Las agarró bajo la mesa, sujetando las rodillas con fuerza en un intento de controlar los espasmos involuntarios. Los pinchazos parecían ahora atizadores candentes perforando su carne. Empezó a sudar. Su intención era convencer a Saber de que no fuera a trabajar y se quedara en casa, pero no quería que le viera así.

Dirigió una mirada intencionada al reloj.

—¿Vas a llegar tarde?

Saber le cogió el brazo y volvió su muñeca hacia ella.

—Oh, no. Tengo que irme. Brian estará echando chispas. Lamento no fregar los platos. Tú has calentado la comida, me toca fregar a mí. Déjalos para cuando vuelva.

Rodeó la mesa a toda prisa, le dio un rápido beso en la cabeza y, tras coger el bolso, se detuvo en la puerta un momento:

—Si me necesitas esta noche, me llamas, Jess.

—Estaré bien.

Mejor que se fuera rápido o iba a advertir que tenía problemas.

—Tus amigos pasarán por aquí, ¿verdad? ¿Para cuidarte?

La angustia en la voz de Saber le derritió el corazón.

—Sí, vete ya. Te escucharé por la radio.

Ella le sonrió y salió por la puerta de la cocina que daba al garaje.

Jess apoyó la cabeza en la mesa y se preparó para una larga noche.

Capítulo *18*

*E*h! —Brian se acercó a buen paso con el ceño fruncido, cogió la barbilla de Saber y la levantó para inspeccionar su rostro sin que ella tuviera opción de soltarse—. ¿Qué te ha pasado en el rostro? ¿Quién te ha pegado?

Saber se tocó la mejilla.

—Ya lo había olvidado. No es tan serio como parece, Brian. Unos... una gente atacó a Patsy, dio la casualidad de que Jess y yo íbamos a visitarla y hubo un poco de pelea.

Brian alzó la ceja.

—¿Te peleaste? ¿Y el jefe? ¿Se encuentra bien? ¿Quién puede pelearse con alguien que va en silla de ruedas? ¿Y quién puede atacar a Patsy? Es la mujer más dulce del planeta. ¿Se encuentra bien?

Saber se rió y se hundió en la silla.

—¿Alguna pregunta más?

—Una docena más o menos. —Brian no pudo evitar responder con una sonrisa—. Pero dime, ¿Patsy se encuentra bien?

—Sí. Está en el hospital, ha sufrido un infarto.

Brian se quedó pálido.

—¿Un infarto? Pero, con lo joven que es...

—Creo que tenía un problema cardiaco y con la agresión el corazón no lo soportó y reaccionó así. Está ingresada en el hospital, pero ya se encuentra mejor.

El aspecto aniñado de Brian se endureció de repente, por un breve segundo resultó amenazador.

—¿Quién la atacó?

Saber se encogió de hombros, intentando mostrarse despreocupada.

—No tengo ni idea.

Por lo general se encontraba a gusto en la emisora, sentada en la cabina hablando con oyentes a quienes no veía. Pero estaba tan cansada, había sufrido tantas peripecias, que tal vez no fuera tan buena idea haber venido a trabajar. Ahora miraba a Brian con recelo.

—¿Tienes trato con Patsy? Creía que no venía demasiado por la emisora.

—De hecho, Jess me entrevistó para el trabajo en su casa, no aquí en la emisora, y Patsy estaba presente. Yo acababa de llegar a la ciudad y ella se brindó a quedar conmigo para tomar un café. Nos vimos un par de veces, no como una cita ni nada de eso, sólo era amable conmigo. Pero me cae fenomenal.

Saber le dedicó una amplia sonrisa.

Brian se pasó la mano por el pelo.

—No en ese sentido, no empieces. Dime al menos que Calhoun está bien. Le habrá alterado que su hermana sufriera un ataque.

Saber se acomodó en su silla habitual.

—Sí, desde luego que le ha alterado. Es asombroso cómo se desenvuelve en la silla de ruedas, me dejó impresionada. —Dio un golpecito al micrófono, una costumbre que no conseguía dejar; tenía que mover con sus dedos inquietos todo lo que estaba a su alrededor—. Sienta bien estar aquí de vuelta.

—Ese chiflado no para de llamarte —dijo Brian—. He estado escuchando las cintas una y otra vez, y está distorsionando su voz, no mucho, pero lo suficiente para hacerme pensar que es alguien a quien tú conoces. Y algunas de las llamadas están pregrabadas.

Saber alzó la cabeza de súbito.

—¿Qué quieres decir con pregrabadas?

—No creo que esté ahí en el momento, creo que...

Se detuvo de repente y sacudió la cabeza.

—Oh, no, nada de eso, no vas a dejarme así. ¿Ese majareta se graba la voz distorsionada y luego llama a la emisora y emplea las grabaciones?

Eso no tenía sentido.

—Creo que lo ha montado de manera que el teléfono haga llamadas automáticas, como los números de venta telemática, y cuando el teléfono responde en nuestra terminal, entra la grabación.

—¿Por qué iba a hacer eso?

—Explícamelo tú.

Frustrada, Saber le fulminó con la mirada.

—Vas a volverme loca. Todos los hombres estáis locos. ¿Quién dijo que erais el sexo lógico? Es obvio que has estado dándole vueltas a esto, así que seguro que tienes alguna teoría.

—Pero no soy tan estúpido como para explicártela, porque es demasiado rocambolesco. Discurre tú misma, a ver a qué conclusión llegas. —Miró el reloj—. Entras en cinco segundos.

Brian le gafó toda la noche. Sencillamente no conseguía coger su ritmo normal. No fue un mal programa, pero nada deslumbrante, eso seguro. ¿Por qué alguien iba a emplear un dispositivo para hacer llamadas pidiendo hablar con ella? ¿Y si hubiera accedido a contestarle? ¿Y si Brian hubiera pasado la llamada? Por lo tanto, el objetivo de la llamada no era hablar con ella en realidad.

Seguro que era el mismo chiflado que había irrumpido en su casa, fuera quien fuese; no podía haber dos personas distintas obsesionadas así con ella, estaba claro. Entonces, ¿por qué llamar si de hecho no se encontraba al otro lado del hilo cuando ella contestara al teléfono?

En las siguientes horas su mirada reparó en Brian varias veces, mientras su cuerpo iba poniéndose, poco a poco, cada vez más tenso. Estudió su rostro, su cara aniñada, con líneas alrededor de los ojos por su risa fácil, la boca siempre dispuesta a sonreír. Pero al examinarlo con más atención, se le ocurrió pensar que ese aspecto atractivo y aniñado podía ocultar algo mucho más siniestro debajo. Se le puso la piel de gallina.

Entró en antena una vez mas, otro momento breve para hablar de nada que pudiera recordar en concreto, con la mente consumida de repente por la realidad de que Brian se movía con garbo, con la soltura de un hombre desenvuelto. Y, de hecho, ¿qué sabía de él? El técnico había llegado a la ciudad justo antes que ella, y veía a Patsy de vez en cuando. Notó el pulso atronador en sus oídos y la boca seca.

¿Había mencionado Brian aquello para advertirle con sutilidad que podía hacer daño a Patsy en el momento que quisiera? ¿Cuándo había bajado así la guardia, como para dejar de sospechar de todos quienes la rodeaban? Le dirigió otra mirada: la postura de los hombros, la forma fluida de moverse. Era bueno en su oficio, con él se trabajaba a gusto, se integraba bien con el personal.

Pero ¿en qué estaba ella pensando? ¿A dónde iba a parar todo esto? ¿Por qué de pronto se sentía tensa e inquieta? Mordiéndose el labio con fuerza, estaba tan distraída que no entró a tiempo. Al ver los gestos frenéticos de Brian, lanzó a través de las ondas su suave voz susurrante de sirena, con un pequeño comentario para presentar la siguiente tanda de canciones. Su mente no paraba de dar vueltas al rompecabezas, intentando encontrar la respuesta.

Al sentir los ojos de Brian fijos en ella a través del vidrio, se volvió con mirada hostil y le hizo una señal para que entrara en la cabina. Él lo hizo con despreocupación, más arrogante que nunca.

—Quiero que me expliques tu teoría.

—¿Cuál es la tuya? —replicó él.

—Si le conozco, es obvio que tiene que disimular su voz.

Brian asintió.

—Es mi impresión, exactamente.

Apoyó la cadera con actitud perezosa contra la mesa de mezclas, observando a Saber de un modo altivo.

La joven se inclinó un poco hacia él, moviendo la mano hasta dejarla apoyada cerca del brazo a la altura de su muñeca. Tamborileó con los dedos al lado de su brazo, empleando su hábito nervioso para disimular el movimiento.

—Y si ha usado una grabación, ¿es posible que quiera estar en dos sitios al mismo tiempo?

Saber captó su pulso, escuchó el ritmo, permitiendo sincronizar su cuerpo con el de Brian. Si estaba nervioso, su ritmo corporal no lo mostraba. El pulso y los latidos eran constantes. Desplazó las puntas de los dedos pegándolas a su piel con suma discreción.

—Por ejemplo, si fueras tú, Brian, podrías llamar y al mismo tiempo estar aquí para coger la llamada.

Pese a mencionarlo con indiferencia, al hacer tal sugerencia se aseguró de comprobar si había la menor anormalidad en su pulso.

El técnico hizo una mueca.

—¿Yo? Me gustas, preciosa, pero no tanto. Supondría meterse en muchos problemas, y yo soy tirando a vago.

Ningún cambio en su ritmo, en absoluto. Si Brian mentía, era capaz de engañar a un detector de mentiras sin el menor problema, y ella no creía que fuera tan bueno. Retiró los dedos y los desplazó por la superficie de la consola reanudando su tamborileo «nervioso».

—Era una idea descabellada, pero de hecho no tan mala. Si la persona es alguien conocido, ¿no sería una manera fantástica de eludir las sospechas? Estar conmigo cuando se produjeran las llamadas.

—Si estás pensando en Jess, no quiero entrar en eso. Estoy seguro de que es un pervertido, pero si quisiera flipar toqueteando todas tus cosas, lo habría hecho mucho antes.

Todo se paralizó en ella, pero mantuvo la sonrisa y la máscara fría en el rostro. Joven. Inocente. Tan dulce y vulnerable. ¿Cómo sabía él que el intruso había enredado en sus cosas? Lo justificara como lo justificase, Brian estaba enterado de que el intruso había entrado en su habitación, y nadie debería tener esa información. No había salido en ningún momento del círculo de los Soldados Fantasma.

—No es Jess, so imbécil.

Saber introdujo la dosis correcta de humor en el comentario.

Vislumbró por un momento su propio rostro reflejado en el vidrio que la rodeaba, y el corazón le dio un vuelco. Llevaba puesta su máscara de la muerte. La de quinceañera inocente. Sin malicia. Con dientecitos blancos reluciendo en una sonrisa, y ojos brillantes y amistosos. Despreciaba esa máscara, pero ahí estaba, una reacción automática. Al bajar la vista, descubrió las yemas de sus dedos pegadas al pulso de Brian, sincronizando ya sus ritmos corporales. Pese a saber que no era el acosador, dada la pauta relajada y despreocupada de su pulso, por instinto se había preparado para matarle y eliminar una amenaza, sólo por si se equivocaba.

Dio un brinco tan repentino que volcó la silla. De pronto deseaba tener a Jess rodeándola con sus brazos, protegiéndola... o protegiendo a Brian. ¿Qué estaba pensando? ¿Que podía instalarse con Jess y vivir un cuento de hadas con un final feliz?

—¿Qué te pasa, Saber? —Brian se inclinó y cogió la silla, mirándola con perplejidad—. ¿No estarás considerando en serio que es Jess o yo mismo, verdad? Si estás asustada, llamaré a Brady para que venga. Caray —enderezó la silla y tendió ambas manos vueltas hacia arriba—, sólo intentaba ayudarte, no quería asustarte.

—No, no, Brian. —Forzó otra sonrisa angelical—. Tengo un miedo irracional a los insectos y he visto una araña. —Señaló el pequeño arácnido que reptaba inocente por el extremo de la mesa de mezclas—. He reaccionado sin pensar.

Brian le sonrió y empleó el pulgar para aplastar la araña.

—Nunca habría esperado una reacción de niña en ti.

Saber entornó los ojos y forzó una mueca como respuesta.

—Bien, no se lo cuentes a nadie.

Regresó a su silla evitando el contacto con Brian, intentando controlar sus propios latidos. Le hizo un ademán para que saliera de la cabina y volvió al micrófono, explicando alguna tontería y coqueteando un poco antes de poner la siguiente tanda de música.

Su primer pensamiento había sido eliminar la amenaza percibida contra ella. La habían entrenado de niña para matar. Luego había pensado que si se negaba a asesinar y escapaba sería como cualquier otra persona; que si dejaba de matar todo habría acabado. Pero allí donde fuera seguía siendo ella misma, se llevaba a la asesina consigo. Era una ejecutora entrenada y su instinto era destruir la amenaza.

Echó un vistazo a Brian a través del vidrio; estaba bromeando con Fred, el portero. El amable hombre mayor limpiaba la emisora cada noche, y Brian siempre —sin excepción— hablaba con él. Le trataba con respeto, le traía comida incluso, alguna cosa que hubiera visto y que pensara que Fred debía probar. Brian incluso se llevaba bien con Les, el hombre que hacía el mismo trabajo durante el turno de día.

Nadie se llevaba bien con Les. Era reservado, rudo e insultante en su actitud con las mujeres, y le molestaba recibir órdenes y trabajar para un hombre en silla de ruedas. Hacía bien su trabajo, pero básicamente era un auténtico puerco...

Su respiración se entrecortó. ¿Les? ¿Podría ser Les el majareta de las llamadas? Pero aunque fuera Les, ¿cómo podía saber Brian lo del intruso que le había hecho trizas la ropa? Patsy no lo sabía, sólo los Soldados Fantasma y... Cogió el teléfono. Jess respondió a las tres llamadas.

—Ey, una pregunta rápida. —Volvió la vista para asegurarse de que Brian no podía escucharla. Estaba ocupado con Fred, sin prestar atención—. ¿Quién sabía lo del pajillero que entró en mi habitación?

—El equipo, por supuesto.

—¿Contarían algo así?

—No, por supuesto que no. ¿Por qué?

La voz de Jess se llenó de suspicacia.

—Por nada. Sólo estoy intentando aclarar mis ideas. ¿Alguien más lo sabe? Patsy, ¿por ejemplo?

—¿Cómo diablos iba a saberlo Patsy? Lily y Eric lo saben, les informé brevemente cuando hablamos... —se interrumpió, vaciló y luego añadió— de las cosas.

—Quieres decir de mí. Hablabais de mí.

—Entre otras cosas. Eres demasiado susceptible, Saber.

—Bien, ¿cuánta gente está al corriente de tus asuntos? No de tu pasado SEAL, sino de los Soldados Fantasma ¿Patsy lo sabe? ¿Tus padres? ¿Quién lo sabe? ¿Quién anda por ahí hablando de ti?

—¿Qué te pasa esta noche?

—No puedo hablar ahora mismo, tengo que hacer el programa.

Colgó, furiosa otra vez. Maldito Jess por ir ventilando su vida con todos los otros. Ella no les conocía ni confiaba en ellos, no formaban parte de su mundo.

Brian dio unos golpecitos en el vidrio y sostuvo las manos en alto con gesto inquisitivo. Maldiciendo en voz baja, Saber se inclinó sobre el micro e inició otro comentario, en todo momento con la mente dando vueltas a miles de posibilidades... o a ninguna en absoluto. ¿Cómo podía haberlo descubierto Brian? Él tenía que ser el intruso, pero... le estudió otra vez a través del cristal. La verdad, no cuadraba. Nadie que fuera tan repugnante podría fingir tanto tiempo... ¿o sí?

Cuando dieron las tres de la mañana sintió alivio. Iba a tener que hablar de esto con Jess. Sólo la posibilidad de estar tan cerca de un hombre que había entrado en su casa y violado su privacidad de modo tan obsceno, le retorcía las tripas.

Brady, el vigilante de seguridad, esperaba para acompañarla hasta el coche. Brian se había detenido para despedirse de Fred y Saber dio un suspiro de desahogo, pues no quería mantener otra charla prolongada con él sin haber tenido ocasión de hablar con Jess.

—Ha sido un buen programa —le comentó Brady como saludo—. He escuchado mientras hacía mis rondas.

Ella le estudió con mirada penetrante. Estaba volviéndose paranoica; Brady era amigo de Jess, desde los días de la marina. Había sido SEAL para montar luego una empresa de seguridad. ¿Por qué no iba a escuchar su programa mientras hacía la ronda? El trabajo sería aburridísimo la mayor parte del tiempo.

Forzó una sonrisa cansada.

—Gracias. No estaba tan concentrada como es habitual, así que me alegro de que el programa no sonara demasiado mal.

Brady era un hombre grandullón, pero se movía ligero sobre sus pies. Tenía la mirada inquieta, como muchos que habían formado parte de equipos de elite, inspeccionando su entorno mientras avanzaban por el aparcamiento hasta su coche. Ella se mantuvo cerca de él, rozándole de vez en cuando con el brazo con un contacto tan leve que ni él se enteraba, pero suficiente para permitirle sentir el ritmo constante de su corazón.

Saber tomó aliento, lo exhaló y se concentró en los pasos que había que dar hasta el coche, observando en todo momento a Brady, consciente de cada movimiento de su cuerpo. La tensión fue en aumento sin poder impedirlo. Todo parecía ir mal. Un paso fuera de lugar, pero no estaba segura del motivo. El tiempo transcurrió más lento, su visión se concentró, mientras el corazón latía al mismo ritmo que el de él. Brady era su vigilante, la había acompañado al coche casi durante un año, pero de repente ya no se sentía segura a su lado.

—¿Qué pasa, Saber?

Su voz sonó tranquila. Notó la preocupación del hombre y se obligó a sonreír otra vez.

—No sé, estoy un poco asustadiza hoy.

Brady le puso una mano en el brazo y la colocó tras él mientras se acercaban al coche.

—Deberías haberlo dicho. Cuando temes que hay algún problema, normalmente es por algo.

Sacó el arma de la cartuchera y dio un paso en dirección al coche.

—Brady, regresemos adentro —dijo Saber—. Me siento expuesta.

El aparcamiento ofrecía poca protección donde ponerse a cubierto: unos pocos árboles y arbustos distanciados. Pero sobre todo había asfalto. La joven miró a su alrededor llena de inquietud.

Brady retrocedió de inmediato hacia ella. La bala le alcanzó en la parte baja del muslo, lanzándolo hacia atrás. Cayó con fuerza, su cuerpo quedó estirado, pero mantenía el arma aún bien sujeta en la mano. Saber se agachó y se arrastró hacia donde estaba tendido.

—Ponte a cubierto —instó el hombre.

—¿Es serio?

Le puso ambas manos sobre el corazón para percibir el alcance del daño.

Brady la empujó.

—Vendrá a rematarme. Lárgate ya de aquí, Saber. Estás expuesta.

Ella le agarró el brazo.

—Empuja con los pies. Rápido.

—Déjame. Tienes que salir de aquí.

Pero empujó con los talones mientras ella le arrastraba entre los coches.

—Dispara a las luces.

Brady no hizo preguntas y realizó varios disparos. El cristal saltó hecho añicos, lloviendo desde las cuatro esquinas del aparcamiento.

—Bien, al menos tienes buena puntería. —Continuó tirando del brazo—. Sigue moviéndote.

—Confío en que tengas un plan.

—Siempre tengo un plan. —Saber continuó arrastrándole, agachada en el suelo, confiando en que el atacante pensara que se escondían entre los coches—. Veo en la oscuridad, como un gato. Sigue moviéndote, sólo tenemos que llegar hasta el extremo, ahí mismo.

—Hay una bajada.

—Sí, lo sé.

Había estudiado toda la zona durante el pasado año, memorizando el paisaje por si algún día tenía que salir huyendo. Imaginó que ahora se encontraba en esa situación.

—Saber. —La voz llegó a través de la oscuridad, sonaba espectral—. Saaber.

—Genial. Es el pajillero donante de esperma. Puaj.

Brady contuvo un resoplido.

Saber tiró con más vigor del brazo, maldiciendo en silencio por no tener la fuerza suficiente para cargar con un hombre grande. Whitney la había reforzado físicamente, pero se centró en sus habilidades de salto y piruetas o su capacidad de encogerse y penetrar en lugares a través de resquicios mínimos. Tenía fuerza más que suficiente para auparse y quedarse colgada durante largos periodos de tiempo de las puntas de los dedos, pero Brady era casi un peso muerto ahora mismo. Empezó a sudar, temiendo no conseguirlo tal vez.

—Cuando esto acabe, pierde un poco de peso, Brady —le dijo al oído entre dientes.

—Es todo músculo, señora.

Casi no había luna y Brady no pudo apreciar cómo entornaba ella los ojos. Pero Saber sí veía, distinguía la mancha de su herida extendiéndose ahora, el negro oscuro, pese a lo impenetrable de la noche.

—¿Qué pasa con los SEAL de la marina? ¿Todos tenéis que ser tan machotes?

Seguía hablando sobre todo para distraerse de la tarea que suponía tirar del cuerpo grande de Brady y el miedo a que una bala les atravesara. Se mantuvo cerca de los coches todo el rato que pudo antes de salir al descubierto. Tenían que ir despacio sin atraer la atención. Con suerte el atacante estaría concentrado en vigilar entre los coches; lo lógico era que ellos intentaran mantenerse ocultos y los vehículos eran la única protección disponible.

—Saaaber.

La llamada se oyó otra vez. Distorsionada. Burlona. Trastornada.

Permanecieron callados mientras recorrían con lentitud exasperante los tres metros que separaban el asfalto del terreno agreste. La hierba descuidada tenía poca altura en torno al extremo del aparcamiento con objeto de reducir el riesgo de incendio.

—Ten el arma lista, Brady —susurró—. Vamos a quedar muy expuestos ahora. Con suerte podré meterte entre la hierba sin atraer su mirada, pero va a dolerte un montón. ¿Estás listo?

Brady agarró el arma y asintió.

Saber retrocedió hacia el bordillo manteniéndose todo lo agachada que pudo. Cogió a Brady por debajo del brazo y tiró de él para arrastrarlo por encima del relieve. Al hombre se le escapó una exhalación, pero continuó callado mientras caían al otro lado por la hierba. Se quedaron jadeantes, Saber debajo de la mitad superior del cuerpo de Brady. Le acercó la boca al oído:

—Hay una cornisa, es grande, justo detrás de nosotros. Voy a intentar dejarte ahí. Pero descansemos un minuto primero. —Percibía el corazón de Brady acelerado y su pulso débil. Iba a entrar en estado de shock, tenía la piel toda sudorosa—. ¿Puedes aguantar un poco más, Brady? Te traeré ayuda en seguida.

El vigilante consiguió esbozar una breve sonrisa.

—Tengo la espalda en carne viva, señora.

Pese a la gravedad de la situación, ella se encontró devolviéndole la sonrisa.

—Vamos, chico duro, en marcha.

En todo momento Saber prestaba atención a cualquier sonido o cosa que revelara dónde se encontraba su atacante. Observó el aparcamiento mientras tiraba de Brady hacia atrás. Ahora que llevaban un rato a oscuras, la vista se ajustaba, y eso no era conveniente. Opinaba que debía actuar rápido, pero se obligó a ir despacio.

Vio una figura en movimiento, corriendo desde un lado del edificio para ponerse a cubierto bajo uno de los árboles. El corazón le dio un brinco. Respiró hondo y dejó que la adrenalina le proporcionara la aceleración que iba a necesitar.

—Está al otro lado, junto al árbol más pequeño, el más cercano a la emisora. No le pierdas de vista. Si se dirige hacia el coche, ¿podrás darle? ¿Eres bueno disparando? Porque si no, yo lo soy, en serio. La cuestión es que me pongo enferma, con franqueza, me pone mala... matar.

Brady permaneció callado un momento con una sonrisa cada vez más amplia.

—¿Y cómo de buena eres con una pistola?

—He recibido formación en armas y soy una experta tiradora.

—Eres una caja de sorpresas, y peligrosa como una serpiente venenosa. Quieres ver muerto a ese hijo de perra, ¿verdad?

—Quiero que se largue, pero no quiero tener que preocuparme de que vuelva a por mí otra vez.

Ella no conocía otra manera de disparar que tirar a matar.

Se encontraban ya junto a la cornisa. No quería que Brady se tirara al otro lado sin que hubiera disparado con la pistola o se la hubiera pasado a ella. Les quedaba un solo disparo. Una vez que revelaran su posición, tendría que esconderle y alejar de él la atención del atacante. Su única esperanza era que aquel loco no la quisiera matar de inmediato. No sabía de qué iba todo esto ni quién era aquel chiflado, pero no tenía nada que ver con el ejército ni con la investigación que realizaba Jess. Ese hombre era un acosador... su acosador.

Permanecieron echados sobre la fina hierba, deseando que el hombre se dirigiera hacia los coches. Llamó a Saber otra vez con un sonido tan extraño que ella comprendió que había estado usando un mecanismo para distorsionar el tono de voz y así disimularlo. Le conocía. Saber siempre identificaba a la gente por su biorritmo peculiar, podría reconocer también al acosador por esa característica única de su cuerpo. Por lo tanto, tendría que desconectarlo todo a su alrededor y sintonizarle sólo a él. Y eso significaba que no podría hacerlo a no ser que se alejara lo bastante de Brady y su pulso no interfiriera.

Para Saber todo era una corriente eléctrica —una especie de código—, sabía que si conseguía acercarse lo suficiente, su cuerpo captaría el ritmo de su acosador.

—Se está moviendo —dijo Brady.

Saber pestañeó en un intento de enfocar la figura. Dio un par de pasos vacilantes y Brady preparó el arma.

—Podría darle —dijo él—. La furgoneta de la compañía le bloquea, pero si sale al descubierto lo tendré controlado.

—Pues adelante si lo ves claro.

Brady le dirigió una rápida mirada y luego se movió para buscar una posición mejor. Le temblaba la mano y el sudor le caía a los ojos.

El atacante se agachó mucho, miró a izquierda y derecha y luego corrió hacia los coches. El sonido de sus botas sobre el asfalto sonó demasiado ruidoso en medio del silencio.

Saber le arrebató entonces el arma a Brady, apuntó y apretó el gatillo. El sonido del disparo reverberó por todo el aparcamiento y el hombre aulló, disparando varias ráfagas mientras caía, tirando a lo loco. La descarga alcanzó a coches y árboles y penetró en la tierra, pero sin aproximarse a ellos.

Saber se puso en pie. Tenía poco tiempo, pues la energía violenta ya se precipitaba para dominarla. Brady intentó agarrarla con su brazo estirado, pero ella pasó rozándole y corrió hacia el hombre caído con el arma aún sujeta en la mano. Tenía que liquidar al agresor antes de que la energía la alcanzara y la derribara. Nadie más podía proteger a Brady, que tenía heridas graves.

—¡No! —gritó el vigilante de repente.

Saber se percató de que se esforzaba por ponerse en pie, pero ella no iba a detenerse. El hombre herido. El hombre herido se retorcía en el suelo, maldiciendo en voz alta, y ella agarró el arma con más firmeza, pese al estómago revuelto. Deseaba que él la apuntara con el arma, no quería matarle a sangre fría... como una asesina, quería que al menos fuera en defensa propia.

Hizo ruido al correr a posta, con la esperanza de que apuntara, pero el hombre seguía gritando y rodando sobre el asfalto. Saber se paró de un salto, apuntó y se quedó mirando la cara del hombre que había violado su santuario... su hogar.

—Les.

Soltó una exhalación, un poco conmocionada al descubrir que era el técnico del turno de día quien la había estado acosando durante las últimas semanas. Apenas hablaba con ella, rara vez trabajaban en realidad juntos, pero era hosco y mezquino.

Les escupió unas cuantas maldiciones, aún sujetando la pistola, pero no la levantó, sólo daba con los talones sobre el asfalto y rugía como un demente. Saber se percató de que le había herido en las tripas. El dolor tenía que ser espantoso.

—¡Saber!

Si su intención era matarle, tenía que hacerlo ya, apretar el gatillo y acabar con él, pero no podía. Permaneció ahí temblando mientras la energía la rodeaba en un remolino negro y rojo, engulléndola de tal modo que su visión se oscureció y tuvo que ponerse de rodillas.

Brian apareció corriendo tras ella y la terrible náusea en su estómago y el dolor de cabeza disminuyeron de forma notable. Cuando le puso la mano en el hombro, desaparecieron por completo.

—¿Estás bien?

—Brady ha recibido un disparo. Hay que llamar a la ambulancia.

El técnico de sonido se agachó para ayudarla, quitándole el arma y metiéndosela en el cinturón.

—¿Te ha hecho daño?

—No. Pero él es el autor de las llamadas, quien entró en mi casa e hizo cosas desagradables en mi habitación. No lo entiendo.

—¿No? El doctor Whitney había enviado a Les para vigilarte e informarle.

Brian sacó una pistola de la funda situada debajo de su hombro y dio una patada a Les con la punta de la bota mientras Saber se hallaba ahí boquiabierta e impresionada.

—¿Y cómo sabes todo eso? ¿Quién eres?

—En teoría ni tú ni Jess ibais a fijaros demasiado en alguien sin mejoras genéticas como Les. Y así ha sido. Era una especie de prueba, y ambos fallasteis. Incluso te caía mal, pero no te molestaste en descubrir el motivo. Eso es un punto débil, Saber.

Brian sacó el arma, apuntó y disparó. Un agujero brotó en el centro de la frente de Les, y Saber retrocedió de un brinco, horrorizada.

—Deberías haberle matado. Nunca te habrías encontrado a salvo con él cerca, Saber. Les ha ido empeorando a lo largo de los meses, estaba obsesionado contigo.

—Brian. —Saber inspiró con brusquedad, intentando dominar el pánico. No estaba lo bastante cerca de él como para tocarle, y el técnico no apartaba los ojos de ella—. ¿Trabajas para el doctor Whitney?

—Ya conoces la respuesta a eso; deberías haberte preguntado antes por qué te encontrabas tan a gusto en el trabajo.

Era obvio que había un tono de reprimenda en su voz.

—Eres un anclaje.

Él era el motivo de que las secuelas de la violencia no la tuvieran retorciéndose en el suelo, machacando su cabeza.

—Y un escudo. —El joven le dedicó una rápida mueca—. Uno de los pocos que hay... como tú.

Ella alzó la barbilla y retrocedió otro paso.

—Tendrás que matarme, Brian, porque no voy a regresar.

Él levantó una ceja.

—Si hubiera querido llevarte de regreso, te habría dejado inconsciente cualquier día en la emisora y el trabajo estaría hecho.

—Me caías bien, Brian. Eres muy bueno en tu trabajo.

—No tengo que dejar de gustarte. No soy diferente de ti. Sólo hago mi trabajo, y mi trabajo es vigilarte y eso he hecho. La siguiente vez que veas un gusano en el suelo, mátalo. Te han enseñado bien; sólo porque no quieras seguir siendo una asesina no significa que tu entrenamiento haya sido un desperdicio. Deberías ser capaz de mantenerte con vida.

Brian echó una ojeada a Brady.

—Tengo que irme. Hay un par de personas a las que quiero ver antes de largarme.

Saber dio un paso hacia él.

—No a Jess.

—Por supuesto que no. Retrocede, Saber. No me gustaría tener que abatirte. No me gusta verte con morados. Voy a ver a Patsy, sólo para asegurarme de que se encuentra bien. No voy a ir a por Jess.

—Patsy tiene vigilancia.

Se sintió obligada a indicarlo. Le caía bien Brian, le tenía por un amigo. Y le asombraba que hubiera trabajado con él noche tras noche, sin reparar nunca en el hecho de que era un Soldado Fantasma al servicio de Whitney.

—Es maligno, Brian. Tienes que saberlo.

—Soy un soldado, Saber, igual que tú. Recibo órdenes.

—¿No formas parte de su programa de reproducción?

—Eso es una leyenda, nada más.

Ella negó con la cabeza.

—Te engañas a ti mismo porque no quieres que sea cierto. ¿Por qué piensas que me dejó marchar? Quiere que Jess y yo tengamos un bebé.

Oyó en la distancia el aullido de las sirenas. Brian no apartaba la vista de ella. En sus ojos, en su rostro, había respeto —respeto a otro soldado— y admiración por lo que ella podía hacer.

—Cumplo con mi trabajo. Voy a donde me mandan y cumplo órdenes. Voy a ver a Patsy y luego me largaré. Tú no te metas en líos.

—Brian, busca otro puesto. Cualquiera menos con Whitney. Pide un traslado a otro equipo de Soldados Fantasma. Alguien anda por ahí con intención de matarnos a todos y no tenemos ni idea de quién es. No es Whitney, sino alguien en un puesto lo bastante elevado como para inmiscuirse en la asignación de cometidos. Han mandado a algunos Soldados Fantasma en misiones suicidas. Tienes que saberlo y todos los hombres de tu equipo deben enterarse también.

Hablaba rápido, en voz baja, consciente de que el portero y otros dos vigilantes se aproximaban vacilantes hacia ellos.

El técnico le sonrió.

—Cuídate. Debo marcharme antes de que lleguen los polis. Mantente a salvo, Saber, y no bajes la guardia.

Ella iba a echarle de menos. Le observó acercándose a Brady, contuvo la respiración mientras Brian se agachaba y sacaba de la chaqueta una venda de compresión para tendérsela al exSEAL junto con su arma. Brian se fue hacia el lado montañoso y usó la ruta de escape exacta que Saber había detectado meses atrás. Tendría un coche y una mochila escondida en las proximidades.

Entonces ella acudió corriendo hacia Brady y se arrodilló a su lado mientras el hombre abría el envoltorio de la venda con los dientes. Saber rasgó el tejido de sus pantalones. Tenía el muslo empapado en sangre.

—Dame, Brady. La ambulancia llegará en unos minutos.

—Brian es del ejército —dijo el vigilante—. Caray, no me había enterado. Pasa perfectamente desapercibido.

Eso era lo que hacía un Soldado Fantasma como Brian, un camaleón que se convertía en quien quería, en lo que todo el mundo esperaba. Sacudió la cabeza. Había oído hablar de ellos, por supuesto, pero era el primero que conocía. Brian podía convertirse en cualquier persona.

—Sí, pertenece al ejército.

—Ha ejecutado a ese hombre.

En vez de responder, Saber se sentó frotándose el rostro con la mano, agotada. Ahora que Brian no la protegía de la energía, notaba las secuelas, aunque la mayor parte se había dispersado. Tendió la mano.

—¿Tienes un móvil? —le preguntó, porque lo único que quería hacer era hablar con Jess, oír su voz reconfortante.

Brady seguía echado en la hierba a su lado.

—Mi bolsillo.

Saber le dirigió una ojeada penetrante. Estaba gris, con gotas de sudor cubriendo su cara.

—¡Eh! Mejor que no se te ocurra pensar en morirte conmigo a tu lado.

Asustada, se inclinó sobre él y le tomó el pulso con los dedos. Al instante percibió el ritmo de su cuerpo, podía interpretarlo ahora con facilidad después de trabajar con Patsy y Jess. Estaba perdiendo demasiada sangre demasiado rápido. Maldijo y se arrodilló a su lado.

—Cierra los ojos e intenta relajarte. Notarás una sensación cálida, incluso ardor.

Una débil sonrisa le dijo que Brady quería hacer un comentario mordaz, pero no le quedaba energía para pronunciarlo.

Saber propagó una corriente a modo de prueba y observó la reacción hasta descubrir una pequeña hendidura en la arteria. Una vez que bloqueó toda imagen y sonido, mandó una pequeña pulsación de calor para reparar el desgarro. La corriente eléctrica estimuló las células poniendo en marcha el proceso de reparación celular mientras cerraba la arteria.

Brady le agarró la muñeca cuando finalmente Saber se dejó caer sobre sus talones.

—¿Y tú qué eres?

Ella le dedicó una amplia sonrisa.

—Soy alto secreto, amigo mío.

Y podía salvar vidas además de eliminarlas.

Encontró su móvil en el bolsillo, lo abrió y llamó al hombre con quien necesitaba compartir esta importante noticia.

Capítulo 19

*L*ogan y Neil ya han registrado la casa de Les, y no ha aparecido nada. A excepción de la pequeña mazmorra casera que por lo visto tenía preparada para ti —dijo Jess.

Saber se encogió de hombros.

—Hay ciertas cosas en la vida que es mejor desconocer y la mazmorra de Les es una de ellas. ¿Qué quieres decir con que no ha aparecido nada? ¿No había huellas?

Se sentía fatal, tan cansada que a duras penas se aguantaba en pie, y en dos ocasiones había sangrado por la nariz. Lo había disimulado en comisaría durante la declaración, pero lo único que quería ahora era meterse en un agujero en algún sitio.

Jess se inclinó desde su silla para coger la taza de café que ella le había dejado encima de la mesa. Había sido un largo día con la policía, siguiendo la evolución de Brady en el hospital, visitando a Patsy, y luego hablando con Logan y Neil. Saber ni siquiera se había metido en la cama. La emisora había perdido a sus dos técnicos de sonido, Jess tenía clarísimo que ella no iba a ir a trabajar, no quería que se separara de él.

—Había huellas, pero no han revelado más de lo que ya sabíamos. Obtuve sus huellas cuando le contraté, y no salió nada. Por lo visto a Les se le había pasado por alto mencionar en su currículum que había pasado un par de años trabajando en el Centro de Investigación de Whitney en California.

—Brian dijo que Les pasaba informes a Whitney, pero que era un perturbado. ¿Crees que Whitney sabía que era un depravado y por eso envió también a Brian? —preguntó Saber. Bostezó y se apretó las sienes palpitantes con los dedos en un intento de detener el dolor incesante—. Todo es demasiado complicado como para que yo me aclare.

—Encontraron grabaciones con las divagaciones de Les, aunque la mayoría habían desaparecido. Supongo que faltan las que eran para Whitney, pero quedaron suficientes como para demostrar su descenso a la locura. Parecía llevar ya un tiempo así.

Algo en su tono puso en alerta a Saber, que estiró el brazo sobre la mesa y le cogió la mano, esperando hasta encontrar su mirada:

—¿Tenía algo que ver en concreto conmigo? ¿Lo preparó todo Whitney?

—No lo sabemos, pequeña, pero es una posibilidad.

Ella se levantó de un brinco y se volvió para recorrer la habitación. Le flaqueaban las piernas y su cuerpo temblaba de debilidad.

—Whitney ya tenía otro tipo así trabajando para él, un doctor muy depravado. Logan piensa que es parte de un proyecto de investigación más amplio que está llevando a cabo —explicó Jess. Cuando Saber pasó a su lado, la cogió del brazo para que parara—. Todos creemos que Whitney tiene capacidades extrasensoriales, que lee la mente de la gente. Si no, ¿cómo iba a encontrar a niñas con talentos psíquicos? No es el tipo de hombre que tiene un par de perturbados trabajando para él, a menos que quiera estudiarlos.

Ella frunció el ceño y se soltó el brazo, no quería que Jess advirtiera que no controlaba el temblor.

—¿Whitney le mandó a posta? ¿Cómo iba a saber que me acosaría de ese modo?

—No lo sabía, pero lo quería comprobar. Al menos eso pensamos.

—Y mandó a Brian también por si acaso.

—Lo más probable es que no quisiera arriesgarse a que sucediera algo antes de tener tú un bebé. Si Brian es un escudo, ahora ya conozco cuatro. Kadan, tú, Brian y yo mismo. Necesita que nazcan más niños porque somos pocos, y es obvio que piensa que somos su mejor apuesta.

—Genial. Nunca voy a poder tener un bebé.

—Tendremos hijos —replicó él en voz baja, estirando el brazo de nuevo y acercándola a él—. Ya he hablado con Ken y Jack sobre comprar tierras cerca de su propiedad. Podemos construir una fortaleza en las montañas. Otros más se unirán a nosotros y así podremos proteger a los niños.

—¿Y qué hay de Patsy? Me dejó preocupada que Brian insistiera tanto en verla.

Jess permaneció callado un momento, considerando las cosas en su mente. Brian se había arriesgado a ser capturado con su visita a su hermana. Cierto que los vigilantes no eran Soldados Fantasma, pero aún así eran hombres bien entrenados del equipo de seguridad de Brady. Cuando Jess habló con su hermana, ella admitió y reconoció que Brian había ido a despedirse.

—Patsy no conoce a Whitney, ¿cierto? —preguntó Saber.

Todo se paralizó en el interior de Jess. Sus pensamientos seguían ya la misma dirección de los de Saber, y se asustó. Si Whitney había conseguido observar la operación que le realizaron a él mismo en un importante hospital, sin duda podría colarse en el centro donde se encontraba Patsy.

—Oh, Dios. Pásame el teléfono. La quiero protegida a todas horas. Tenemos que sacarla de ese hospital y meterla en algún sitio donde tengamos mejor seguridad.

Saber le puso el móvil en la mano.

—Tal vez deba acercarme a verla.

No quería. Quería que otra persona se ocupara de todos los problemas para poder meterse en la cama.

Ken, tú y Mari id rápido al hospital y vigilad a Patsy. Temo que Whitney pueda intentar algo contra ella.

Entonces os quedaréis sin protección. Neil se reúne hoy con Kadan, y a los otros les han llamado para trabajar.

Jess miró a Saber con expresión disgustada, frustrado al oír a Ken contradiciéndole.

—No vas sin mí. Voy a mandar a Ken y a Mari también.

Id con Patsy. Nosotros vamos detrás.

Estáis vulnerables aquí, Jess.

Maldición, ¿crees que no lo sé? ¡En marcha!

—Tenemos que acercarnos al hospital, Saber. Si Brian tenía interés en ver a Patsy, Whitney debe haberlos emparejado de algún modo empleando sus refuerzos de feromonas. No la va a dejar tranquila.

Saber ya había cogido las llaves del coche, pero las dejó caer otra vez en la mesa y se detuvo, volviéndose para mirarle:

—¿Qué significa eso, Jesse? ¿No crees que los sentimientos de Brian por Patsy puedan ser sinceros?

—¿Y eso cómo cambia las cosas? —soltó con impaciencia alcanzando él mismo las llaves—. Vamos.

—Vete tú.

Jess hizo girar del todo la silla.

—No me vengas con ésas, Saber, ahora no. Patsy puede correr peligro.

—Brian no va a hacerle daño. En cualquier caso, hace rato que se ha largado. Patsy dijo que ya se había ido, ¿te acuerdas? Y Ken y Mari no permitirán que le pase nada. Creo que deberías ir y verlo con tus propios ojos, pero yo estoy cansada. Llevo casi veinticuatro horas levantada, he estado en medio de un tiroteo y he agotado toda mi energía intentando curarte las piernas. Me voy a la cama.

—Maldición, Saber. No es el momento de encabronarse. No tiene nada que ver con nosotros.

—Sí que tiene que ver. ¿Crees que lo voy a dejar pasar, Jesse, eso de pensar que Brian va detrás de Patsy sólo porque Whitney les ha emparejado? Patsy es guapísima, mucho más que yo. Es sofisticada y culta, y la mayoría de los hombres matarían por tenerla. No se parece en nada a mí. Si no crees que Brian pueda sentirse atraído por ella, por sí misma, entonces es imposible que tú te enamoraras de mí por tu cuenta.

Jess se pasó la mano por el pelo, con ganas de zarandearla. Estaba agotada, eso se notaba en su cara. Y dolida, lo veía en sus ojos. Pero lo cierto era que buscaba una salida porque estaba asustada: de él, de Whitney, de verse metida en una familia, de ser parte de la comunidad de los Soldados Fantasma.

—Siempre estás con un pie en la puerta, Saber. Por mucho que te diga que te quiero o te deseo; por muchas veces que te repita que eres mi vida y que renunciaría a todo por ti, de nada servirá todo eso si tú no sientes lo mismo. No puedo hacer que desees quedarte aquí. Y no voy a retenerte contra tu voluntad, por más que quiera.

Tiró las llaves otra vez sobre la mesa.

—¿Crees que me enorgullezco de no haber usado medidas contraceptivas? ¿Crees que un hombre como yo olvida alguna vez algo tan importante? Pero quería que te quedaras embarazada, deseaba que llevaras un hijo mío en tu interior porque así no me dejarías. Me necesitarías para cuidar de ti y del bebé. Detesto lo que hice, incluso haberlo pensado. Es una trampa por mi parte, igual que las que te tendió Whitney. Si te quedas conmigo, tiene que ser porque me quieres y deseas estar conmigo.

—Para ti es demasiado fácil, Jess. Lo tienes todo. Padres, Patsy, amigos... todo el mundo te respeta. Yo vengo de la nada, ni siquiera tengo nombre ni cumpleaños. Soy capaz de hacer lo mismo que hace Patsy, pero porque me educaron para infiltrarme en cualquier sociedad y matar. Ése era el principal objetivo de lo que aprendí.

Jess extendió las manos.

—Pero no eres eso. Has vivido casi un año aquí, Saber, y puedo decírtelo: hay más instinto asesino en mí que en ti. Brian lo sabía, o no habría descubierto su tapadera. Seguiría aquí vigilándonos, informando a Whitney y viendo a mi hermana. Tú ni siquiera pudiste matar a Les.

—Pero habría matado a Chaleen cuando pensé que era una amenaza para ti...

—Pero no lo hiciste, a eso me refiero. No va con tu naturaleza. Te veo, veo quién eres, quién puedes ser. Por una vez en la vida, Saber, deja de huir de ti misma y ten el valor de elegir lo que quieres. Estoy aquí mismo, ante ti.

Saber se hundió en la silla y apoyó la cabeza en el hueco del codo, sobre la mesa.

—Estoy tan cansada que ya no puedo pensar. Vete a ver a Patsy y asegúrate de que está bien mientras yo duermo un rato, y cuando vuelvas hablamos.

Él se quedó sin aliento. Algo iba mal. Saber no se cansaba nunca, no de este modo. Debería haberlo advertido en el momento en que se quedaron a solas. Acercó la silla hacia ella y le puso la mano en la frente. No tenía fiebre y eso sólo podía significar que acusaba las repercusiones de haber intentando curar los nervios y músculos dañados de sus piernas. No era tan raro que un Soldado Fantasma tuviera problemas después de usar su talento extrasensorial. Muchos sufrían derrames cerebrales y otros problemas físicos importantes. Debería haberlo tenido en cuenta.

—Venga, pequeña, vámonos a la cama. Llamaré a Eric para que venga y te mire, por si acaso.

—No, no quiero tener a ese hombre cerca. Sólo estoy agotada, casi no puedo funcionar, qué decir de pensar. Por favor, vete a ver a Patsy, no estarás tan preocupado si lo haces. Yo estaré bien. —Permitió que Jess la levantara de la silla y la pusiera sobre su regazo, entonces se acurrucó contra su cuello—. Cuéntame qué tal tus piernas. Han pasado tantas cosas que no he tenido ocasión de preguntarte si piensas que ha servido de algo mi ayuda.

—Pienso que me has salvado las piernas, cielo. Mientras tú trabajabas, he pasado la noche nadando, reaprendiendo a emplear mis extremidades. Es interesante. Aunque sé andar, tengo que recordarlo, pensar en cada paso que doy. Pero sólo me he caído unas pocas veces.

Había excitación en su voz.

Llevó la silla por la casa hacia el dormitorio.

—Ahora mismo estoy descansando las piernas. Eric dijo que no fuera estúpido y no me excediera, aunque tengo verdaderas ganas de echar a correr. —Le besó en lo alto de la cabeza—. Echar a correr, ¿has oído eso, Saber? Es posible que dentro de unos días me lance a correr, y tú lo habrás conseguido. Eres un puñetero milagro, tesoro. Mi ángel personal.

Ella suspiró en voz baja y murmuró algo que no alcanzó a oír, mientras su cuerpo menudo se relajaba pegado a él.

Jess aminoró la marcha. Se había quedado dormida en su regazo, pese a las noticias asombrosas se había quedado frita..., pues vaya. Notó la boca seca. No era el tipo de hombre que entraba en pánico, pero sintió ganas de llamar a Lily y preguntarle si era normal que Saber tuviera aquella reacción. Por desgracia, no estaba localizable. Ryland y ella se habían ocultado con el recién nacido: un niño, Daniel Ryland Miller. Jess estaba seguro de que les vería en las montañas cuando compraran tierras en las inmediaciones.

Un fino rayo rojo destelló a través de la habitación justo ante él, y Jess detuvo de golpe la silla y se arrojó al suelo, llevándose a Saber con él. Aterrizaron con un fuerte golpetazo, con Saber debajo, mientras media docena de diminutos rayos rojos daban en la pared.

—Mierda, mierda, nos atacan. ¿Te has hecho daño? ¿Te he hecho daño? Se quedó tumbado, intentando echarle una mirada al tiempo que se movían de allí.

—Estoy bien. —Su voz sonaba absolutamente calmada—. Pero me estoy hartando en serio de esto. Liquidémosles de una vez por todas, Jess. Estamos en nuestra propia casa.

—Arrástrate hacia delante, hacia el gimnasio. Tengo algunas cosas ahí guardadas que necesito.

Ella no hizo preguntas y salió pitando, más sobre el vientre que a cuatro patas, moviéndose rápido mientras el primer bote de humo rompía la ventana y explotaba. Cerró los ojos y contuvo la respiración. Sabía moverse por la casa sin necesidad de ver, por lo tanto continuó sin equivocarse con Jess tras ella. Notó el cuerpo de él rozándole por encima mientras avanzaban, Jess arrastrándose con ella, protegiéndola.

Sus brazos y piernas parecían de plomo, pero el mal genio la estaba espabilando.

¿Tu despacho es seguro?

Conseguirán entrar finalmente, pero mientras intentan reventarlo —y lo harán— se llevarán unas cuantas sorpresas desagradables. También se fundirá el disco duro, todo quedará borrado.

No saben que puedes usar tus piernas. Puedes usarlas, ¿verdad?

Era su mayor inquietud: si Jess necesitaba la silla de ruedas, de veras tenían problemas.

Tal vez no sea tan rápido como antes, pero puedo usarlas. Tú no te detengas, encanto, esto se está poniendo feo.

Sólo faltó que la empujara por la puerta del gimnasio. Una vez dentro la cerró de golpe, se quedaron agachados, tomándose un momento para respirar el aire limpio. Saber se arrastró hasta el armario donde estaban las toallas, cogió un par y las comprimió contra la rendija de la puerta.

—¿Qué tengo que buscar?

—Desplaza el armario —le indicó Jess—. Aparecerá un teclado numérico. Introduce el código «bandera roja». Cuenta diez segundos e introduce 997342. Eso abrirá la puerta.

Saber marcó los códigos a toda prisa. Las balas trazadoras silbaban en la cocina y el salón, y el golpe de los botes de humo se oía con claridad dando en suelos y paredes.

—Necesito el portátil, deprisa. Puedo dejar esta habitación cerrada e impenetrable. Intentarán matarnos, Saber. ¿Alguna vez te has encontrado en situación de combate?

—Me he entrenado con armas, pero sin un anclaje reacciono mal. Soy tiradora experta de todos modos y muy buena con un puñal.

—No puedes vacilar, vas a tener que tirar a matar. Y permanecer pegada a mí para que consigamos hacer esto.

Saber logró que se abriera la puerta de acero incorporada a la pared tras el armario de las toallas. Había un arsenal ahí, además de máscaras antigás y lo último en chalecos de protección. Le puso el portátil en las manos y volvió con las armas.

Jess levantó la pantalla y conectó el ordenador.

—Esta habitación se construyó específicamente para este propósito.

Ella le dirigió una rápida mirada por encima del hombro:

—Gracias por explicármelo. ¿Qué otros secretos guardas?

—Bien, ya está en marcha, voy a blindarla.

Las ventanas quedaron clausuradas con grueso acero para impedir la entrada de los botes de humo y los atacantes.

—Las balas no penetrarán. El blindaje no les detendrá, pero les retrasará lo suficiente, hasta que aparezca nuestro equipo.

—¿Para qué más sirve esta cosa? —dijo y empezó a sacar armas y munición, tirándoselos a Jess.

Saber también se metía pistolas y puñales en su cinturilla, sujetándose uno al tobillo con cinta adhesiva y otro a la muñeca. Le tiró a Jess un chaleco y se puso uno ella misma, luego añadió máscaras antigás a su equipo.

—Necesito ese maletín. Deprisa, Saber.

Ella lo sacó del estante y se lo pasó.

—No quiero preguntar.

Él le dedicó una mueca de complicidad.

—Voy a conectarme a los monitores de seguridad de la casa y así podremos verles. Son seis. Están entrando.

—Vamos demasiado cargados.

Habitualmente Saber no necesitaba llevar bultos, todas aquellas armas eran un exceso. No obstante, se las sujetó y volvió a su lado.

Jess empezó a sacar materiales del maletín.

Saber observó el contenido y luego le miró a él.

—¿Una bomba? ¿Vas a construir una bomba?

—Prácticamente está hecha. Sólo hay que montarla.

Colocó el artefacto en medio de la puerta y echó un cable delgado hasta el pomo, luego le indicó a ella que se desplazara hasta el otro extremo de la habitación.

—Entrarán en la casa en cualquier instante. Saben que estamos dentro y que nos tienen rodeados. Intentarán volar esta puerta, pero este artefacto se cargará a cualquiera que esté al otro lado.

—Estás loco, ¿lo sabes?

Pero empezaba a sentirse a salvo con él. Era un soldado y muy metódico. Y había planeado un ataque así con antelación. Estaba perfectamente calmado y muy seguro.

Calhoun le dedicó una sonrisa maliciosa.

—Lo has entendido, encanto. Soy un Soldado Fantasma, y estamos locos de nacimiento.

Saber sintió ganas de echarse a reír. Estaba loco de verdad.

—Te gusta esto, ¿verdad? Estás destrozando tu casa, y esto te pone.

—Íbamos a mudarnos de todos modos.

Indicó la pared que bordeaba la piscina.

—Métete ahí detrás. Hay una rejilla en el cemento.

Saber había mirado la rejilla cientos de veces, suponiendo que servía de desagüe para el agua que salpicara desde la piscina.

—Tienes una ruta de escape.

Él alzó una ceja.

—¿No la tiene todo el mundo?

—Qué desliz, ni lo había sospechado. —Y debería. Jess no era ningún corderito. Ningún SEAL de la marina lo era. Si a eso sumamos el programa de Soldados Fantasma, debería haber registrado la casa en busca de su arsenal—. ¿Está la casa cableada?

—Haces que me sienta orgulloso, preciosidad. Vaya si está cableada, por supuesto. Tira de la rejilla.

Indicó el monitor del portátil.

En la pantalla, Saber pudo ver las figuras moviéndose a través del humo que rodeaba la casa. Dos hombres tiraban unos ganchos al balcón del piso superior mientras los otros rodeaban el perímetro. Iban deprisa, abriendo puertas y ventanas. La madera y los cristales saltaban saliendo disparados por el interior de las habitaciones contra las paredes. La casa temblaba sin presagiar nada bueno.

Saber agachó la cabeza y Jess la acurrucó tras él con el brazo.

—No te separes. La energía va a correr hacia nosotros, la cosa va a ponerse fea.

Ella no planeaba apartarse de él. Su corpachón sólido la guarecía y su completa seguridad inspiraba la misma confianza en ella. La primera ráfaga de adrenalina ya se estaba consumiendo, dejándola más agotada que nunca; el desgaste físico le pasaba factura. Apoyó la cabeza en la amplia espalda de Jess y él estiró el brazo hacia atrás para rodearle el cuello, sujetándola mientras miraban juntos el monitor con atención. Saber contuvo la respiración.

Una par de hombres entraron por la puerta principal en formación clásica de dos.

—Son militares —dijo Saber—. Mira la forma en que se mueven.

—Creo que el difunto coronel Higgens tenía que responder de mucho más de lo que pensamos. Creo que formaba parte de una red de espionaje que llega hasta la Casa Blanca.

Los dos hombres se separaron, con los rifles listos, e iniciaron una exploración cautelosa del salón. Parecían monstruos con las máscaras antigás puestas, dos figuras avanzando a través del vapor circundante.

—Si ellos creen que tienes pruebas de eso, sin duda querrán matarte, Jesse. Y no van a hacer prisioneros.

—Tengo esa misma sensación.

Jess observó a los dos que subían por las cuerdas y que ahora llegaban al balcón del piso superior. Uno sacó un puñal de aspecto enorme, el otro llevaba una pistola. Probaron la puerta y, cuando no se abrió, el que llevaba pistola realizó varios disparos. Los dos que estaban en el salón eran lo bastante disciplinados como para reaccionar al tiroteo. Inspeccionaban la habitación con eficiencia, dividiendo la zona para repasarla de cabo a rabo.

Jess mantenía la mirada fija en ellos, así que Saber dejó de observar las pantallas divididas que mostraban todas las entradas y se centró en el salón. Notó el sobresalto en el pulso de Jess y la leve tensión en su cuerpo cuando el hombre que exploraba el lado izquierdo de la estancia se aproximó a la entrada de la cocina. El soldado dio un paso, luego otro. Saber detectó un destello de luz roja en la franja inferior del monitor. El soldado se detuvo de súbito, mirándose la bota, y entonces incluso el contorno de su cuerpo expresó horror. Dijo algo a su compañero, quien retrocedió mirando hacia el suelo a su alrededor con ojos desorbitados.

—Sensor de presión. Ahora saben con quien se las tienen. Puñeteros aficionados, ¿creen que van a jugar conmigo en mi propia casa?

Jess inclinó la cabeza hacia atrás y la besó. El gesto de la boca era duro, caliente y dominante. Saber percibía el calor que irradiaba su piel y la excitación que corría por su cuerpo.

Un millar de alas de mariposa rozaron las paredes de su estómago y, a pesar de la situación en que se encontraban, su cuerpo reaccionó a aquella fogosidad.

—Y yo que todo este tiempo pensaba que eras una dulzura.

Él se rió en voz baja.

—La silla de ruedas era mi amiga. Si me hubieras conocido antes, habrías salido corriendo.

Jess mantenía la mirada pegada a sus ojos: oscurecida por la exaltación del combate, humeante por el ansia descarnada, penetrante y aguda, revelaba al verdadero depredador que vivía en su piel.

Ella le dio un beso en la parte posterior del hombro.

—Habría salido corriendo como un conejillo.

Volvió a centrar la mirada en el monitor y su corazón captó la aceleración del soldado situado en la otra habitación. Percibía su miedo. Ella no estaba hecha para este tipo de combate. Si pudiera, habría cerrado los ojos, pero era imposible apartar la mirada. El soldado temblaba y su rifle vibraba visiblemente mientras su compañero se daba media vuelta y se alejaba del salón corriendo escaleras arriba.

El soldado en el salón gritaba en voz alta, pero aquello no hizo que su compañero regresara. La suela del hombre que corría alcanzó el tercer escalón y la explosión sacudió la casa. Saber se estremeció y se dio la vuelta incapaz de mirar el cuerpo elevándose por los aires junto con la mitad de la baranda y varios escalones, golpeando el techo y provocando una lluvia de madera, yeso y de miembros de un cuerpo humano. La segunda explosión siguió enseguida a la primera cuando el soldado junto a la puerta de la cocina meneó el pie como reacción automática.

Jess se giró en redondo y cogió a Saber entre sus brazos, protegiéndola mientras la energía violenta se precipitaba por la casa. Las paredes no servían de barrera, y las oleadas con extremos rojos y negros buscaban un objetivo. Calhoun la envolvió y la cubrió con su cabeza, sujetándola pegada a él mientras la energía les inundaba como un maremoto. Saber notó las punzadas de dolor, pero pasaron deprisa con Jess absorbiendo la violencia.

Su ritmo se sincronizó automáticamente con el de Jess, y gracias a eso percibió la corriente acelerada. En vez de dolor, el cuerpo de Jess atraía la energía, se empapaba en ella y la procesaba; eso la sobresaltó. En realidad nunca había pensado mucho en cómo operaba un anclaje con tanta energía, pero era como si la engullera, como si la absorbiera en su sistema para usarla para otros propósitos. Podía entender que fuera un adicto a la adrenalina; la energía violenta le dotaba de gran energía y de la necesidad de acción.

—¿Estás bien?

Jess le dio un beso en lo alto de la cabeza, acariciándole el pelo con la mano mientras mantenía los ojos pegados a la pantalla.

Ella asintió. Los dos soldados que habían entrado por la planta superior oyeron las explosiones abajo y empezaron a inspeccionar las habitaciones de un modo apresurado, pero mucho más cauto. Dos hombres más estaban entrando por la cocina y eso le agitó el corazón, pues estaban más cerca del gimnasio.

—¿No te molesta que tanta gente quiera verte muerto? —susurró ella.

—No, sólo me cabrea. Estos hombres trabajan para alguien que traiciona a nuestro país. Sea quien sea, les ha ordenado torturar a mi hermana. Van a acabar todos en el infierno, pero antes de eso, van a saber que se han metido con la familia equivocada.

Saber notó la decisión en él, la absoluta convicción de que iba a acabar con sus enemigos. La confianza que ya empezaba a brotar en ella ahora iba en aumento, extendiéndose y desarrollándose. Los otros Soldados Fantasma compartían esta misma mentalidad de Jess. Iban a la una y contraatacaban. No había necesidad de huir, nada de caer y que alguien les destruyera, por difíciles que fueran las circunstancias. Ella también deseaba esto, quería sentir la misma seguridad, formar parte del grupo unido como uno solo, deseoso de enfrentarse pese a todo pronóstico, todos juntos y con absoluta convicción en vencer. Más que eso, ella deseaba pertenecer a este hombre que tenía al lado, con su fiero orgullo y valor.

—De acuerdo.

Los soldados del piso superior se encontraban en lo alto del rellano mirando la destrucción del salón. Uno se desplazó ligeramente para ver mejor, apoyando las manos en la barandilla para inclinarse. Al instante la luz roja parpadeó en la franja inferior del monitor del portátil.

—¿De acuerdo qué? —preguntó Jess.

Ella alzó la vista, a la fuerza en aquel rostro, a esos ojos gélidos y penetrantes, vivos con la astucia del verdadero depredador.

—Me casaré contigo.

Calhoun deslizó la mirada sobre el rostro vuelto hacia arriba de Saber, y una mirada suavizó poco a poco la dura línea de su boca. La cogió por la barbilla:

—Y tendrás hijos míos.

—Pides demasiado, ¿no crees?

Jess pegó la boca a sus labios y una llamarada de excitación ardió al instante, con el sabor evidente del júbilo. Incluso en combate era capaz de derretirla.

La rodeó con los brazos, poniendo a danzar la lengua con la de ella cuando la siguiente explosión sacudió la casa. El soldado que agarraba la baranda había cambiado de postura y el sensor de presión había estallado.

Jess abrazó con fuerza a Saber, besándola y moviendo los labios contra los suyos. Ella notó las vibraciones precipitándose por él mientras atraía como un imán toda la energía. La electricidad zumbó a través de Saber... a través de Jess, una oleada física casi sexual, casi eufórica.

Exhaló y se agarró a él buscando apoyo.

—Jesse. Esto es peligrosísimo.

—Y adictivo. Cada don psíquico viene con la contrapartida de un alto coste. Sería fácil engancharse y necesitar este arrebato. —Lanzó una mirada a la pantalla y maldijo—: El hijo de perra del descansillo tiene un M203 pegado a su M16.

A Saber se le cortó la respiración. Sabía que eso era un lanzagranadas y no quería tener nada que ver con algo así.

—Va hacia mi despacho —le informó Jess.

Saber imaginó oír el chasquido reconocible y luego el golpe de la granada lanzada a toda velocidad por el pasillo hasta el interior del despacho. La casa sufrió otra sacudida cuando la puerta del despacho explotó hacia dentro.

Una vez más Jess atrajo a Saber hacia él mientras la oleada de energía se precipitaba sobre ellos. Estudió al soldado en el descansillo.

—Él es quien lo dirige todo. Mira, se queda a cubrir, por si acaso los otros dos que regresan de la cocina pisan un dispositivo. Ha perdido tres hombres, y sabe que la casa está cableada, pero él ni se inmuta. Va a quedarse ahí sentado como el lanzagranadas, a salvo mientras los demás corren los riesgos.

—¿Vamos a salir de aquí pronto? —preguntó Saber.

—Tengo un par de cosas de las que ocuparme, cariño.

—¿Como por ejemplo seguir con vida?

Parecía una zona en guerra lo que veía a través del monitor. Ella no quería esperar a que los intrusos volaran la puerta del gimnasio.

—Tengo que asegurarme de que el despacho queda destruido con todo lo que hay dentro y tengo que matar a cada uno de esos hijos de perra. Los polis aparecerán en cualquier momento y no quiero que ninguno muera porque yo me he largado.

No podía objetar nada a eso, pero no estaba segura de creerle. El hombre sereno y de trato fácil con quien había vivido el año pasado estaba irritado, y no iba a dar por concluido esto hasta eliminar a quienes habían amenazado a su familia. Aunque pareciera extraño, Saber sintió ganas de agarrarle y arrastrarlo hasta el interior del refugio. No confiaba en las piernas de Jess, no le había visto dar un solo paso, y la silla de ruedas estaba al otro lado de la puerta.

—Un hombre se acerca a la oficina. Ya no hay puerta. Veamos si mi mecanismo de seguridad funciona. Todos los datos de los ordenadores deberían estar corruptos e irreparables aunque encontraran el disco duro intacto, pero sólo por si acaso...

Murmuró en voz alta, hablando consigo mismo más que con ella.

Saber se inclinó un poco para asomarse al monitor. El humo y el polvo formaban densos remolinos. Un soldado con una máscara antigás surgió de los escombros y permaneció en la entrada del despacho mirando el interior. Se volvió y alzó la vista al hombre del descansillo, sosteniendo el pulgar en alto para indicar que había encontrado los ordenadores. Entonces notó que Jess se quedaba quieto, y luego una descarga de adrenalina. La estrechó más entre sus brazos, aplastándola contra su pecho, con la cabeza por encima de ella.

La explosión inicial sacudió la casa, los terrenos, pero no acabó ahí. Siguieron otras, y cada estallido era más fuerte que el anterior. La energía llegó a ellos en una serie de oleadas. Saber se sintió enferma finalmente, con un fuerte dolor de cabeza. Pese a la presencia de Jess, que lo absorbía casi todo, la conmoción era un choque tremendo para su cuerpo.

Jess levantó la cabeza para echar una rápida ojeada al monitor y maldijo. La agarró, se puso de pie por primera vez y tiró de ella para levantarla con él, arrastrándola hacia la rejilla del refugio.

—Baja los escalones, lleva el material. Muévete rápido, Saber.

No podía ver lo que le alarmaba tanto y no esperó a descubrirlo. Cogió todas las armas que pudo, arrojando las máscaras antigás por el túnel antes de dejarse caer en el agujero. Las escaleras, estrechas y empinadas, llevaban a un pasadizo muy pequeño. Podía caminar erguida, pero sabía que Jess no podría.

—Jess, no tenemos tu silla de ruedas.

—Puedo andar, no voy a ganar ninguna carrera, pero de verdad puedo poner en marcha mis piernas.

Ya estaba balanceando el cuerpo para meterlo por el hueco y alcanzar las escaleras con las piernas, colocando otra vez la rejilla.

—Vamos, este tipo va a volar la puerta.

Saber le observó bajar por la escalera, inclinándose para no darse con la cabeza a medida que llegaba al fondo. Ella no iba a ponerse a correr por ese pasillo hasta asegurarse de que él estaba bien.

—Vamos, maldición.

—¿Estás seguro de que puedes hacer esto?

La empujó un poco, indicando que debía correr delante de él. Saber se dio media vuelta y se lanzó a la carrera a lo largo del túnel. Era muy pequeña y se movía deprisa, pero por lo que acababa de observar, Jess se mantenía aún inestable sobre las piernas. Además era alto y con amplios hombros. Tenía que encorvarse y colocar el cuerpo en un ángulo torpe para avanzar por el pasadizo serpenteante.

La explosión fue ruidosa y reverberó a través del túnel, con humo y polvo entrando también. Una fina señal de luz roja indicaba el camino mientras ellos se adentraban por el corredor en las profundidades de la tierra. Los lados estaban apuntalados con maderas y alambres sobre las paredes de tierra.

—Han entrado en el gimnasio —dijo Jess entre dientes—. El que intentaba obtener datos de la oficina está frito, y el primero que ha accedido al gimnasio no tiene posibilidades, pero aún tenemos al del lanzagranadas, que no puede pillarnos dentro del túnel.

—¿Estás seguro de que no recuperarán tus archivos? ¿Qué pasa con el expediente que tenías sobre mí?

—Lo destruí. Corre y deja de preocuparte por mí. En cualquier minuto tendremos a alguien disparándonos con un lanzagranadas.

Saber podía sentirle tras ella, por lo tanto aceleró. No era especialmente fuerte, pero era rápida; la terapia génica se había encargado de eso.

—Están destruyendo tu preciosa casa.

Había intentado no pensar en eso, pero resultaba devastadora la pérdida del primer sitio que había considerado un hogar.

—No importa.

—Sí importa. Es el primer hogar que he tenido en la vida. Me encantaba.

Su visión se emborronó y tuvo que secarse los ojos, con la máscara antigás golpeteando contra su brazo.

El túnel describía una curva y luego volvía a ascender. Pudo ver que, justo delante, la delgada línea roja se detenía de forma abrupta.

—¿Dónde? Dime por dónde sigo.

Aminoró la marcha, pues no veía más que un tramo sin salida bloqueando el camino. Parecían estar atrapados.

Jess le puso una mano en el hombro y luego estiró el brazo para palpar por encima de ellos. De inmediato el túnel quedó sumido en la oscuridad total. No entraba luz de ningún lado que mitigara la negrura implacable.

Los pulmones de Saber se bloquearon. Jess parecía más grande que nunca, más sólido. La estrechó entre sus brazos y pegó la boca a su oído.

—Nada de esto importa, ya sabes. Nosotros somos lo único importante. Tú y yo. Estemos donde estemos juntos, Saber, será nuestro hogar. Te encantará la nueva casa; la construiré para ti.

De nuevo Jess se estiró sobre ella y encontró un pestillo que ocultaba una portezuela en el techo. Una cabeza se inclinó hacia dentro desde arriba y Ken les sonrió.

—Os habéis estado divirtiendo sin nosotros —les acusó.

Jess cogió a Saber por la cintura y la levantó para sacarla del túnel. Ella pestañeó cuando la luz filtrada a través del bosque alcanzó sus ojos. La casa estaba en llamas a escasa distancia. Ken la cogió con manos firmes y la sacó afuera, dejándola a continuación a un lado para poder agarrar el equipo que Jess le tendía.

Saber pudo ver que estaban rodeados de hombres con rostros sonrientes, todo ellos sosteniendo rifles como si dominaran su manejo. Soldados Fantasma. Los Soldados Fantasma de Jess. Se volvió para ver la casa en llamas con una opresión en el corazón. Mari se colocó a su lado y la cogió del brazo.

—Lamento lo de vuestra casa.

Sus muestras de simpatía eran inesperadas, pero, por primera vez, notó que tal vez fuera posible formar parte de este grupo de gente. Sólo percibía en ellos afinidad y la determinación de mantenerles a Jess y a ella a salvo. Tal vez, sólo tal vez, ya se encontrara en casa.

Capítulo 20

*J*ess, ya has regresado. —Ken Norton miró su reloj—. Las cuatro de la mañana, y te casas mañana. Has apurado mucho, hermano.

Se encontraba en cuclillas sobre una gran piedra, vigilando la entrada a las tierras de los Norton.

Jess y Saber se habían alojado temporalmente en una cabaña que los gemelos Norton tenían en las montañas de Montana.

Jess se detuvo antes de tomar el sinuoso sendero. No había luna y las nubes oscurecían casi todas las estrellas: tal y como les gustaba a ellos.

—No he tenido muchas opciones. La reunión con el contralmirante Henderson y el general Rainer ha ido como cabía esperar, supongo. A ninguno de ellos le ha hecho gracia que le investigáramos.

Ken se encogió de hombros, sosteniendo contra el pecho el rifle, peinando con la mirada la línea de árboles situada debajo.

—Dudo que tú o Ryland ofrecierais algo así como una disculpa.

—Qué cuernos, no. Les presentamos nuestros resultados y una copia de la cinta. La original está aquí y así seguirá.

—Te alegrará saber que el fideicomiso ya está tramitado. Eres oficialmente propietario de treinta y cinco hectáreas aquí arriba. Ryland y Lily también van a comprar tierra. De hecho, van a comprar todo lo que puedan con la esperanza de que más Soldados Fantasma se instalen aquí. He estado haciendo algunos bosquejos con ideas para edificios que resulten más fáciles de defender. —Ken se encogió de hombros—. Esperaba enseñároslos más tarde para que echarais un vistazo.

—Claro que sí. Quiero empezar a construir en cuanto sea posible. Patsy está dispuesta a hacer su nueva casa cerca de la mía, así velaré también por su seguridad. Eso significa levantar dos casas la primavera que viene.

—Me alegra que por fin haya accedido a venir. ¿Ella y Saber aún hablan de montar otra emisora de radio?

La pregunta de Ken sonaba afable.

Una débil sonrisa apareció en el semblante de Jess. Sabía con exactitud qué estaba pensando Ken.

—No te preocupes. Llegados a ese punto, la montaremos aquí; sé que sería una pesadilla protegerlas a las dos en la ciudad.

—¿Cómo están las cosas ahora mismo?

—Más o menos igual. La red de espionaje sigue en marcha y, por desgracia, varios miembros del ejército están implicados, además de algún mandamás en la Casa Blanca, lo cual viene a significar que lo tenemos mal. Violet va por libre, tiene sus propios planes, y Whitney se encarga de manipular a todo el mundo.

Ken hizo una mueca.

—Sí, bien, nos gusta que la vida siga igual de interesante.

—Tengo que volver y dormir un poco antes del gran acontecimiento.

Jess intentó sonar indiferente pese a su estado ansioso. Se moría de ganas de ver a Saber... de estar en sus brazos.

Ken soltó un resoplido.

—Está un poco cabreada, amigo mío. No esperes una recepción cálida cuando te metas en su cama a... dormir.

Jess le dedicó una sonrisita y subió por el sendero en dirección a la cabaña, saludando con la mano a uno de los vigilantes agazapados en lo alto de los peñascos que daban a la propiedad. Había detectado a varios Soldados Fantasma patrullando; sabía que habían venido para la boda. Su boda. Sonrió como un idiota sólo de pensar en ello.

Llevaba siete días ausente para acudir a una reunión con el almirante y entregarle los resultados de las investigaciones. Pero volvía a estar en casa y decidido a ver a Saber.

Detestó haberse marchado sin ella, y a Saber le hizo menos gracia aún, pero él creía que estaba más segura bajo la protección del equipo de los Soldados Fantasma.

Se introdujo a través de la ventana abierta y se quedó allí en medio, absorbiendo la visión de ella. Era tan guapa que notó una opresión en el pecho. Se desnudó deprisa para meterse en la cama y estrechó en sus brazos la forma femenina.

Ella se acurrucó contra él, encogida como un gatito, mientras su cuerpo de gran tamaño la envolvía en actitud protectora. Sus rizos azabache parecían de seda contra su rostro, la suave piel invitaba a tocarla. Inspiró, absorbiendo su fragancia hasta lo más profundo de los pulmones. El cuerpo de Jess ya expresaba su hambre, su boca anhelaba saborearla.

Se estiró moviendo las piernas, deleitándose en el milagro de ser capaz de hacerlo, y luego se inclinó hacia ella y le besó en la nuca, deslizando las manos por la caja torácica para coger sus senos. Era un hombre grande y ella parecía frágil, no obstante conocía el poder en ella, el acero en su interior. Saber seguiría a su lado pasara lo que pasara.

Era un lujo ser capaz de tocarla, despertar junto a su suave cuerpo curvilíneo. Suyo. Sonrió otra vez y retiró la sábana, deslizando el cuerpo sobre ella.

—¿Qué estás haciendo aquí? —dijo Saber sin abrir los ojos.

Su voz adormilada, pura seducción, se introdujo en su sistema como una droga.

—Vuelve a dormir. Quiero darme algún capricho...

—Me dejaste aquí y estoy muy enfadada contigo, así que márchate.

Él acarició su suave piel, desde los pechos hasta el vientre. Sin abrir los ojos, Saber frunció el ceño.

—No me mereces. Largo. Márchate.

—Es el día de nuestra boda.

—Era. Me dejaste abandonada. Sola. Estoy soñando con una venganza ahora mismo, o sea, que no me molestes.

Jess rozó la punta de un pecho con los labios como plumas.

—¿Qué tipo de venganza?

Notó que los músculos del estómago de su cuerpecito se fruncían como respuesta.

—Estoy buscando algún marine de las Fuerzas Especiales, de los más excitantes, para que ocupe tu puesto. Que me adore y nunca me abandone.

—Acabará degollado y tú recibirás un severo castigo. Vuelve a dormirte y sueña con una venganza adecuada, como matarme o algo así, será mucho más apropiado. Ningún vulgar grumete podrá ocupar el lugar de un SEAL, encanto.

Se inclinó para mordisquear con suavidad la tierna carnecita, suavizando con la lengua el leve escozor.

—¡Ay! —Saber le apartó la cabeza—. Lárgate.

Él cerró la boca en torno al pecho, succionando con fuerza, meneando la lengua juguetona alrededor del pezón, hasta que ella se arqueó y dejó de apartarle con las manos para pasar a atraerle con fuerza.

—Bien —musitó—, creo que voy a conservarte.

Él se rió y dejó un rastro descendente de besos hasta el vientre. Acarició sus muslos, separándolos, y se echó encima de ella, con las manos sobre su abdomen, rodeando sus caderas para mantenerla sujeta mientras se inclinaba a saborearla. Saber, debajo, se sacudió, pero Jess la mantuvo quieta y dio varias lamidas largas y satisfactorias. Su sabor meloso era endemoniadamente sexy, y Jess decidió que despertar junto a ella iba a ser muy gratificante. Podría salirse con la suya cada mañana y ser un hombre feliz todo el día.

—Eres tan guapa...

El cuerpo de Saber estaba ardiente, los muslos tensos, los músculos del estómago fruncidos, y un rocío relucía en los diminutos tirabuzones que resguardaban el tesoro perseguido por él. La mantuvo así abierta e inclinó la cabeza para embeberse, espoleando con su lengua, rodeando el clítoris y extrayendo su néctar.

Saber retorcía el cuerpo, pero él la mantuvo sujeta con firmeza y le dio un cachete en el trasero. Aquel gesto de pasión extrajo más miel, que él lamió con deleite.

—Quédate quieta. Es mi momento, luego te dejaré hacer lo que quieras... al fin y al cabo, tengo que demostrarte que los hombres de la armada estamos a la altura de las circunstancias.

Saber gimió, agarrando la almohada para no saltar sobre la cama. La lengua de Jess era de fuego y avivaba las pequeñas llamas en torno a su clítoris. Calhoun sorbía con un sonido sexy y pecaminoso, y a ella se le escapó un sollozo de placer mientras clavaba las uñas en las sábanas, intentando permanecer quieta para él. Cuando Jess percibió los primeros temblores en su cuerpecito, su ardiente mirada se oscureció aún más de deseo.

—Oh, sí, encanto, quiero que te derritas por mí.

Pasó el dedo por su calor resbaladizo y empujó hacia el interior, y ella notó la precipitación de un orgasmo apoderándose de su cuerpo. Al instante, Jess volvió a inclinar la cabeza y empleó la boca pecaminosa para incrementar la fuerza del seísmo, adentrando más la lengua, hasta ver cómo enloquecía, retorciéndose debajo y gritando su nombre.

Jess se apartó con una amplia sonrisa. Estaba guapísima con los ojos casi opacos y las señales de su boca por todo el cuerpo. Besó sus muslos y entrelazó sus dedos, estirándole los brazos por encima de la cabeza para sujetarle las manos al colchón mientras se inclinaba hacia delante para encontrar sus labios. Podría besarla eternamente. Planeaba besarla eternamente.

Se tomó su tiempo para saborearla una y otra vez, cada beso era más profundo, hasta percibir la misma urgencia en ella. Entonces se desplazó para bajarse del colchón, pues quería ponerse de pie. Arrastró el cuerpo de Saber hasta el extremo de la cama.

—¿Qué estás haciendo?

—Cosas. —Le alzó las caderas y se inclinó para beber otra vez. Ella soltó un grito desgarrado, con aliento entrecortado—. Todas las cosas. —Lamió otra ofrenda de cálida miel y luego se irguió sobre ella—. Abre la boca.

Parecía enorme, elevándose por encima de ella como un dios vengador, pero Saber no pudo resistirse a la pasión insaciable de él. También ella quería saborearle, quería ver hasta dónde podía excitarle antes de perder el control.

—Se supone que esto sucede después de la boda —comentó mientras él acercaba más las caderas, tocando suavemente los labios de Saber con el amplio capullo de su enorme erección.

—Eres mi esposa —dijo él—. En todos los sentidos de la palabra, eres mi esposa.

Ella le dejó esperar una fracción de segundo antes de lamer la diminuta gota nacarada del capullo, y entonces sus caderas dieron una sacudida, mientras agarraba los mechones de pelo de Saber como si fueran riendas. Ella se rió al tiempo que él entraba en su boca a placer. El sonido de la risa se propagó por la verga como una vibración mientras Saber sentía el estremecimiento de Jess y le veía arrojar la cabeza hacia atrás y cerrar los ojos.

Se metió el falo bien adentro, jugando con la lengua a lo largo del lado inferior y encontrando el punto más sensible mientras rodeaba la base con la mano, con dedos acariciadores. Le amó con su boca, succionando con fuerza y luego reduciendo la marcha con largos lengüetazos. Volvió a acoplar su ritmo a él, al pulso y la respiración acelerada, para poder ofrecer más fácilmente lo que a él más le agradaba. Todo parecía complacerle. Las caderas de Jess iniciaron unas embestidas más urgentes, y ella sintió la verga cada vez más gruesa, endurecida como un acero sedoso.

Fue Calhoun quien se apartó, entre jadeos.

—No tan rápido, mujer de mis amores. Vas a matarme.

—Mereces que te mate por haberme dejado.

Jess la levantó sin esfuerzo y la puso boca abajo, tirando para hacer retroceder su cuerpo hasta el borde de la cama y dejarla con las caderas colgando. Con un brazo la cogió por la cintura mientras metía la otra mano de inmediato entre sus piernas, encontrando la humedad que le decía que estaba más que lista para él. Introdujo el dedo, y los músculos lo sujetaron con avidez.

—Estás caliente de verdad, caray, Saber.

Colocó la mano en su nuca para mantenerla contra la cama mientras continuaba sondeando, hundiendo los dedos y luego retirándolos para dejarla gimiendo y empujando contra su mano.

Jess retiró de inmediato la tentación de los dedos, sustituyéndola por la gruesa erección. Ella intentó arremeter a su vez, deseando empalarse en él, pero Jess la obligó a esperar, sosteniéndola indefensa mientras entraba centímetro a centímetro en el ardiente y ceñido canal. Parecía casi demasiado estrecha, la vulva sedosa se agarraba obligándole casi a gritar de placer. Se retiró y volvió a entrar con la misma penetración terriblemente lenta, absorbiendo la manera en que el cuerpecito se contraía en torno a su falo y se aferraba con calor y fuego, envolviéndolo de una seda dotada de vida.

Entonces ella explotó en un sollozo entrecortado, intentando otra vez empujar con fuerza e imponer el ritmo que quería. Los dedos de Jess presionaron su nuca.

—Todavía no, pequeña, tómatelo con calma, lento.

Jess tampoco quería calma ni lentitud, en absoluto, pero sí deseaba verla desesperada. Deseaba un ansia equiparable a la suya, quería sentirla desgarrada por el hambre hasta el punto de hacer cualquier cosa por lograr alivio. Frotó la piel suave y firme de las nalgas, masajeándola al tiempo que se retiraba poco a poco y observaba desaparecer su miembro por ese canal femenino secreto.

Cuando Saber volvió a retorcerse, se hundió con dureza y rapidez. Ella gimió y contrajo los músculos, balanceando las caderas mientras él embestía con más fuerza, sujetándola clavada a la cama, penetrándola tan a fondo que su trasero se pegó a su estómago. La polla palpitaba casi dolorosamente, hinchándose más y expandiendo la vulva.

Saber no podía moverse, no podía hacer otra cosa que seguir ahí echada boca abajo, lamentándose, mientras él la penetraba con más y más fuerza. La ardiente fricción provocó sensaciones que zarandeaban cada parte del cuerpo, hasta sentir que todas juntas ansiaban el alivio. Era aún más erótico colgando así de la cama, incapaz de hacer nada, a la vez que él se daba placer y lo devolvía multiplicado por diez. Cada dura embestida de su verga a través de sus pliegues de terciopelo la encendía en llamas.

Empezó a arremeter con fuerza y rapidez de tal modo que ya no pudo controlar el placer que estallaba a través de su cuerpo, la presión en cada músculo creciendo sin cesar hasta la explosión abrumadora que sacudió todo su cuerpo. Sus músculos convulsos estrujaron con fuerza la enorme verga, llevando a Jess a alcanzar con un grito ronco el clímax junto a ella.

Entre jadeos, Calhoun permaneció echado encima de Saber con el corazón desbocado. Deslizó las manos bajo su cuerpo para tomar sus pechos y le besó la nuca y el cuello mientras permanecían tumbados y enlazados. Aún persistían las sacudidas ondulantes del cuerpo de ella en torno a su polla, y él respondió con pequeñas convulsiones de dicha agradecida. Le había dejado agotado, saciado y feliz, pero en algún lugar en lo más profundo, ese anhelo oscuro comenzaba de nuevo, la mente se llenaba de fantasías y de todas las cosas que podía hacer para complacerla.

—Te quiero, encanto.

Jess se levantó de mala gana, pues no quería separarse, pero era consciente de su peso. Dejó que la polla saliera del calor de su cuerpo.

—Vas a tener problemas cuando Patsy te descubra aquí —susurró Saber volviéndose hacia él, rodeándole el cuello con sus brazos delgados.

—Sí, bueno, haré frente a cualquier cosa con tal de estar contigo. —La levantó, besándola y deseando que sintiera cómo le estremecía por dentro—. ¿Y tú aceptarás esto? ¿Vivir aquí? ¿Formar parte de todo esto?

—¿Y si la respuesta es no?

—Eres mi mundo, Saber. Si no estás contenta, yo tampoco. —La besó otra vez y la dejó encima de la cama, para acercarse luego a besarla con una sonrisa jactanciosa—. Y tendré que seguir tratando de convencerte hasta que comprendas que éste es tu sitio.

Inclinó la cabeza para acariciarle el vientre con los labios. Algún día su bebé crecería ahí. Su bebé. Forjaría una vida para ellos de cualquier manera posible, y que Dios le ayudara si alguien intentaba arrebatárselo, porque no tendría piedad si volvían a agredir a su familia.

—Sé dónde está mi sitio —respondió Saber ensortijando el cabello de Jess entre sus dedos—. Sé exactamente cuál es mi sitio.

Jess Calhoun era su hombre, su otra mitad, y donde él se encontrara, ahí estaba su hogar. Quien estuviera con él, era su familia. Y si

alguien intentaba arrebatarle aquello... bien, Saber mantenía refrena-
da toda una parte de ella, pero seguía ahí, a la espera, seguía preparada para proteger a los suyos.

Saber Wynter, que pronto se convertiría en Saber Calhoun, por
fin había dejado de huir... tanto de Whitney como de sí misma. Por
fin sabía quién era y cuál era su sitio. Había encontrado su hogar
aquí, con Jesse. De modo que tal vez no fuera la vida normal con la
que siempre había soñado... tal vez nunca lo fuera.

Pero, claro, ¿quién quería algo normal?

Esto era mucho mejor.

NUESTRO ECOSISTEMA DIGITAL

NUESTRO PUNTO DE ENCUENTRO
www.edicionesurano.com

Síguenos en nuestras Redes Sociales, estarás al día de las novedades, promociones, concursos y actualidad del sector.

 Facebook: **mundourano**

 Twitter: **Ediciones_Urano**

 Google+: **+EdicionesUranoEditorial/posts**

Pinterest: **edicionesurano**

Encontrarás todos nuestros *booktrailers* en **YouTube/edicionesurano**

Visita nuestra librería de *e-books* en **www.amabook.com**

Entra aquí y disfruta de 1 mes de lectura gratuita

www.suscribooks.com/promo

Comenta, descubre y comparte tus lecturas en **QuieroLeer®**, una comunidad de lectores y más de medio millón de libros

www.quieroleer.com

Además, descárgate la aplicación gratuita de **QuieroLeer®** y podrás leer todos tus *ebooks* en tus dispositivos móviles. Se sincroniza automáticamente con muchas de las principales librerías *on-line* en español. Disponible para **Android** e **iOS**.

https://play.google.com/store/apps/details?id=pro.digitalbooks.quieroleerplus

https://itunes.apple.com/es/app/quiero-leer-libros/id584838760?mt=8